ROBERT WILLIAM HINDS

FOUNDATION COURSE IN SPANISH

ROBERT WILLIAM HINDS

FOUNDATION COURSE IN
SPANISH

Laurel Herbert Turk, DePauw University

D. C. HEATH AND COMPANY   BOSTON

Maps by
RICHARD C. BARTLETT JR.

Drawings and cover design by
ROBERT WILLIAM HINDS

P R E F A C E

Foundation Course in Spanish is intended for beginning students who wish to understand and use Spanish. At the same time that the student learns to say in Spanish the things he says every day in English and learns to understand and read Spanish, he will become informed of something of the civilization, culture, customs, and way of life of the peoples whose language he is studying.

Throughout the text emphasis is placed on a practical vocabulary and oral use of the language. The Spanish Usage sections deal with everyday situations, such as the classroom, the home, meals, shopping, travel, amusements, and other phases of daily life within the experience of the average student. Each lesson presents not only the new words, idioms, and grammatical points, but it also repeats systematically much of the material from earlier lessons. Individual words in the Spanish Usage passages have been chosen for their practical use rather than for their literary frequency, although most of the words as well as all the idiomatic phrases introduced are those most commonly used. The *Lecturas* offer a vocabulary which will be of value in reading Spanish, whether it be novels, short stories, or newspaper articles.

Foundation Course in Spanish consists of two preliminary lessons on pronunciation, followed by twenty-five lessons, five reviews, five *Conversaciones*, a short section on letter writing, twenty reading selections called *Lecturas*, three appendices, and the end vocabularies. The maps and illustrations form an important part of the book, offering great variety in topics which supplement the story of the cultural background in the Spanish-speaking lands. Through the use of carefully selected slides, films, filmstrips, movies, and other visual materials the teacher may give the student an even wider understanding of Hispanic culture.

The first five lessons are divided into six parts: (*a*) a passage called Spanish Usage, new vocabulary and a separate list of idiomatic expressions; (*b*) pronunciation exercises; (*c*) questions in Spanish; (*d*) grammatical usage; (*e*) drill exercises; (*f*) an English to Spanish Composition. The pronunciation drill is not continued beyond Lesson 5, but it is assumed that the student will constantly apply the elementary principles acquired up to this point as he talks and reads aloud in Spanish.

Habits of speech are formed in the first few weeks of study, hence adequate drill is essential at this stage. The Spanish Usage passages are designed for concentration on the student's hearing and speaking the language. He should listen carefully to the pronunciation and intonation of the teacher, then imitate each phrase or sentence as closely as possible. As an aid to the teacher and student long-playing records and tapes are available for the Spanish Usage passages in the first lessons of the book. The voices are those of native Spanish Americans. Students may memorize parts or all of the model passages, or they may retell similar situations using vocabulary already presented. Parts of these passages, or of the *Lecturas*, may be used for dictation.

The series of questions to be answered in Spanish will facilitate oral work and comprehension, and they will serve to test the student's knowledge of words and phrases that he needs and wants to learn. Most of these questions are based on the Spanish Usage passage; others are indicated as general or personal questions.

Points of grammatical usage are grouped and presented in logical sequence as far as possible. Care has been taken to state the explanations of grammar simply, but adequately, and in terms easily understood by beginning students. Many definitions of English grammar are given. Emphasis is placed upon general rules which arise naturally from Spanish usage, and exceptions are held to a minimum. The examples, drawn largely from the model section Spanish Usage, are given before the explanations so that the student may be encouraged to make deductions on his own initiative. Frequent cross references are made to similar or contrasting constructions. A short section called *práctica* is included for further drill after the discussion of many troublesome points of grammatical usage. Before preparing the Spanish Usage section the student should study carefully the one on grammatical usage and also the new words listed in the vocabulary and idiom list.

Recognizing the necessity of a thorough knowledge of verb forms and basic grammatical principles, regardless of the purpose for which Spanish is to be used, special attention has been placed first upon a gradual, logical, and clear presentation of all the material, and then upon adequate and varied drill exercises. Some of these exercises may be used in class without having been assigned for study. The exercises in each review lesson offer further drill on the preceding five lessons, and, in addition, there is constant review of object pronouns, negatives, the verb forms and tenses, idiomatic expressions, and other basic principles.

The Compositions may be used at the discretion of the teacher, depending on the amount of emphasis on written work. In this section the student is asked to write only what he should have learned to understand, say, and read correctly.

While the *Conversaciones* which follow each review lesson provide additional oral practice on topics which should be of interest to students, their use is optional. The new words in these selections are repeated in the lesson vocabularies if they are used again in the regular lessons.

The *Lecturas* are designed so that the student can read with understanding and without conscious translation. They are closely correlated with the grammatical usage so that the student is not introduced to troublesome constructions before they have been used or explained in the regular lessons. The short notes and exercises on Word Study should aid greatly in building a working vocabulary. Five per cent of the individual words used in the *Lecturas* are identical cognates, nearly sixty per cent are recognizable cognates, leaving only approximately thirty-five per cent which may not be recognized from the context. Many words in the latter group are listed in footnotes, to avoid vocabulary thumbing and to facilitate reading. Idioms and difficult phrases are also included in the footnotes. A few notes on word order are given at the end of some of the *Lecturas*. Words and phrases used first in the *Lecturas* are listed in the active vocabularies if used again in the Spanish Usage passages. Thus, a teacher may omit the *Lecturas* entirely; they may be assigned as outside reading; or they may be taken up at any subsequent period of the year.

For those who may wish to carry on social or commercial correspondence in Spanish, some commonly used phrases and formulas are given in the special section on letter writing.

Appendix A contains songs and gives a free translation of them; Appendix B contains a list of classroom expressions, grammatical terms, punctuation marks, and the abbreviations and signs used in the text; and Appendix C contains a complete list of verb forms used in the text, as well as a few additional verbs which may be encountered in later study of Spanish.

The Spanish-English vocabulary is intended to be complete with the exception of a few proper and geographical names which are either identical in Spanish and English or their meaning is clear and not important, a few past participles used as adjectives when the infinitive is given, titles of literary works mentioned in the last five *Lecturas,* the supplementary list of foods on pages 259–260, and Spanish examples translated in the section Spanish Letter Writing. Idioms are listed under the most important word in the phrase and in most cases cross listings are given. The English-Spanish vocabulary contains only the English words used in the English-Spanish exercises of the text.

Foundation Course in Spanish, it is believed, is adaptable to any effective teaching method. While the emphasis is on an oral approach, the student should also receive a basic preparation for learning to read and write Spanish through the use of a practical vocabulary and the logical and natural presentation of the fundamental structure of the language. Each lesson can be treated in two recitations, and the arrangement is such that the lessons can be divided easily. Likewise, each *Lectura* can be covered in one class period, except for Lectura XX and possibly Lectura XIII.

As the student begins the study of a foreign language he should recall the years he has spent gradually learning his own language. After completing this text, by studying a few hours a week during a school year, he will not be able to talk and read Spanish like a native; however, if he has learned what is included in these pages he will be able to understand much of what a Spanish-speaking person says, he will be able to say in Spanish most of the ordinary things he wants or needs to say, and he will be able to write simple Spanish.

To recapitulate, the teacher who wishes to stress hearing and speaking Spanish will emphasize the sections on Spanish and grammatical usage and select from the drill exercises as many as time permits. Also this teacher will assign the *Conversaciones.* If the teacher does not agree with the author's conviction concerning the presentation of cultural material, the *Lecturas* may be omitted partially or entirely without sacrificing the basic elementary principles of the language.

In the preparation of this text the author is grateful for the valuable suggestions and constructive criticism offered by many colleagues who have used *Introduction to Spanish* and *Practical Spanish.* Many features of these two texts which have proved to be sound are retained in *Foundation Course in Spanish.* Special thanks are expressed to Mrs. Elena Picazo de Murray, Mexico City College, for her careful examination and helpful criticism of the Spanish Usage passages and the *Lecturas.* The author is also grateful to Dr. Vincenzo Cioffari and the editorial staff of D. C. Heath and Company whose sound criticism and thoughtful suggestions have been most helpful at every stage in the preparation of this text.

L. H. T.

CONTENTS

APPENDIX

SPANISH–ENGLISH VOCABULARY

ENGLISH–SPANISH VOCABULARY

INDEX

MAPS

FOUNDATION COURSE IN SPANISH

FIRST PRELIMINARY LESSON

PRONUNCIATION

1. THE ALPHABET

LETTER	NAME	LETTER	NAME	LETTER	NAME
a	a	j	jota	r	ere
b	be	k	ka	rr	erre
c	ce	l	ele	s	ese
ch	che	ll	elle	t	te
d	de	m	eme	u	u
e	e	n	ene	v	ve
f	efe	ñ	eñe	w	doble ve
g	ge	o	o	x	equis
h	hache	p	pe	y	i griega
i	i	q	cu	z	zeta

In addition to the letters used in the English alphabet, **ch, ll, ñ,** and **rr** represent single sounds in Spanish and are considered single letters. In dictionaries and vocabularies, words or syllables which begin with **ch, ll,** and **ñ** follow words or syllables that begin with **c, l,** and **n,** while **rr,** which never begins a word, is alphabetized as in English. **K** and **w** are used only in words of foreign origin. The names of the letters are feminine: **la be,** (*the*) *b;* **la jota,** (*the*) *j.*

The Spanish alphabet is divided into vowels (**a, e, i, o, u**) and consonants. The letter **y** is a vowel when final in a word, and when used as the conjunction **y,** *and.*

The Spanish vowels are divided into two groups: strong vowels (**a, e, o**) and weak vowels (**i, u**).

2. SPANISH SOUNDS

Even though Spanish uses practically the same alphabet as English, few sounds are identical in the two languages. It will, however, be necessary to make comparisons between the familiar English sounds and the unfamiliar Spanish sounds in order to show how Spanish is pronounced. Avoid the use of English sounds in Spanish words and *imitate good Spanish pronunciation.*

Spanish pronunciation is much more uniform than the English. The vowel sounds are clipped short and there is none of the slurring so

3

commonly heard in English: *no* (*no^u*), *came* (*ca^{i}me*), *why* (*why^e*). Spanish consonants are usually not so strongly pronounced as English consonants. Most of them are pronounced farther forward in the mouth, with the tongue close to the upper teeth and gums, and they are never followed by the *h* sound that is often heard in English: *hat* (*hat^h*), *cap* (*cap^h*).

3. DIVISION OF WORDS INTO SYLLABLES

Spanish words are hyphenated at the end of a line and are pronounced according to the following principles.

a. A single consonant (including **ch, ll, rr**) is placed with the vowel which follows: **pa-pel, mu-cho, ca-lle, pi-za-rra.**

b. Two consonants are usually divided: **tar-de, Car-los, es-pa-ñol, tam-bién.** However, consonants followed by **l** or **r** are generally pronounced together and they go with the following vowel: **li-bro, ha-blo, pa-dre, a-pren-do.**

c. Combinations of three consonants are usually divided after the first consonant: **in-glés, siem-pre, en-tra.**

d. Two adjacent strong vowels (**a, e, o**) are in separate syllables: **le-o, tra-e, cre-e.**

e. Combinations of a strong and weak vowel (**i, u**) or of two weak vowels normally form single syllables. Such combinations of two vowels are called *diphthongs*. (See page 7 for further discussion of diphthongs.) Examples: **bue-nos, bien, es-tu-dio, gra-cias, ciu-dad, Luis.**

f. In combinations of a strong and weak vowel, a written accent mark on the weak vowel divides the two vowels into separate syllables: **dí-a, pa-ís, tí-o.** However, an accent on the strong vowel of such combinations does not result in two syllables: **lec-ción, tam-bién.**

4. WORD STRESS

a. Most words which end in a vowel, and in **n** or **s** (plural endings of verbs and nouns respectively), are stressed on the next to the last syllable: *cla*-se, *to*-mo, *ca*-sas, *en*-tran, *Car*-men.

b. Most words which end in a consonant, except **n** and **s,** are stressed on the last syllable: **pro-fe-*sor*, ha-*blar*, pa-*pel*, ciu-*dad*, es-pa-*ñol*.**

c. Words not pronounced according to these two rules have a written accent on the stressed syllable: **ca-*fé*, in-*glés*, lec-*ción*, tam-*bién*.**

The written accent is also used to distinguish between two words spelled alike but different in meaning (**si,** *if,* **sí,** *yes;* **el,** *the,* **él,** *he,* etc.) and on the stressed syllable of all interrogative words (**¿ qué ?** *what ?*).

5. VOWELS

a is pronounced like *a* in *father:* **ca-sa, ha-bla, ca-da**
e is pronounced like *e* in *café:* **me-sa, cla-se, us-*ted*, re-*fres*-co**
i (y) is pronounced like *i* in *machine:* **Fe-*li*-pe, sí, dí-as, a-sí, muy**
o is pronounced like *o* in *obey:* **no, to-do, so-lo, cho-co-*la*-te**
u is pronounced like *oo* in *cool:* **us-*ted*, u-no, a-*lum*-no**

The vowels **e** and **o** also have sounds like *e* in *let* and *o* in *for*. These sounds, as in English, generally occur when the **e** and **o** are followed by a consonant in the same syllable: **el, ser, Car-los, es-pa-ñol.** In pronouncing the **e** in **el** and **ser,** and the **o** in **Carlos** and **español,** the mouth is opened wider than when pronouncing the **e** in **mesa** and **clase,** and the **o** in **no** and **todo.** There is greater difference in the two sounds of **e** than in the two sounds of **o.** Pay close attention to the teacher's pronunciation of these sounds.

6. CONSONANTS

b and **v** are pronounced exactly alike. At the beginning of a word or breath-group (see page 8), or after *m* and *n*, the sound is that of a weakly pronounced English *b:* **bien, *bue*-nas, *ver*-de, *vi*-da.** In other places, particularly between vowels, the sound is much weaker than the English *b*. The lips touch lightly and the breath continues to pass between them. Avoid the English *v* sound. Examples: **li-bro, ha-bla, es-*cri*-bo, Cu-ba, la-vo.** Note both sounds in **vi-*vir*, be-*ber*.**

c before **e** and **i** and **z** in all positions are pronounced like the English soft *s* in *sent* in most of Spanish America and in southern Spain. In most of Spain this sound is like *th* in *thin*. Examples: **gra-cias, cen-tro, ci-ne, lá-piz.**

c before all other letters, **k,** and **qu** are like English *c* in *cat:* **ca-sa, cla-se, co-mo, ki-*ló*-me-tro, que, par-que.** Note both sounds of **c** in **cin-co, lec-*ción*.**

ch is pronounced like English *ch* in *church:* **mu-cho, le-che, cho-co-*la*-te.**

d is pronounced as follows: (1) At the beginning of a breath-group or following **l** or **n** it is like a weak English *d*, but with the tongue touching the upper front teeth: **de, dos, don-de, sal-*dré*;** (2) between vowels and at the end of a word the sound is somewhat like English *th* in *this:* **ca-da, to-do, us-*ted*, Ma-*drid*.**

f is pronounced like the English *f:* **ca-fé, Fe-*li*-pe.**

g before **e** and **i** and **j** in all positions have no English equivalent.

They are pronounced approximately like a strongly exaggerated *h* in *halt*, or like the German *ch:* **gen-te, hi-jo, Jor-ge, re-*gión*.** (The letter **x** in **México** and **mexicano**, spelled **Méjico** and **mejicano** in Spain, is pronounced like Spanish **j**.)

g in other positions and **gue, gui** are pronounced like a weak English *g* in *go* at the beginning of a breath-group or after **n**. Between vowels the sound is much weaker. Examples: **gra-cias, ten-go, a-gua, ha-go, lue-go.** (The diaeresis is used over **u** in the combinations –**güe**– and –**güi**– when the **u** is pronounced: **ver-güen-za**.)

h is always silent: **ha-*blar*, has-ta, *hoy*.**

l is pronounced like *l* in *leap*, with the tip of the tongue well forward in the mouth: **la, pa-*pel*, es-pa-*ñol*.**

ll is pronounced like *y* in *yes* in most of Spanish America and in some sections of Spain, otherwise like *lli* in *million:* **e-*lla*, ca-*lle*, lla-*mar*.**

m is pronounced like English *m:* **to-ma, me-sa.**

n is approximately like English *n*, except before **b, v, m, p**, when it is pronounced like *m:* **no, Car-men, un⌣po-co, con⌣Bár-ba-ra.**

ñ is like the English *ny* in *canyon:* **se-ñor, es-pa-ñol, ma-ña-na.**

p is not as explosive as in English: **pe-ro, pa-*pel*, Fe-*li*-pe.**

r and **rr**. Single **r**, except at the beginning of a word, is pronounced with a single trill produced with the tip of the tongue against the gums and close to the upper teeth. The sound is much like *dd* in *eddy:* **pa-ra, pe-ro, ha-*blar*.** Initial **r** and **rr** are strongly trilled: **ri-co, ro-jo, pe-rro, co-rre, Ro-ber-to.**

s is pronounced somewhat like English *s* in *sent:* **ca-sa, Car-los, es-tos.** Before **b, d, g, l, m, n, v** the sound is like the English *s* in *rose:* **mis-mo, des-de, es⌣ver-dad, los⌣li-bros.**

t is pronounced with the tip of the tongue touching the back of the upper front teeth: **to-do, tar-des, Te-re-sa.**

x is pronounced as follows: (1) Before a consonant it is like English *s* in *sent:* **ex-tran-je-ro, ex-pli-car;** (2) between vowels it is like a weak English *gs:* **e-xa-men, é-xi-to.**

y at the beginning of a word, and the word **y**, *and*, combined with a following vowel, are pronounced like English *y* in *yes:* **yo, ya, Car-los⌣y⌣A-na.**

EXERCISES

1. Pronounce the following Spanish place names, following the explanations given above:

El⌣*Pa*-so, San⌣An-*to*-nio, Pa-lo⌣*Al*-to, San-ta⌣*A*-na, Sa-cra-*men*-to, No-

ga-les, San⁀*Pe*-dro, Co-lo-*ra*-do, San⁀Jo-*sé*, Los⁀*Án*-ge-les, El⁀*Cen*-tro, San⁀Fran-*cis*-co, Las⁀*Cru*-ces, A-ma-*ri*-llo, La⁀*Jo*-lla.

2. Pronounce the following given names. If you cannot figure out the English meaning of each name, you will find it in the end vocabulary:

A-na, Do-*lo*-res, Car-*lo*-ta, *Mar*-ta, Ma-*rí*-a, *Cla*-ra, Ca-ro-*li*-na, I-*nés*, Do-ro-*te*-a, I-sa-*bel*, Te-*re*-sa, *Car*-men, *Bár*-ba-ra, Al-*ber*-to, Fran-*cis*-co, Jo-*sé*, *Juan*, *Jor*-ge, Fe-*li*-pe, To-*más*, Ri-*car*-do, Ro-*ber*-to, Vi-*cen*-te, Gui-*ller*-mo.

SECOND PRELIMINARY LESSON

PRONUNCIATION (continued)

1. DIPHTHONGS

Recall from the previous lesson that a combination of the strong vowels **a, e, o** with the weak vowels **i (y)** or **u,** or a combination of the two weak vowels, forms one syllable and is called a diphthong: **bue-nos, es-*tu*-dio, tam-*bién*, cua-*der*-no, a-*diós*, Luis.** When the weak vowel of a diphthong has a written accent, two syllables result: **dí-a, Ma-*rí*-a.** An accent mark on a strong vowel merely indicates stress: **lec-*ción*, tam-*bién*.** Two strong vowels form separate sylla-bles: **le-e, Do-ro-*te*-a.** At the end of a word, **i** of a diphthong is written **y: *hay*, *hoy*.**

In pronouncing these combinations, give each vowel its characteristic sound and pronounce rapidly, stressing the strong vowel or the second of two weak vowels. When unstressed **i** precedes a strong vowel it is pronounced like English *y* in *yes*, and unstressed **u** is pronounced like *w* in *wet*.

2. TRIPHTHONGS

A triphthong is a combination of a stressed strong vowel between two weak vowels and it is considered a single syllable. The four combinations are **iai, iei, uai (uay), uei (uey): es-tu-*diáis*, Pa-ra-*guay*.**

3. LINKING

In reading or speaking Spanish, words are linked together, as in English, so that two or more may sound as one long word. This means that many individual sounds will be modified, depending upon the letters which follow and with which they are grouped. Since words normally occur in breath-groups which form phrases or sentences, it is necessary to practice pronouncing phrases or entire sentences. Frequently a short sentence will be pronounced as one breath-group, while a longer one may be divided into several groups. Be sure to keep in mind the meaning of what is being pronounced. The following examples illustrate some of the general principles of linking. The syllabic division in parentheses shows the correct linking; the syllable italicized bears the main stress.

a. A final consonant may be joined with an initial vowel: **el alumno (e-la-*lum*-no).**

b. Two identical consonants are pronounced as one lengthened consonant: **el libro (el_*li*-bro).**

c. Two identical vowels are pronounced as one: **el profesor de español (el-pro-fe-*sor*-de_es-pa-*ñol*).**

d. The final vowel of one word is often linked with the initial vowel of the following word so that one syllable is formed:

> su amigo (su_a-*mi*-go)
> vamos a una escuela (*va*-mo-s-a_u-na_es-*cue*-la)
> Carlos y Elena entran (*Car*-los_y_E-*le*-na_*en*-tran)
> mi padre y mi madre (mi-*pa*-dre_y-mi-*ma*-dre)
> es joven y es español (es-*jo*-ven | y_es-es-pa-*ñol*)

4. INTONATION

The intonation of Spanish is quite different from that of English. The alternate rise and fall of the pitch depends upon the particular meaning of the sentence, the number of stressed syllables, and whether the sentence expresses command, affirmation, interrogation, enumeration, exclamation, request, or other factors. In general, the pitch of the voice rises toward the principal word of each breath-group, then falls at the end of an affirmative statement, while in questions and exclamations it is usually high at the end of the sentence.

PUNCTUATION

Spanish punctuation is much the same as English. The most important differences are:

1. Inverted question marks and exclamation points precede questions and exclamations. They are placed at the actual beginning of the question or exclamation, not necessarily at the beginning of the sentence:

¿ Hablan Carlos y Juan ?	Are Charles and John talking ?
¡ Qué muchacha más bonita !	What a pretty girl !
Vd. es español, ¿ verdad ?	You are a Spaniard, aren't you ?

2. In Spanish a comma is not used between the last two words of a series, while in English it usually is:

Tiene plumas, libros y lápices.	He has pens, books, and pencils.

3. A dash is generally used instead of quotation marks to denote a change of speaker in dialogue. It appears at the beginning of each speech, but is omitted at the end.

— ¿ Es Vd. cubano ?	"Are you a Cuban ?"
— Sí, señor, soy de la Habana.	"Yes, sir, I am from Havana."

However, if quotation marks are used, they are placed on the line:

Juan dijo: « Buenos días ».	John said, "Good morning."

CAPITALIZATION

Only proper names and the first word of a sentence begin with a capital letter in Spanish. The subject pronoun **yo** (*I* in English), names of months and days of the week, adjectives of nationality and nouns formed from them, and titles are not capitalized. However, when titles are abbreviated, capitals are used.

Juan y yo hablamos.	John and I are talking.
Hoy es lunes.	Today is Monday.
Buenos días, señor (Sr.) Pidal.	Good morning, Mr. Pidal.
Son españoles.	They are Spanish.

LECTURA *(Reading)*

Read the following in Spanish, then memorize each expression:

— Buenos días, señor (señora).	*"Good morning, sir (madam)."*
— Buenos días, señorita.	*"Good morning (day), miss."*
— ¿ Cómo está usted ?	*"How are you ?"*
— Muy bien, gracias. ¿ Y usted ?	*"Very well, thanks. And you ?"*
— Regular (Así, así), gracias.	*"Fair (So-so), thank you."*
— Adiós. Hasta mañana.	*"Good-bye. Until tomorrow."*
— Hasta mañana.	*"Until (See you) tomorrow."*

Buenas tardes, *Good afternoon,* and **buenas noches,** *good evening,* are used as greetings in the afternoon or evening, respectively. **Buenas noches,** *good night,* is also used in taking leave of persons in the evening.

Señor (Sr.) and **señora (Sra.)** also mean *Mr.* and *Mrs.*, respectively. The abbreviation for **señorita** is **Srta.**

EXERCISES

1. Pronounce the names of the following Spanish American countries, then locate them on the map:

Colombia, Chile, el Perú, Venezuela, Bolivia, el Paraguay, el Uruguay, la Argentina, el Ecuador, Panamá, Nicaragua, Costa Rica, Honduras, Guatemala, El Salvador, Cuba, la República Dominicana, Méjico.

2. Divide each of the following words into syllables and underline the syllable stressed:

Venezuela	gracias	Dorotea	idea	continúo
Colombia	buenos	María	todavía	quisieron
Uruguay	hacia	lección	aprendió	estudiar
portugués	hacía	viajando	enviáis	influencia

1 Present indicative of the first conjugation   Use of subject pronouns
Gender and plural of nouns   Use of the definite article
Negative and interrogative sentences

SPANISH USAGE

SRTA. MILLÁN. — Buenos días (Buenas tardes).

ALUMNOS. — Buenos días (Buenas tardes), señorita Millán.

SRTA. MILLÁN. — Ana, ¿ cómo está usted hoy ?

ANA. — Muy bien, gracias.

SRTA. MILLÁN. — ¿ Habla usted español ?   5

ANA. — Sí, señorita, hablo español, pero no bien.

SRTA. MILLÁN. — Carmen, ¿ habla usted inglés y francés ?

CARMEN. — Hablo inglés y portugués, pero no hablo francés.

SRTA. MILLÁN. — Felipe, ¿ hablamos inglés en la clase de
español ?   10

FELIPE. — No, señorita, no hablamos inglés; hablamos
español.

SRTA. MILLÁN. — ¿ Hablan inglés en España ?

FELIPE. — No, señorita, en España hablan español. Los
alumnos estudian el inglés y el francés, pero hablan español. 15
Nosotros estudiamos el español.

SRTA. MILLÁN. — Ana, ¿ qué hablan en Méjico ?

ANA. — Hablan español. Y los alumnos también estudian el inglés.

SRTA. MILLÁN. — Carlos, ¿ preparan ustedes la lección de
5 español en la clase ?

CARLOS. — No, señorita, preparamos las lecciones en casa todas las tardes o todas las noches. Felipe y yo siempre estudiamos mucho pero pronunciamos mal las palabras.

SRTA. MILLÁN. — No, Carlos, ustedes pronuncian bien el
10 español. ¿ Hablan ustedes español con el profesor (la profesora) de inglés ?

CARLOS. — El profesor de inglés no habla español. Pero hablamos todos los días con los profesores (las profesoras) de español. Y yo siempre hablo con las alumnas de la clase de
15 español.

SRTA. MILLÁN. — Muy bien. Hasta mañana.

ALUMNOS. — Hasta mañana, señorita Millán.

VOCABULARY [1]

la alumna pupil, student (*girl*)
el alumno pupil, student (*boy*)
Ana Ann, Anna, Anne
Carlos Charles
Carmen Carmen
la casa house, home
la clase class, classroom
con with
de of, from, about
el día (*note gender*) day
en in, on, at
España Spain
el español Spanish (*the language*)
estudiar to study
Felipe Philip
el francés French (*the language*)
hablar to speak, talk
hoy today

el inglés English (*the language*)
la lección (*pl.* **lecciones**) lesson
mal *adv.* badly
Méjico Mexico
mucho *adv.* much, hard, a great deal
no no, not
la noche night, evening
o or, either
la palabra word
pero but
el portugués Portuguese (*the language*)
preparar to prepare
el profesor teacher (*man*)
la profesora teacher (*woman*)
pronunciar to pronounce
¿ qué ? what ?

[1] The words given in the **Lectura** and explanation on page 10 are not repeated in the lesson vocabularies. See Grammatical Usage, A, for the subject pronouns.

sí yes
siempre always
también also, too

la tarde afternoon
todo, –a [1] all, every

clase de español (inglés) Spanish (English) class
en casa at home
lección (lecciones) de español Spanish lesson (lessons)
profesor *or* **profesora de inglés (español)** English (Spanish) teacher
todos los días every day (*lit.* all the days)
todas las tardes (noches) every afternoon (night, evening)

PRONUNCIATION

A. Review the vowel sounds, page 5, then pronounce the following words, paying special attention to the vowel at the left:

    a Ana, casa, mal, hablan, mañana
    e el, en, clase, prepara, Carmen
    i sí, día, Felipe, inglés, y
    o no, con, noche, hablo, Carlos, español
    u usted, estudiar, pronuncio, portugués, alumno

B. Review the sounds of **c, d, h,** then pronounce:

    c Carlos, casa, francés, gracias, lección
    d de, día, tarde, todos, usted, estudio
    h habla, hoy, hasta

C. Review linking, page 8, then pronounce as one breath-group:

la casa	todos los días	el profesor de español	muy bien, gracias
el español	buenas tardes	estudio mucho	hasta mañana
el francés	en España	Carlos y Ana	¿ y usted?

QUESTIONS

Answer in Spanish, beginning your reply with **Sí, señor (señora, señorita)** or **No, señor (señora, señorita)** whenever possible.

1. ¿ Cómo está usted hoy? 2. ¿ Habla usted español? 3. ¿ Habla usted bien? 4. ¿ Hablo yo español? 5. ¿ Hablamos español en la clase? 6. ¿ Habla

[1] Agreement of adjectives will be explained in Lesson 2.

usted francés?   7. ¿ Habla usted portugués?   8. ¿ Qué hablan en España?
9. ¿ Estudian el inglés en España?   10. ¿ Estudia usted el francés?   11. ¿ Hablan inglés en Méjico?   12. ¿ Estudian el inglés en Méjico?   13. ¿ Prepara usted la lección de español en la clase?   14. ¿ Habla usted español con el profesor de inglés?   15. ¿ Estudia usted el español todas las noches?

GRAMMATICAL USAGE

A. PRESENT INDICATIVE OF THE FIRST CONJUGATION

The infinitive of a Spanish verb consists of a stem (**habl**) and an ending (**–ar**). The three conjugations in Spanish end in **–ar, –er, –ir** and are usually referred to as the first, second, and third conjugations, respectively.

To form the present tense of regular verbs, add to the stem of the verb the proper endings for each person. The endings for the first conjugation are: **–o, –as, –a, –amos, –áis, –an.** Note that **–n** is added to the third person singular to form the third person plural:

hablar, *to speak*

SINGULAR

1ST PERS.	(yo) hablo	*I speak, do speak, am speaking*
2ND PERS.	(tú) hablas (*fam.*)	*you speak, do speak, are speaking*
3RD PERS.	(él) habla	*he speaks, does speak, is speaking*
	(ella) habla	*she speaks, does speak, is speaking*
	usted habla (*formal*)	*you speak, do speak, are speaking*

PLURAL

1ST PERS.	(nosotros) hablamos	*we speak, do speak, are speaking*
	(nosotras) hablamos	*we (f.) speak, etc.*
2ND PERS.	(vosotros) habláis (*fam.*)	*you speak, etc.*
	(vosotras) habláis (*fam.*)	*you (f.) speak, etc.*
3RD PERS.	(ellos) hablan	*they speak, etc.*
	(ellas) hablan	*they (f.) speak, etc.*
	ustedes hablan (*formal*)	*you speak, etc.*

Which ending is used when the subject is I ? we ? he ? she ? you (*formal s.*) ? they ? you (*formal pl.*) ? you (*fam. s.*) ? you (*fam. pl.*) ?

B. USE OF SUBJECT PRONOUNS

1. **Hablo español.** I speak Spanish.
   Ella habla y él estudia. She talks and he studies.
   Carlos y yo preparamos la lección. Charles and I prepare the lesson.
   Usted estudia mucho. You study hard (a great deal).

The subject pronouns (**yo,** *I*; **él,** *he,* etc.) are not always required in Spanish since the verb ending often indicates the subject. However, the subject pronouns are used for emphasis (**hablamos,** *we speak,* but **nosotros hablamos,** <u>*we*</u> *speak*), for clearness (**él habla,** *he speaks;* **ella habla,** *she speaks*), or when a pronoun is combined with a noun or with another pronoun to form a compound subject (**Carlos y yo hablamos,** *Charles and I talk*). For the sake of courtesy the pronouns **usted** and **ustedes** (often abbreviated to **Vd.** and **Vds.**) are usually expressed in Spanish. The subject *it* is rarely expressed.

2. Spanish has two forms for *you.* The familiar forms (**tú** and **vosotros**) are used by relatives and intimate friends when addressing one another or in speaking to children. Use the formal **usted** (*pl.* **ustedes**) for *you* unless indicated or required by context. Since **usted** is a contraction of the Old Spanish **vuestra merced,** *Your Grace,* it requires the third person of the verb. (In most of Spanish America **ustedes** has replaced **vosotros** as the plural of **tú.**)

C. GENDER AND PLURAL OF NOUNS

el alumno	the pupil	**los alumnos**	the pupils
la clase	the class	**las clases**	the classes
el profesor	the teacher	**los profesores**	the teachers
la lección	the lesson	**las lecciones**	the lessons

Nouns in Spanish are either masculine or feminine gender. Most nouns which end in −**o** are masculine and those which end in −**a** are generally feminine. An exception is **el día,** *the day.* Since many nouns have other endings, learn the definite article, *the* in English, with each noun. The masculine forms are **el** (singular) and **los** (plural); the feminine forms are **la** and **las.** The definite article agrees in <u>gender</u> and <u>number</u> with the noun.

The masculine plural of nouns referring to persons may include both sexes: **los alumnos,** *the pupils* (boys and girls).

Nouns which end in a vowel regularly add −**s** to form the plural; nouns ending in a consonant add −**es.** Nouns ending in −**ión** drop the accent mark in the plural.

D. USE OF THE DEFINITE ARTICLE

> **el profesor y el alumno** the teacher and (the) pupil
> **Estudian el inglés y el español.** They study English and Spanish.
> **Vds. pronuncian bien el español.** You pronounce Spanish well.
> BUT. **Ella habla portugués.** She speaks Portuguese.
> **¿ Habla Vd. español?** Do you speak Spanish?
> **la profesora de español** the Spanish teacher

The definite article is used more frequently in Spanish than in English. In general the article is used whenever *the* is used in English, and it is repeated before each noun in a series.

The article is regularly used in Spanish with the name of a language, except after forms of the verb **hablar** and the prepositions **de** and **en.** (However, many Spanish-speaking persons also omit the article with a language after such verbs as **estudiar,** *to study,* and **aprender,** *to learn.*)

E. NEGATIVE AND INTERROGATIVE SENTENCES

1. **Ana no estudia hoy.** Ann is not studying today.
   Carlos no habla francés. Charles doesn't speak French.

To make a sentence negative place **no** or some other negative word immediately before the verb. The English word *do* is not expressed in a negative sentence in Spanish.

2. **¿ Habla usted español?** Do you speak Spanish?
   ¿ Habla francés el profesor de español? Does the Spanish teacher speak French?
   ¿ No estudian mucho los alumnos? Don't the pupils study hard?

In questions in Spanish a subject pronoun is placed immediately after the verb. If the subject is as long as, or longer than, the object, it comes at the end of the question (second example). If an adverb such as **mucho, bien,** or **mal** is used, the word order is verb, adverb, subject. The word *do* (*does*) is not expressed.

3. **¿ Qué preparan?** What are they preparing (do they prepare)?
   Felipe, ¿ habla bien el profesor? Philip, does the teacher speak well?

If an interrogative word introduces the question, it precedes the verb and always has a written accent mark. An inverted question mark is placed immediately before the question (last example).

EXERCISES

A. Give the proper form of the infinitive in parentheses:

1. Yo (hablar). 2. Él (hablar). 3. Ellos (hablar). 4. Nosotros (hablar). 5. Ella (preparar). 6. Usted (estudiar). 7. Ustedes (estudiar). 8. Ellas (pronunciar). 9. Yo (pronunciar). 10. Ella y yo (pronunciar).

B. Give the Spanish for:

1. I speak. 2. I prepare. 3. I pronounce. 4. I study. 5. he speaks. 6. he studies. 7. she pronounces. 8. she prepares. 9. you (*formal s.*) speak. 10. we speak. 11. we pronounce. 12. they speak. 13. they prepare. 14. you (*formal pl.*) study. 15. you (*fam. s.*) speak. 16. you (*fam. pl.*) prepare.

C. Give the correct form of the definite article with the following nouns, then repeat each, making the article and noun plural:

casa	clase	profesor	noche	lección
palabra	tarde	profesora	día	alumno

D. Make each of the following sentences negative, then repeat, making each one plural:

1. Él habla con el alumno. 2. Ella prepara la lección. 3. Usted pronuncia bien la palabra. 4. El profesor de español habla bien. 5. Yo estudio en la clase. 6. ¿ Estudia usted mucho? 7. ¿ Habla español la profesora? 8. Yo estudio y ella habla.

E. Substitute the proper Spanish for the words in italics:

1. *Good* días, Carmen. 2. ¿ Cómo *are* usted? 3. Muy bien, *thanks*. ¿ Y *you?* 4. ¿ Hablan ustedes *Spanish?* 5. *We speak* con el profesor. 6. Él *speaks* español en la clase. 7. Ana y yo también *study Spanish*. 8. ¿ Qué *do you prepare* en casa? 9. Siempre preparo *the Spanish lessons*. 10. Carlos y Felipe *pronounce* bien las palabras. 11. Estudian *English* todas las noches también. 12. *The Spanish teacher* habla portugués en casa.

COMPOSITION

1. Good afternoon, Philip. How are you? 2. Very well, thanks. And you? 3. Do you speak English in the classroom? 4. Yes, sir, I speak English and also I speak Spanish. 5. Ann, do you speak Portuguese and French? 6. No, Miss Millán, I speak English at home. 7. The pupils study the Spanish lessons

every night. 8. They do not pronounce the words well [1] but they study hard. 9. Does Charles prepare the Spanish lesson in the class? 10. He and I prepare the lessons every afternoon. 11. Don't they talk Spanish with the Spanish teacher every day? 12. *They* speak well, but *I* speak badly. 13. In Spain the pupils study English and French. 14. Students, you speak very well. 15. Thanks, Miss Millán. Until tomorrow. Good-bye.

[1] An adverb of manner, such as **bien,** regularly follows the verb immediately.

2

Present indicative of *ser* and *tener*   The indefinite article

Forms and agreement of adjectives   Use of *hay*

Tener que plus an infinitive   The adverbs *aquí, ahí, allí*

SPANISH USAGE

Sr. Rivera. — Hoy vamos a hablar en español. Carmen,
¿ es Vd. profesora ?

Carmen. — No, señor, yo soy alumna.

Sr. Rivera. — ¿ Qué tiene Vd. ahí ?

Carmen. — Tengo un libro de español, un lápiz, una pluma ₅
y un cuaderno.

Sr. Rivera. — ¿ Qué tengo yo aquí en la mesa ?

Carmen. — Vd. tiene papel, un libro y tres lápices.[1]

[1] Final –z changes to **c** before –**es.**

19

Sr. Rivera. — Muy bien.   Carlos, ¿ son negros los lápices ?

Carlos. — No, señor, dos son rojos y uno es amarillo.   El libro que Ana tiene allí es azul.

Sr. Rivera. — ¿ De qué color es la pared ?

5   Carlos. — Es blanca, y la pizarra es verde.

Sr. Rivera. — ¿ Hay cuadros en la pared ?

Carlos. — Sí, señor, hay dos cuadros.   También hay un mapa de España y Portugal.

Sr. Rivera. — ¿ Qué lengua hablan en Portugal ?

10   Carlos. — Hablan portugués.

Sr. Rivera. — Ana, ¿ es Vd. inglesa ?

Ana. — No, señor, soy española porque soy de España.

Sr. Rivera. — ¿ De dónde son María y Felipe ?

Ana. — Ella es de Méjico [1] y es mejicana.   Él es norteameri-
15 cano y es de los Estados Unidos.   Carmen es francesa.

Sr. Rivera. — Felipe, ¿ tiene Vd. que estudiar mucho ?

Felipe. — Sí, señor, tengo que estudiar todas las noches.

Sr. Rivera. — Vds. hablan muy bien.   En la clase vamos a hablar español todos los días.

VOCABULARY

a to, at
ahí there (*near person addressed*)
allí there (*distant*)
amarillo, –a yellow
aquí here
azul blue
blanco, –a white
el color color
el cuaderno notebook
el cuadro picture
¿ dónde ? where ?
dos two
español, –ola *adj.* Spanish
el estado state

francés, –esa *adj.* French
hay there is, there are
inglés, –esa *adj.* English
el lápiz (*pl.* **lápices**) pencil
la lengua language
el libro book
el mapa (*note gender*) map
María Mary
mejicano, –a Mexican
la mesa table, desk
negro, –a black
norteamericano,   –a   (North) American (*of the U.S.*)
el papel paper

[1] **Méjico** and **mejicano, –a,** are regularly spelled **México** and **mexicano, –a,** in Spanish America and **x** is pronounced like Spanish **j.**

la **pared** wall
la **pizarra** (black)board
la **pluma** pen
  porque because, for
  Portugal Portugal
  que that, which, who, whom
  rojo, –a red

ser to be
tener to have (*possess*)
tres three
un, una, uno a, an, one
unido, –a united
vamos (a) we are going (to)
verde green

¿ de qué color es ? what color is (it) ?
libro de español Spanish book
los Estados Unidos the United States
tener que + *inf.* to have to + *inf.*
vamos a (hablar) we are going (to talk)

PRONUNCIATION

A. Review the sounds of the diphthongs and pronounce:

cuadro	buenos	hay	cuaderno
tiene	estudian	soy	lengua .
estudio	también	gracias	lección

B. Review the sounds of **b** and **v, c** and **z, j,** then pronounce:

b, v bien, blanco, verde, vamos, libro, hablan, Rivera
c, z casa, cuadro, gracias, lápiz, azul, pizarra, francés
j   rojo, Méjico, mejicano

C. Pronounce as one breath-group:

el libro	en la mesa	los Estados Unidos	soy de España
el lápiz	es amarillo	dos son rojos	¿ de dónde es ?
una pluma	son españoles	tengo un cuaderno	¿ qué tiene Vd. ?

QUESTIONS

1. ¿ Es Vd. profesor(a) ? 2. ¿ Qué soy yo ? 3. ¿ Tiene Vd. ahí un libro de español ? 4. ¿ Es verde el libro ? 5. ¿ Tiene Vd. un lápiz ? 6. ¿ Es azul el lápiz ? 7. ¿ Qué tengo yo aquí en la mesa ? 8. ¿ Qué tiene Vd. ahí ? 9. ¿ Hay mapas en la pared ? 10. ¿ Hay cuadros en la pared ? 11. ¿ De dónde son los españoles ? 12. ¿ De dónde son los mejicanos ? 13. ¿ Es Vd. de Portugal ? 14. ¿ De dónde es Vd. ? 15. ¿ Es Vd. inglés (inglesa) ? 16. ¿ Dónde estudia Vd. ? 17. ¿ Tiene Vd. papel en el cuaderno ? 18. ¿ Tiene Vd. que estudiar mucho ?

GRAMMATICAL USAGE

A. IRREGULAR PRESENT INDICATIVE OF *SER* AND *TENER*

ser, *to be*		tener, *to have* (*possess*)	
	SINGULAR		
(yo) **soy**	*I am*	**tengo**	*I have*
(tú) **eres** (*fam.*)	*you are*	**tienes** (*fam.*)	*you have*
(él, ella) **es**	*he, she, it is*	**tiene**	*he, she, it has*
usted **es** (*formal*)	*you are*	**tiene** (*formal*)	*you have*
	PLURAL		
(nosotros, –as) **somos**	*we are*	tenemos	*we have*
(vosotros, –as) **sois** (*fam.*)	*you are*	tenéis (*fam.*)	*you have*
(ellos, –as) **son**	*they are*	**tienen**	*they have*
ustedes **son** (*formal*)	*you are*	**tienen** (*formal*)	*you have*

Forms of the irregular verbs must be memorized since there are few rules for conjugating them.

B. THE INDEFINITE ARTICLE

1. **un libro y una pluma** a book and (a) pen, one book and one pen
   Él tiene dos libros; yo tengo uno. He has two books; I have one.

The word for *a* or *an* is **un** before a masculine singular noun and **una** before a feminine singular noun. These words also mean *one*. However, **uno** (*m.*) and **una** (*f.*) are used when the word stands for a noun. The indefinite article is normally repeated before each noun in a series.

2. **Ella es profesora.** She is a teacher.
   Carlos es español. Charles is a Spaniard (is Spanish).

After **ser** the indefinite article is not used with unmodified nouns which indicate nationality or profession.

C. FORMS AND AGREEMENT OF ADJECTIVES

	SINGULAR		PLURAL	
1.	Masculine	Feminine	Masculine	Feminine
	blanco	**blanca**	**blancos**	**blancas**
	azul	**azul**	**azules**	**azules**
	verde	**verde**	**verdes**	**verdes**

Adjectives whose masculine singular ends in –o have four forms and the endings are –o, –a, –os, –as. Most other adjectives have only two forms, a singular and a plural. The plurals of adjectives are formed like those of nouns.

2. español   española   españoles   españolas
    inglés   inglesa   ingleses   inglesas

Adjectives of nationality which end in a consonant add –a to form the feminine; those which end in –és in the masculine singular drop the accent mark on the other three forms.

3. **El lápiz es rojo.** The pencil is red.
   La pluma es negra. The pen is black.
   Todas las casas son blancas. All the houses are white.
   ¿ Son amarillos los lápices ? Are the pencils yellow ?
   ¿ Son verdes los libros de español? Are the Spanish books green?

Adjectives agree with the nouns they modify in gender and number, whether they modify the noun directly or are in the predicate. Numerals, except **uno,** do not change in form. In questions a predicate adjective (*e.g.,* after **ser**) is regularly placed immediately after the verb and the subject follows the predicate.

4. **El español habla inglés.** The Spaniard speaks English.
   La mejicana es alumna. The Mexican girl is a student.
   Ellas no son españolas. They are not Spanish (girls).
   ¿ Es Vd. inglesa ? Are you English (an English girl) ?

Adjectives of nationality are often used as nouns. When used thus, they agree in gender and number.

D. USE OF *HAY,* "THERE IS, THERE ARE"

Hay un cuadro en la pared. There is a picture on the wall.
Hay dos lápices en la mesa. There are two pencils on the table.
¿ Hay mapas en la pared ? Are there (any) maps on the wall?

The form **hay** has no subject expressed in Spanish and means *there is, there are.* Do not confuse **hay** with **es,** (*it*) *is,* and with **son** (*they*) *are.*

Note in the third example that unemphatic *any* or *some* are not expressed in Spanish.

Práctica.   Read in Spanish, then give the English for:

1. Hay mapas en el libro de español.   2. También hay cuadernos aquí.
3. ¿ Hay cuadros en la pared?   4. ¿ Tienen Vds. papel?   5. ¿ Tengo yo lápices
o plumas en la mesa?   6. ¿ Tienen Vds. libros de inglés?

E. *TENER QUE* PLUS AN INFINITIVE

Tengo que estudiar.   I have to (I must) study.
¿ Tiene Vd. que hablar mucho?   Do you have to talk much?

Tener que plus an infinitive expresses necessity and means *to have
to, must.*

F. THE ADVERBS *AQUÍ, AHÍ, ALLÍ*

Tengo aquí un libro de español.   I have a Spanish book here.
¿ Qué tiene Vd. ahí?   What do you have there?
¿ Qué lengua hablan allí?   What language do they speak there?

The adverb **ahí,** *there,* refers to something near the person addressed, and **allí,** *there, over there,* refers to something at a distance.
Adverbs should be placed as near the verb as possible.

EXERCISES

A. Give the definite and indefinite article with each noun:

mesa	cuadro	pared	profesor	español	día	lengua
clase	lápiz	libro	lección	mapa	tarde	noche

B. Give the feminine of each adjective:

blanco	verde	negro	uno	mejicano	inglés	dos
azul	amarillo	español	tres	francés	rojo	todo

C. Give the Spanish for:

1. I am.   2. we are.   3. she is.   4. I have.   5. he has.   6. they have.
7. they are.   8. there are.   9. he studies.   10. we prepare.   11. we have.
12. he pronounces.   13. we are going.   14. there is.   15. you (*formal s.*) are.
16. you (*formal pl.*) have.   17. you (*fam. s.*) are.   18. you (*fam. pl.*) have.

D. Read the following sentences in Spanish, then repeat, making each singular:

1. Ellos son alumnos. 2. Los alumnos hablan con las profesoras. 3. Ellos estudian las lecciones en casa. 4. Las casas son blancas. 5. ¿ Son amarillos los lápices? 6. Ellas son españolas. 7. Somos norteamericanos. 8. Hablamos con las profesoras.

E. Give the Spanish for:

1. I am [a]¹ pupil. 2. We are pupils. 3. Are you [a] teacher? 4. Is she [a] teacher? 5. The pencil is black. 6. The books are red. 7. The wall is white. 8. The pens are green. 9. Mary is Spanish. 10. Carmen is Mexican. 11. Ann and I are North Americans. 12. Is the house white? 13. Is the paper yellow? 14. There are maps in the classroom. 15. Are there [any] pictures on the wall?

COMPOSITION

1. Carmen is not [a] pupil; she is [a] teacher. 2. She talks Spanish with the pupils (students) in the class. 3. Charles, what do I have here on the desk? 4. You have there two books, a notebook, and a pen. 5. What color is the pen? Is [it] yellow? 6. [It] is black, and the notebook is black also. 7. Are all the pencils blue? 8. No, [they] are red; the pen which Mary has there is blue. 9. The (black)board is not black; [it] is green. 10. Is there a map of Spain on the wall? 11. There are maps of Spain and of Mexico. 12. Carmen, are you Spanish? — No, I am [a] Mexican. 13. Ann is [an] American because she is from the United States. 14. She has to study hard every night. 15. Today we are going to talk Spanish in (the) class.

¹ Words in brackets are not to be translated.

ROBERT WILLIAM HINDS

3

Present indicative of the second conjugation

Present indicative of *ir*   Preposition *a*   Possession

Cardinal numerals   Time of day   Use of *¿ no es verdad ?*

SPANISH USAGE

Luis. — ¿ Qué hora es ?

Jorge. — Son las siete y cuarto de la mañana.

Luis. — El reloj que Vd. tiene ahí es nuevo, ¿ no es verdad ?

Jorge. — No, Luis, es viejo y es de Felipe.

5   Luis. — ¿ Es de plata ?

Jorge. — No, es de oro.   Pero, ¿ a dónde va Vd. tan temprano ?

Luis. — Primero voy al café a tomar el [1] desayuno.

Jorge. — ¿ Cuántas clases tiene por la mañana ?

[1] The definite article is used with the name of a meal in Spanish.

26

LUIS. — Generalmente tengo tres, pero hoy tengo solamente una, a las diez. Siempre tengo dos por la tarde.

JORGE. — ¿ A qué hora toma Vd. el almuerzo?

LUIS. — A las doce. Como o ceno a las cinco y media o a las seis menos cuarto. 5

JORGE. — Nosotros no cenamos hasta las seis y media o las siete.

LUIS. — Vds. comen casi tan tarde como en España. Allí no comen hasta las nueve o las diez de la noche.

JORGE. — Es verdad. Y los españoles no toman el almuerzo 10 hasta la una y media o las dos. Vd. aprende mucho en la clase de español, ¿ verdad?

LUIS. — Sí, Jorge. El profesor habla mucho de España. Poco a poco todos los alumnos aprenden a hablar español. Bueno, ahora tengo que ir al café. Tengo el libro de Felipe y él también 15 va a tomar el desayuno allí a las siete y media. Luego vamos a la biblioteca. Tenemos un examen a la una y vamos a estudiar la lección de hoy desde las ocho hasta las diez. Y a las once voy a estudiar más. Adiós.

JORGE. — Hasta luego. 20

VOCABULARY

ahora now
al = a + el to the
el almuerzo lunch
aprender (a + *inf*.) to learn (to)
la biblioteca library
bueno *adv*. well, well now, all right
el café café
casi almost
cenar to eat supper
comer to eat, dine, have dinner
como as, like
¿ cuánto, –a? how much (many)?
el cuarto quarter
de + el = del of the
el desayuno breakfast
desde from, since
el examen (*pl*. **exámenes**) examination

generalmente generally
la hora hour, time (*of day*)
ir (a + *inf*.) to go (to)
Jorge George
luego later, then, next
Luis Louis
la mañana morning
más more, most
medio, –a (a) half
menos less
nuevo, –a new
el oro gold
la plata silver
poco, –a *adj., pron., and adv*. little (*quantity*); *pl*. (a) few
por during, in, through, along, by
primero *adv*. first
el reloj watch

solamente *adv.* only
tan *adv.* so, as
tarde late
temprano early

tomar to take, drink
la verdad truth
viejo, –a old

de *or* **por la mañana (tarde, noche)** in the morning (afternoon, evening)
es de oro (de plata) it is (of) gold (silver)
es verdad it is true
hasta luego until later, see you later
¿ (no es) verdad? isn't it? don't you? *etc.*
poco a poco little by little
tan + ** *adj. or adv. ** + **como as . . . as
tomar el desayuno (almuerzo) to take *or* eat breakfast (lunch)

PRONUNCIATION

A. Pronounce the following words, paying special attention to the diphthongs:

siete	almuerzo	veinte	biblioteca
media	desayuno	vais	estudio
seis	luego	coméis	cuarto

B. Pronounce the following words, paying special attention to the sounds indicated at the left:

b, v　biblioteca, vamos, viejo, verdad, nuevo, veinte
g, j　tengo, generalmente, Jorge, viejo, rojo, Méjico
d　　dos, tarde, desde, verdad, usted, adiós, medio

C. Pronounce as one breath-group:

de la mañana	a la una	¿ qué hora es?
por la tarde	voy al café	¿ a qué hora?
son las siete	poco a poco	¿ a dónde va Vd.?

QUESTIONS

1. ¿ Qué hora es? 2. ¿ A qué hora va Vd. a la clase? 3. ¿ A qué hora toma Vd. el desayuno? 4. ¿ Toma Vd. el desayuno en casa o en el café? 5. ¿ A qué hora toma Vd. el almuerzo? 6. ¿ A qué hora come Vd.? 7. ¿ A qué hora comen en España? 8. ¿ A qué hora toman el almuerzo en España? 9. ¿ Tiene Vd. un reloj? 10. ¿ Es de oro o de plata? 11. ¿ Cuántas clases tiene Vd. hoy? 12. ¿ Tiene Vd. clases por la tarde? 13. ¿ Cuántas clases tiene Vd. por la mañana? 14. ¿ Cuántas clases tiene Vd. por la tarde? 15. ¿ Estudia Vd. por

la noche ? 16. ¿ Estudia Vd. en la biblioteca ? 17. ¿ Cuántos alumnos hay en
la clase ? 18. ¿ Cuántos libros hay en la mesa ? 19. ¿ Qué lección tenemos hoy ?
20. ¿ Aprende Vd. a hablar español ?

GRAMMATICAL USAGE

A. PRESENT INDICATIVE OF THE SECOND CONJUGATION

comer, *to eat*

SINGULAR		PLURAL	
como	*I eat,* etc.	comemos	*we eat*
comes	*you* (fam.) *eat*	coméis	*you* (fam.) *eat*
come	*he, she, it eats*	comen	*they eat*
Vd. come	*you* (formal) *eat*	Vds. comen	*you* (formal) *eat*

The present indicative endings of **–er** verbs (second conjugation) are:
–o, –es, –e, –emos, –éis, –en. Remember that the present tense is
translated: **como,** *I eat, do eat, am eating.*

B. IRREGULAR PRESENT INDICATIVE OF *IR,* "TO GO"

SINGULAR	PLURAL
voy	**vamos**
vas	**vais**
va	**van**
Vd. **va**	Vds. **van**

C. PREPOSITION A

Voy al café. I am going to the café.
¿ A dónde va Vd. ? Where are you going ?
Vamos a estudiar la lección de hoy. We are going to study today's lesson.
¿ Aprende Vd. a hablar español ? Are you learning to speak Spanish ?

Ir and other verbs of motion are followed by the preposition **a**
before an infinitive or any other object. The verb **aprender** also requires **a** before an infinitive. Other similar verbs will be given later.
Note that **¿ a dónde ?** *where ?* is used with **ir** in a question.

When **a** is followed by the definite article **el,** the two words contract
into **al.** The combinations **a la, a los, a las** do not contract: **Vamos a
la biblioteca,** *We are going to the library.*

D. POSSESSION

Tengo el libro de Felipe. I have Philip's book.
El reloj es de Felipe. The watch is Philip's.
Tiene la pluma del alumno. He has the student's pen.
BUT: **las plumas de los alumnos** the students' pens

Spanish uses the preposition **de** to express possession. The apostrophe is not used in Spanish. When **de** is followed by the article **el,** the combination is contracted into **del;** however, **de la, de los, de las** are not contracted. **Del** and **al** are the only two contractions in Spanish.

E. CARDINAL NUMERALS

1 **uno**	6 **seis**	11 **once**	16 **diez y seis**
2 **dos**	7 **siete**	12 **doce**	17 **diez y siete**
3 **tres**	8 **ocho**	13 **trece**	18 **diez y ocho**
4 **cuatro**	9 **nueve**	14 **catorce**	19 **diez y nueve**
5 **cinco**	10 **diez**	15 **quince**	20 **veinte**

From 21 to 29 the numerals are: **veinte y un(o), veinte y dos,** etc. Cardinal numerals do not change their form, except that **uno** and numerals ending in **uno** drop **o** before a masculine noun; **una** is used before a feminine noun: **un libro,** a (*one*) *book;* **veinte y un alumnos,** *twenty-one pupils;* **una pluma,** a (*one*) *pen.*

Numerals precede the nouns they modify unless they are used in a descriptive sense: **tres lecciones,** *three lessons,* but **la lección tres,** *lesson three.*

[From 16 to 19 the numerals are sometimes written as they are always pronounced: **dieciséis, diecisiete, dieciocho, diecinueve.** From 21 to 29 they may also be written together, as they are pronounced: **veintiuno (veintiún), veintidós,** etc.]

F. TIME OF DAY

¿ Qué hora es ? What time is it ?
¿ A qué hora vamos ? At what time are we going ?
Es la una. It is one o'clock.
Son las dos y veinte. It is twenty minutes past two.
Son las cuatro y media. It is half past four.
Son las doce menos cuarto. It is a quarter to twelve (11:45).

The word **hora** means *time* in asking the time of day. In stating the time, the word **hora** is understood and the feminine article **la** or **las** is used with the cardinal numeral corresponding to the hour. **Es** is used only when followed by **la una;** in all other cases **son** is used.

Up to and including the half hour, minutes are added to the hour by using the proper numeral after **y;** between the half hour and the next hour they are subtracted from the next hour by using **menos.** The noun **cuarto** is used for a quarter of an hour and the adjective **media** for a half hour. The word *minutes* is seldom expressed.

> **Son las ocho de la mañana.** It is eight A.M. (in the morning).
> **A las tres de la tarde.** At three P.M. (in the afternoon).
> **Estudio por la tarde (noche).** I study in the afternoon (evening).

When a specific hour is given the word *in* is translated by **de;** when no definite hour is given, *in* is translated by **por.**

G. USE OF ¿ NO ES VERDAD ?

> **El reloj es de oro, ¿ no es verdad ?** The watch is gold, isn't it ?
> **Vds. aprenden a hablar, ¿ verdad ?** You are learning to talk, aren't you ?

The expression **¿ no es verdad ?** (*literally*, 'is it not true ?') is the Spanish equivalent of English *isn't it ? aren't you ? doesn't he ?* etc., depending upon the meaning of the verb in the preceding statement. The expression may be shortened to **¿ verdad ?** or even to **¿ no ?**

EXERCISES

A. Give the proper form of the infinitives in italics:

1. Yo *tomar, comer.* 2. Yo *ser, ir.* 3. Vd. *cenar, aprender.* 4. Ella *ir, tener.* 5. Nosotros *estudiar, comer.* 6. Nosotras *ser, tener.* 7. Ellos *ser, ir.* 8. Ellas *hablar, ir.* 9. Tú *tomar, aprender.* 10. Vosotros *ir, ser.*

B. Give the Spanish for:

1. I take. 2. we take. 3. I eat. 4. we eat. 5. she eats. 6. they eat. 7. you (*formal s.*) eat supper. 8. you (*formal pl.*) eat supper. 9. you (*fam. s.*) eat supper. 10. I go. 11. we are going. 12. they are going. 13. she is going. 14. I have. 15. he has. 16. they have. 17. we have. 18. I learn. 19. we learn. 20. you (*formal s.*) learn.

C. Give the English for:

1. el reloj del alumno. 2. la casa de Jorge. 3. el libro de la profesora. 4. los lápices de los profesores. 5. la lección de hoy. 6. el reloj de María. 7. la clase de español. 8. la casa del profesor.

D. Give the Spanish for:

1. It is one o'clock. 2. It is four o'clock. 3. It is half past five. 4. It is a quarter to nine. 5. It is 11:10 P.M. 6. It is 11:45 A.M. 7. It is 3:20 P.M. 8. At 5:45 P.M. 9. At 3:00 A.M. 10. At 2:30 P.M. 11. At 1:00 P.M. 12. At 9:55 P.M.

COMPOSITION

1. Where are you going so early? 2. First I am going to the café to [1] take breakfast. 3. Then I have to go to the library. 4. I have George's book and he is going to study there also at eight o'clock. 5. He and I are going to study two hours because we have an examination today. 6. At what time do you take lunch? 7. Generally I take lunch at a quarter past twelve. 8. How many classes do you have in the afternoon? 9. Today I have only one, at two o'clock. 10. At what time do they eat (dinner) in Spain? 11. They eat late, at nine or ten o'clock. 12. You are learning to speak Spanish, aren't you? 13. Yes, in (the) class I am learning to talk the language. 14. I study Spanish from [2] three o'clock until five every afternoon. 15. Little by little all the pupils are learning to talk Spanish in (the) class.

[1] Use **a.**   [2] Use **desde.**

4

SPANISH USAGE

Luis. — ¡ Hola, Tomás ! Vd. lee una carta. ¿ De quién es ?

Tomás. — Es de mi hermana Carmen que estudia en una escuela mejicana. Escribe cartas muy interesantes acerca de la vida del país.

Luis. — ¿ Escribe en español su hermana ?   5

Tomás. — Todavía no, pero vive con una familia mejicana y cada día aprende muchas palabras nuevas. También practica mucho cuando habla con sus amigas mejicanas. ¿ Habla Vd. español en casa ?

Luis. — Un poco. Mi padre habla mucho con los mejicanos 10 que vienen a su tienda. Y mi madre escucha todas las tardes un programa de televisión en español. También practicamos porque recibimos un periódico español que leemos todos los días.

Tomás. — ¿ Todavía viven sus padres en el campo ?

Luis. — No, Tomás, ahora vivimos aquí en la ciudad, cerca 15 del parque. Vivimos en una casa de piedra que no es grande; es pequeña, pero muy cómoda. Mi hermano vive en nuestra casa de campo, que es muy hermosa.

Tomás. — Pues, aquí viene mi amigo Carlos. Él y yo tenemos que escribir una carta en español. Varios alumnos de nuestra 20 escuela escriben cartas a alumnos españoles. Los españoles escriben en inglés y nosotros escribimos en español. Carlos y yo

33

tenemos que escribir una carta hoy; también tenemos que escribir las frases de la lección de mañana. La lección tiene una parte muy difícil y tenemos que trabajar mucho.

Luis. — Es verdad que el español no es fácil. Es necesario
5 estudiar mucho para [1] aprender una lengua extranjera. Bueno, ahora voy a la escuela. Adiós.

Tomás. — Hasta luego.

VOCABULARY

acerca de about, concerning
la amiga friend (*f.*)
el amigo friend (*m.*)
cada (*invariable*) each
el campo country, field
la carta letter
cerca de *prep.* near
la ciudad city
cómodo, −a comfortable
cuando when
difícil *adj.* difficult, hard
escribir to write
escuchar to listen to
la escuela school
extranjero, −a foreign, strange
fácil easy
la familia family
la frase sentence
grande large, big
la hermana sister
el hermano brother
hermoso, −a beautiful, pretty
¡ hola ! hello!
interesante interesting
leer to read

la madre mother
necesario, −a necessary
el padre father; *pl.* parents
el país country (*nation*)
para for, in order to, to
el parque park
la parte part
pequeño, −a small, little (*size*)
el periódico newspaper
la piedra stone
practicar to practice
el programa (*note gender*) program
pues well, well then, then
¿ quién ? (*pl.* ¿ quiénes?) who ? whom ?
recibir to receive
la televisión television
la tienda store, shop
todavía still, yet
Tomás Thomas, Tom
trabajar to work
varios, −as several, various
venir (a + *inf.*) to come (to)
la vida life
vivir to live

escuchar el programa to listen to the program
(ir) a la escuela (to go) to school
todavía no not yet
un poco a little

---

[1] Used before an infinitive **para** expresses purpose and means *to, in order to*.

PRONUNCIATION

A. Pronounce the following words, paying special attention to the letters indicated at the left:

c, qu   carta, escuela, fácil, ciudad, cerca, parque, pequeño, ¿ quién?
b, v   escribe, recibo, todavía, vida, vive, televisión, varios
g, j   grande, tengo, luego, trabajar, mejicano, Jorge, extranjero
h   hoy, hay, hermano, ahora, hasta, hablan, hermoso

B. Pronounce as one breath-group:

en una escuela	aprende el español	tengo que escribir
cerca del parque	una familia mejicana	un programa de televisión
mi amigo Carlos	nuestra casa de campo	una casa de piedra

QUESTIONS

1. ¿ De quién es la carta que lee Tomás? 2. ¿ Dónde estudia Carmen? 3. ¿ Qué escribe ella? 4. ¿ Con quién vive? 5. ¿ Qué aprende? 6. ¿ Con quiénes habla? 7. ¿ Dónde habla español el padre de Luis? 8. ¿ Qué escucha su madre? 9. ¿ Qué leen todos los días? 10. ¿ Vive en el campo Luis? 11. ¿ Dónde vive? 12. ¿ Cómo es su casa? 13. ¿ Dónde vive el hermano de Luis? 14. ¿ Quién viene? 15. ¿ Qué tienen que escribir Carlos y Tomás? 16. ¿ Cómo es una parte de la lección de español? 17. ¿ Son fáciles las lenguas extranjeras? 18. ¿ A dónde va Luis? 19. ¿ Tiene Vd. que trabajar mucho? 20. ¿ Dónde estudia Vd.?

GRAMMATICAL USAGE

A. PRESENT INDICATIVE OF THE THIRD CONJUGATION

vivir, *to live*

SINGULAR		PLURAL	
vivo	*I live*	vivimos	*we live*
vives	*you* (fam.) *live*	vivís	*you* (fam.) *live*
vive	*he, she, it lives*	viven	*they live*
Vd. vive	*you* (formal) *live*	Vds. viven	*you* (formal) *live*

The present indicative endings of **–ir** verbs (third conjugation) are: **–o, –es, –e, –imos, –ís, –en.** These endings are the same as those for **–er** verbs, except in the first and second persons plural. Remember that

Vd. and **Vds.** require the third person of the verb; these forms will not be given separately hereafter. The present tense is translated: **vivo,** *I live, do live, am living.*

B. IRREGULAR PRESENT INDICATIVE OF *VENIR,* "TO COME"

SINGULAR	PLURAL
vengo	venimos
vienes	venís
viene	**vienen**

C. POSSESSIVE ADJECTIVES

SINGULAR	PLURAL	
mi	**mis**	my
tu	**tus**	your (*fam.*)
su	**sus**	his, her, its, your (*formal*)
nuestro, –a	**nuestros, –as**	our
vuestro, –a	**vuestros, –as**	your (*fam.*)
su	**sus**	their, your (*formal*)

mi amiga, mis amigas my (girl) friend, my friends
nuestra casa, nuestras casas our house, our houses
su escuela his, her, your, their school
sus padres his, her, your, their parents
mi padre y mi madre my father and mother
Viene con sus amigos. He is coming with his friends.

Possessive adjectives agree with the nouns they modify in gender and number, like other adjectives. Thus they agree with the thing possessed and not with the possessor. The possessive adjective never ends in –s unless the noun ends in –s. These forms precede the noun and are generally repeated before each noun modified. Forms will be given later to clarify **su** and **sus.**

D. POSITION OF ADJECTIVES

una familia mejicana a Mexican family
dos cartas interesantes two interesting letters
cuatro casas pequeñas four small houses
varios cuadros españoles several Spanish pictures

Adjectives which limit as to quantity (*the, a, an, much,* numerals, possessive adjectives, etc.) come before the nouns they modify.

Adjectives which describe a noun by telling its quality (color, size, shape, nationality, etc.) normally follow the noun. Exceptions will be given later.

E. PHRASES WITH *DE* PLUS A NOUN

un reloj de oro (de plata) a gold (silver) watch
una casa de campo (piedra) a country (stone) house
un programa de televisión a television program
la clase (lección) de español the Spanish class (lesson)

Nouns cannot be used as adjectives in Spanish as they often are in English. When an English noun used as an adjective is translated into Spanish, use **de** plus the noun.

Compare **el cuadro español,** *the Spanish picture,* with **el profesor de español,** *the Spanish teacher* (teacher of Spanish). A native Spaniard who teaches Spanish would be **un profesor español,** as well as **un profesor de español.** Also recall the expressions **la lección (la clase, el libro) de español.**

F. SUMMARY OF USES OF *SER*

Ser has been used in this lesson and in the two preceding lessons without an explanation of the various uses. Note carefully the following summary, so that **ser** will not be confused with another verb meaning *to be* which will be given in Lesson 5. **Ser** is used:

1. With a predicate noun or pronoun, or adjective used as a noun, to show that the subject and the noun or pronoun in the predicate refer to the same person or thing:

María es alumna. Mary is a pupil (student).
No somos mejicanos. We are not Mexicans.

2. With the preposition **de** to denote *ownership, origin,* or *material;* and with the preposition **para** to indicate *for whom* or *what* a thing is intended:

Es de mi hermano. It is my brother's.
Son de España. They are from Spain.
La casa es de piedra. The house is (of) stone.
La carta es para Carmen. The letter is for Carmen.

3. In impersonal expressions (*it* + verb + adjective):

Es necesario aprender las palabras.　It is necessary to learn the words.

4. With an adjective to express an *inherent, essential,* or *characteristic quality* of the subject that is relatively permanent. This includes adjectives of color, size, shape, nationality, and the like:

La ciudad es grande.　The city is large.
La casa es amarilla.　The house is yellow.
Las cartas son interesantes.　The letters are interesting.

5. To express time of day:

Es la una y cuarto.　It is a quarter after one.

EXERCISES

A. Give the proper form of the infinitive in italics:

1. Yo *comer, escribir.* 2. Nosotros *aprender, vivir.* 3. Él *leer, vivir.* 4. Ellos *estudiar, recibir.* 5. Ella *escuchar, escribir.* 6. Vd. *aprender, trabajar.* 7. Vds. *ir, venir.* 8. Yo *venir, tener.* 9. Tú *vivir, leer.* 10. Vosotros *comer, vivir.*

B. Give the meaning of **su** or **sus** in each of the following cases:

1. Carlos y su hermana. 2. Vd. y su madre. 3. Vds. y sus padres. 4. Viven en su casa pequeña. 5. La profesora y sus alumnos. 6. Carmen y sus amigas. 7. Tomás tiene su reloj. 8. Luis y Jorge escriben sus frases. 9. Ella viene con su madre. 10. ¿ Tienen Vds. sus lápices ?

C. Supply the Spanish possessive for the English in italics:

1. Tengo *my* cuaderno. 2. Tengo *my* cuadernos. 3. Jorge tiene *his* lápiz. 4. Él tiene *his* lápices. 5. *Our* casa es grande. 6. ¿ Vive Vd. con *your* padres ? 7. María viene con *her* padre. 8. Vds. no escriben *your* frases. 9. Estudian *their* lección. 10. Va a *his* tienda. 11. Ella lee *her* periódico. 12. Ellos son *our* amigos. 13. ¿ Tienes *your* cuaderno ? 14. ¿ Aprendéis *your* lecciones ?

D. Give the Spanish for:

1. my letter. 2. my letters. 3. his brother. 4. his brothers. 5. our house. 6. our houses. 7. their teacher. 8. her mother. 9. their family. 10. your parents. 11. several black pens. 12. four Spanish newspapers. 13. her small table. 14. his country house. 15. our large country. 16. our Spanish lesson.

E. Substitute the correct Spanish form of the verb *to be* in italics and indicate why the verb is used:

1. Mi padre *is* profesor. 2. Carlos *is* un amigo de Luis. 3. Carmen y María *are* españolas. 4. Los cuadros *are* hermosos. 5. El país *is* muy grande. 6. La casa de Jorge *is* amarilla. 7. ¿ Qué hora *is it?* 8. *It is* las ocho y media. 9. *It is* difícil aprender todas las palabras. 10. Sus padres *are* de Méjico. 11. Los libros *are* para mi madre. 12. La tienda pequeña *is* de mi padre. 13. Nuestra casa *is* cómoda. 14. El reloj *is* de oro.

COMPOSITION

1. Louis receives a letter in Spanish which he reads to his friends. 2. [It] is from his sister who is studying in a Mexican school. 3. She writes about the interesting life of the country in her letters. 4. She lives with a Mexican family and little by little she is learning Spanish. 5. Mary's parents speak Spanish at home, don't they? 6. Yes, and her mother listens to a television program every afternoon. 7. They practice a great deal because they receive a Spanish newspaper which they read every night. 8. Mary's sister studies Spanish here in a large school. 9. Carmen and I are going to write letters in Spanish to two Mexican (girl) friends today. 10. Several students in our class write letters to Mexican or Spanish students. 11. It is necessary to study hard each day in order to learn a foreign language well. 12. Thomas, do you live in the city or in the country? 13. My parents and I live near the park in a house which is very pretty. 14. [It] is a large house, but [it] is not very comfortable. 15. My brother lives here in a stone house which is very small.

ROBERT WILLIAM HINDS

5

SPANISH USAGE

SRA. LÓPEZ. — Buenas tardes, Dorotea. ¿ Cómo está Vd. ?

DOROTEA. — Perfectamente bien, gracias, aunque un poco cansada.

SRA. LÓPEZ. — ¿ Qué está Vd. haciendo ? ¿ Por qué está
5 sentada aquí en el patio ?

DOROTEA. — Estoy limpiando la casa y necesito descansar
un rato. ¿ No quiere Vd. un vaso de agua ? El agua está fría;
no está caliente.

SRA. LÓPEZ. — Con mucho gusto. (*La señora López toma el*
10 *vaso de agua*.) Muchas gracias.

DOROTEA. — No hay de qué.

SRA. LÓPEZ. — ¿ Está en casa su mamá ?

DOROTEA. — No, señora, ella y mi papá están en casa de mi
tía. Van a pasar el día allí porque mi tía está enferma.

15   SRA. LÓPEZ. — ¡ Qué lástima ! ¿ Sabe Vd. si los señores Díaz
están en la ciudad ?

40

DOROTEA. — Creo que sí. Sé que su hija María está en casa con su prima Isabel que está pasando aquí unos días.

SRA. LÓPEZ. — ¿ Cuál es su casa ?

DOROTEA. — Es la casa amarilla que está allí cerca del parque.   5

SRA. LÓPEZ. — Muchas gracias. Como Vd. sabe, ellos son de Chile. Mi hijo Roberto va a trabajar en la América del Sur y quiero hablar un rato con el señor Díaz. Roberto quiere ir a Chile, al Perú o a la Argentina.

DOROTEA. — Mi tío Carlos está trabajando en el Uruguay y 10 mi primo escribe cartas muy interesantes acerca de las costumbres de la capital, Montevideo. También yo leo muchos libros sobre la América Española. Y todos están escritos en español.

SRA. LÓPEZ. — Está muy bien. Hoy día necesitamos saber algo de todos los países. Bueno, ahora voy a casa del señor Díaz. 15 Ya son las cuatro y tengo que ir a casa pronto. Adiós, Dorotea.

DOROTEA. — Hasta la vista, señora López.

VOCABULARY

el agua (*f.*) water
algo something, anything
América America
aunque although, even though
caliente *adj.* warm, hot
cansado, –a tired
la capital capital
la costumbre custom
creer to believe, think
¿ cuál ? (*pl.* **¿ cuáles ?**) which (one) ?
descansar to rest
Dorotea Dorothy
enfermo, –a ill, sick
escrito, –a written
estar to be
frío, –a cold
el gusto pleasure
haciendo doing
la hija daughter
el hijo son; *pl.* children
Isabel Isabel, Betty, Elizabeth

la lástima pity
limpiar to clean
la mamá mama, mother
mucho, –a much, many
necesitar to need
el papá papa, dad, father
pasar to pass, spend (*time*)
el patio patio, courtyard
perfectamente fine, perfect(ly)
¿ por qué ? why ? for what reason ?
la prima cousin (*f.*)
el primo cousin (*m.*)
pronto soon, quickly
¡ qué + *noun* ! what a . . . !
querer to wish, want
el rato while, short time
Roberto Robert
saber to know, know how
sentado, –a seated
si if, whether
sobre on, upon, about, concerning
el sur south

la tía aunt
el tío uncle; *pl.* uncle(s) and aunt(s)
   unos, —as some, a few

el vaso glass
la vista sight, view
  ya already, now

a casa de (Roberto) to (Robert's *or* Robert's house)
con mucho gusto gladly, with great pleasure
creer que sí (no) to believe so (not)
en casa de (mi tía) at (my aunt's)
está (muy) bien that's fine (excellent)
hasta la vista until I see you
hoy día nowadays
(ir) a casa (to go) home (*destination*)
la América del Sur South America
no hay de qué you are welcome, don't mention it
perfectamente bien fine, very well
¡ qué lástima ! what a pity !

PRONUNCIATION

A. Pronounce the following capitals of Spanish American countries. Then locate each country and capital on the maps.

Caracas, Buenos Aires, Lima, Quito, Asunción, Santiago, La Paz, Bogotá, Montevideo, Panamá, Guatemala, San José, Tegucigalpa, Managua, San Salvador, la Habana, Ciudad Trujillo, Méjico, D.F. (**Distrito Federal,** *Federal District*)

B. Pronounce as one breath-group:

creo que no	con mucho gusto	está muy fría
no hay de qué	hasta la vista	la América Española
estoy muy bien	un vaso de agua	la América del Sur

QUESTIONS

1. ¿ Cómo está Vd. hoy ? 2. ¿ Está Vd. cansado (cansada) ? 3. ¿ Estoy yo sentado (sentada) ? 4. ¿ Dónde está sentada Dorotea ? 5. ¿ Cómo está el agua ? 6. ¿ Está en casa su mamá ? 7. ¿ Cómo está la tía de Dorotea ? 8. ¿ Quién está pasando unos días en casa de María ? 9. ¿ Cuál es la casa del señor Díaz ? 10. ¿ De dónde son los señores Díaz ? 11. ¿ A dónde va Roberto ? 12. ¿ A qué países quiere ir ? 13. ¿ Dónde está trabajando el tío de Dorotea ? 14. ¿ Qué escribe su primo ? 15. ¿ Cuál es la capital del Uruguay ? 16. ¿ Qué necesitamos saber hoy día ? 17. ¿ A dónde va primero la señora López ? 18. ¿ Qué hora es ? 19. ¿ A dónde tiene que ir pronto la señora López ?

GRAMMATICAL USAGE

A. IRREGULAR PRESENT INDICATIVE OF *ESTAR, QUERER,* AND *SABER*

estar, *to be*

SINGULAR	PLURAL
estoy	estamos
estás	estáis
está	están

querer, *to wish, want*		**saber,** *to know, know how*	
SINGULAR	PLURAL	SINGULAR	PLURAL
quiero	queremos	sé	sabemos
quieres	queréis	sabes	sabéis
quiere	quieren	sabe	saben

Note particularly the accented forms of **estar. Querer** is followed by an infinitive without a preposition: **Quiere ir a Chile,** *He wants to go to Chile.* Followed by an infinitive, **saber** means *to know how to:* **Sabe hablar español,** *He knows how to talk Spanish.*

B. THE PRESENT PARTICIPLE

hablar:	hablando	*speaking*
comer:	comiendo	*eating*
vivir:	viviendo	*living*

The present participle, which in English ends in *–ing*, is regularly formed in Spanish by adding **–ando** to the stem of **–ar** verbs, and **–iendo** to the stem of **–er** and **–ir** verbs. The present participle always ends in **–o.** Forms of present participles which are irregular will be given later.

C. USES OF *ESTAR*

Estar is used:

1. To express *location* or *position,* whether temporary or permanent:

Ella está en casa de mi tía. She is at my aunt's.
Montevideo está en el Uruguay. Montevideo is in Uruguay.

2. With an adjective to indicate a state or a condition of the subject, which may be non-inherent, accidental, relatively temporary, or variable:

> **Mi tía está enferma.** My aunt is ill.
> **Todos están cansados.** All are tired.
> **Los libros están escritos en español.** The books are written in Spanish.

3. With a present participle to form the progressive tenses:

> **¿ Qué está Vd. haciendo ?** What are you doing?
> **Estoy limpiando la casa.** I am cleaning the house.
> **Mi tío está trabajando allí.** My uncle is working there.

The progressive tenses in Spanish are less frequent and more emphatic than in English. They stress the fact that an action is or was in progress at a certain moment. The progressive forms of **ir** and **venir** are seldom used.

Práctica. Sixteen forms of **estar** are used in the Spanish Usage section. The idiom **Está muy bien** (page 41, line 14) means *That's fine* (*excellent*). Explain why each of the other forms of **estar** is used.

D. SPECIAL USES OF THE DEFINITE ARTICLE

1. **Buenos días, señorita Díaz.** Good morning, Miss Díaz.
   La señora López está aquí. Mrs. López is here.
   Los señores Díaz están en casa. Mr. and Mrs. Díaz are at home.

The definite article is used with titles, except when speaking directly to a person. Note that **los señores Díaz** means *Mr. and Mrs. Díaz*.

2. **El agua está fría.** The water is cold.

The definite article **el** is used instead of **la** with a few feminine nouns which begin with stressed **a–** (or **ha–**).

3. | la Argentina | el Paraguay | El Salvador |
   | el Brasil | el Perú | los Estados Unidos |
   | el Uruguay | el Ecuador | la Habana (*Havana*) |

The definite article regularly forms a part of the preceding common place names.

E. USE OF ¿ CUÁL ? "WHICH (ONE) ? WHAT ?"

¿ **Cuál es su casa ?** Which (one) is their house ?
¿ **Cuáles son países grandes ?** Which (ones) are large countries ?
¿ **Cuál es la capital del Perú ?** What is the capital of Peru ?

¿ **Cuál ?** (*pl.* ¿ **Cuáles ?**) is used as a pronoun. It usually indicates a choice of one or more things from among several. Compare ¿ **Qué libro tiene Vd. ?** *Which (What) book do you have?* with ¿ **Cuál de los libros tiene Vd. ?** *Which (one) of the books do you have ?* When English *which?* and *what?* modify nouns, the adjective ¿ **qué ?** is used in Spanish.

EXERCISES

A. Review the uses of **ser** in Lesson 4, then read in Spanish, supplying the proper form of the verb in italics:

1. Montevideo *is* la capital del Uruguay. 2. La capital *is* una ciudad grande.
3. La ciudad *is* muy interesante. 4. La casa de Roberto *is* nueva. 5. ¿ *Are* verdes las paredes ? 6. Su casa no *is* de piedra. 7. Sus tíos *are* de la Argentina.
8. *It is* difícil aprender todas las palabras. 9. La carta *is* para mi hija. 10. *It is* las cuatro de la tarde. 11. ¿ Cuál *is* la capital del Ecuador ? 12. ¿ Qué hora *is it?* 13. Roberto y Vd. *are* mejicanos. 14. Quiero *to be* profesor. 15. ¿ Qué *are* Vd., Carlos ? 16. Yo *am* alumno. 17. ¿ De dónde *are* tú, Felipe ?
18. María y yo *are* del Perú.

B. Supply the proper form of **estar** and explain why the verb is used in each case:

1. Su tío *is* en la Argentina. 2. Creo que *is* en Buenos Aires. 3. Mi papá *is* sentado en el patio. 4. Él y yo *are* muy cansados. 5. Señora López, ¿ *are* Vd. cansada también ? 6. *I am* limpiando la casa. 7. El agua *is* fría. 8. ¿ Dónde *are* sentados Roberto y Luis ? 9. Las frases *are* escritas en español. 10. Mi mamá *is* cerca de la mesa. 11. Queremos *to be* en casa a la una. 12. ¿ Cómo *are* tú hoy ?

C. Give the Spanish for:

1. I live. 2. I receive. 3. we live. 4. we write. 5. he writes. 6. she lives.
7. you (*formal s.*) receive. 8. they write. 9. I work. 10. we need. 11. he reads. 12. they read. 13. we listen. 14. they rest. 15. you (*fam. s.*) spend.
16. he comes. 17. he wishes. 18. we wish. 19. I know. 20. they and I know. 21. writing. 22. taking. 23. learning. 24. cleaning. 25. knowing.
26. practicing.

D. Read in Spanish, filling the blanks with the definite or indefinite article, wherever one is needed:

1. Buenas tardes, —— señora Molina. 2. —— señor Díaz quiere trabajar hoy. 3. —— señores Blanco no están en casa. 4. Escribe —— cartas interesantes. 5. Mi tía es —— profesora. 6. Vamos a —— Argentina. 7. Están en —— Colombia. 8. —— agua está caliente. 9. Quiero un vaso de —— agua fría. 10. Escribe cartas en —— inglés. 11. Está en la clase de —— español. 12. Toman —— desayuno. 13. —— español no es difícil. 14. Quieren hablar —— inglés. 15. Ella no sabe leer —— portugués.

E. Give orally in Spanish:

1. You are welcome. 2. Gladly. 3. Mr. and Mrs. Molina. 4. He is at home. 5. I believe so. 6. They are at Philip's. 7. We are going to Mary's. 8. She is in South America. 9. We are not going home. 10. What a pity! 11. I want a glass of water. 12. They are going to school. 13. He works here every day. 14. Until I see you.

COMPOSITION

1. The letter which you have there is written in Spanish, isn't it? 2. Yes, it is from my brother who is working now in Argentina. 3. He lives there with his uncle and aunt who have a store in the capital. 4. He writes interesting letters about the life and (the) customs of Spanish America. 5. My father and I want to go to South America soon. 6. Where is your father now? Is he at home today? 7. Yes, he is here today because he is ill. 8. Generally he has to work from nine o'clock until five. 9. My mother is at her sister's and she is going to spend a few days there. 10. I am tired and I need to rest a while. 11. Do you want a glass of water? I believe that it is cold. 12. Do you know whether Mr. and Mrs. López are in the city? 13. I believe so. I know that their son Robert is here now. 14. Many thanks. I must go home now because it is already five o'clock.

REVIEW LESSON I

A. Divide the following words into syllables and underline the syllable stressed:

tienda	amarillo	Dorotea	descansar
gracias	televisión	escuchan	almuerzo
interesante	todavía	piedra	biblioteca
español	estudiar	costumbre	norteamericano

B. Give the English meaning of the following verb forms:

sé	saben	vivimos	recibe	vengo
soy	somos	descansan	tienen	estoy
tengo	trabajo	aprendemos	vienes	necesita
cree	come	pasamos	escucha	limpian
leen	quiere	queremos	vamos	tenéis

C. Give the Spanish for:

1. I go. 2. he goes. 3. they have. 4. I know. 5. he wishes. 6. I have. 7. we take. 8. we learn. 9. we write. 10. he listens. 11. he reads. 12. we go. 13. you live. 14. I am (*ser*). 15. I am (*estar*). 16. they need. 17. he receives. 18. we believe. 19. they know. 20. I come. 21. we come. 22. I rest. 23. they know. 24. he cleans. 25. we practice.

D. Substitute the proper Spanish forms for the words in italics:

1. *her* madre. 2. *her* padres. 3. *his* tienda. 4. *his* tíos. 5. *my* hermana. 6. *my* hermanos. 7. *their* amigos. 8. *their* casa. 9. *our* mesas. 10. *our* escuela. 11. *our* hijos. 12. *their* primo. 13. *your* (formal s.) vaso. 14. *your* (formal pl.) costumbres. 15. *your* (fam. s.) reloj. 16. *your* (fam. pl.) amigas.

E. Give the Spanish for:

1. a Spanish class. 2. our large school. 3. four yellow houses. 4. a silver pencil. 5. twenty-one days. 6. eighteen newspapers. 7. twenty-five sentences. 8. Spanish America. 9. little by little. 10. gladly. 11. today's lesson. 12. Dorothy's mother. 13. I believe so. 14. I have to work hard. 15. What a pity! 16. You are welcome. 17. not yet. 18. Until I see you. 19. We are going to Ann's. 20. Good morning, Mr. López. 21. Mr. Díaz is coming now. 22. They are going to school. 23. She reads every night. 24. I work in the afternoon. 25. What do you have there?

F. Drill on **ser** and **estar**:

1. He is a pupil. 2. She is not a teacher. 3. The capital is small. 4. They are not tired. 5. He is in Lima. 6. We are from the United States. 7. Her children are in Mexico. 8. Their school is not large. 9. Mr. López is here. 10. The water is not cold. 11. Are the pencils blue? 12. What time is it? 13. It is four P.M. 14. It is 1:45 A.M. 15. It is easy to read Spanish. 16. The pen is Mary's. 17. The watch is (of) gold. 18. She is not Spanish. 19. The map is on the wall. 20. The books are written in Spanish. 21. They are writing the sentences. 22. She is cleaning the house.

G. Match each word in the two columns to the left with an opposite or contrasting word in the two columns to the right:

ciudad	poco	negro	allí
grande	blanco	difícil	pequeño
tarde	aquí	campo	noche
trabajar	ir	temprano	mucho
fácil	día	venir	descansar

CONVERSACIÓN I [1]

En un café

CAMARERO. — Buenas tardes. ¿ Qué van Vds. a tomar? ¿ Desean tomar un refresco? ¿ Café, té, chocolate, leche, una limonada, un helado?

CARLOS. — Ana, ¿ qué va Vd. a tomar?

5 ANA. — Un café, gracias.

CAMARERO. — ¿ Café solo o con leche?

ANA. — Con leche, por favor.

CARLOS. — En los Estados Unidos Vds. toman café con crema, ¿ verdad? Mucho café y poca crema; en España tomamos mucha 10 leche y poco café.

ANA. — Sí, usamos crema, y servimos el café en tazas. ¿ Siempre toman Vds. el café en vasos?

CARLOS. — No; en casa también usamos tazas, como en los Estados Unidos, pero en muchos cafés sirven el café en vasos.

---

[1] The teacher may assign the **Conversaciones** for close study, recognition, or comprehension, and students may compose similar dialogues. All new words listed at the end of each **Conversación** will be listed again when introduced in regular lessons.

ANA. — Y Vds. toman mucho azúcar, ¿ verdad?

CARLOS. — Sí, Ana, creo que tomamos más que Vds. Pues, ¿ qué quiere Vd. tomar, Carmen?

CARMEN. — Voy a tomar té como siempre, gracias.

CARLOS. — ¿ Con limón? 5

CARMEN. — Sin limón, por favor, pero con un poco de azúcar.

CARLOS. — Y Vd., Felipe, ¿ qué va a tomar?

FELIPE. — Por lo común tomo café con leche, pero hoy voy a tomar un helado.

CAMARERO. — ¿ De vainilla o de chocolate? 10

FELIPE. — De vainilla, por favor.

CAMARERO. — ¿ No quiere Vd. café con el helado?

FELIPE. — No, gracias. Solamente un vaso de agua.

CARLOS. — Pues, yo voy a tomar chocolate.

CAMARERO. — ¿ No desean Vds. pasteles también? 15

CARLOS. — Gracias, hoy no deseamos nada más.

CAMARERO. — Muy bien. Vuelvo en seguida.

VOCABULARY

el azúcar sugar
el café coffee
la camarera waitress
el camarero waiter
la crema cream
el chocolate chocolate
desear to desire, wish, want
el helado ice cream
la leche milk
el limón lemon
la limonada lemonade

el pastel pastry, pie
que than
el refresco cold *or* soft drink
servimos we serve
sin without
sirven (they) serve
la taza cup
el té tea
usar to use
la vainilla vanilla
vuelvo I'll (I) return, be back

café solo black coffee
en seguida at once, immediately
no deseamos nada más we don't want anything else
por favor please (*used at end of statement*)
por lo común generally, commonly
un poco de a little (of)

Práctica. Groups of students may be selected to give original conversations in a café, using vocabulary already given. In each group one student will serve as waiter (waitress) and take the orders of other students.

6

SPANISH USAGE

Enrique sale de casa y pasa por la calle. Al llegar a casa de José, llama a la puerta. Cuando José la abre y ve a su amigo, le invita a entrar. Los dos jóvenes entran en la sala.

— ¿ Qué hay de nuevo, Enrique ?

5   — Nada de particular. Tengo que buscar a Tomás Ortega. Traigo una carta de mi amigo Carlos Padilla y Tomás le conoce bien. ¿ No pasa a menudo por aquí a esta hora ?

— Sí, casi todas las noches si no me ve durante el día. To-davía no tiene muchos amigos en esta ciudad. Vd. sabe que vive 10 en aquella casa nueva que está cerca del parque, ¿ verdad ? Vd. puede ver la casa por aquella ventana. ¿ No quiere esperar un rato para ver si viene esta noche ?

— Sí, gracias, puedo esperar si Vd. no está ocupado.

50

— Pues, la verdad es que tengo que terminar una composición para mañana, pero Vd. puede leer el periódico. Aquí lo tiene.

— Gracias. Generalmente lo leo antes de salir de casa.

— ¿ O quiere mirar esa revista que está en la mesa cerca de
su silla ? ¿ La conoce ? 5

— Sí, la conozco. María Gómez trae revistas españolas a
nuestra clase y todos los alumnos las leen. ¿ Conoce Vd. a
María ?

— ¡ Cómo no ! La conozco muy bien. La veo a menudo
cuando visita a mi hermana. Es muy simpática y muy bonita 10
también.

— Pero, José, sé que le molesto mucho. ¿ Cuándo va a
terminar la composición si charlamos más ? Puedo pasar por aquí
a las nueve o a las diez.

— ¡ No, hombre ! Después de terminar la composición po- 15
demos charlar más. Ahora voy a mi cuarto. Con su permiso.

— Vd. lo tiene.

VOCABULARY

abrir to open
antes de *prep.* before (*time*)
bonito, –a pretty, beautiful
buscar to look for, seek
la calle street
la composición (*pl.* **composiciones**)
  composition, theme
conocer to know, be acquainted
  with
¿ cuándo ? when ?
el cuarto room
charlar to chat
después de *prep.* after
durante during
Enrique Henry
entrar (**en** + *obj.*) to enter
esperar to wait, wait for; hope
el hombre man
invitar (**a** + *inf.*) to invite (to)
José Joseph, Joe
joven (*pl.* **jóvenes**) young
llamar to call; knock

llegar (**a** + *obj.*) to arrive (at),
  reach
mirar to look at
molestar to bother, molest
nada nothing
ocupado, –a busy, occupied
particular particular, special
el permiso permission
poder to be able, can
la puerta door
la revista magazine, journal
la sala living room
salir (**de** + *obj.*) to leave, go (come)
  out
la silla chair
simpático, –a charming, likeable,
  " nice "
terminar to end, finish
traer to bring
la ventana window
ver to see
visitar to visit, call on

al + *inf.* on, upon + *pres. part.*
a menudo often, frequently
aquí (lo) tiene (Vd.) here (it) is
¡ cómo no ! of course! certainly!
con su permiso with your permission, excuse me
esta noche tonight
¡ hombre ! man (man, alive) !
los dos jóvenes the two (both) young men (*adj. used as noun; see Lesson 7*)
nada de particular nothing special
¿ qué hay de nuevo ? what's new? what do you know ?
salir de casa to leave home
Vd. lo tiene you have it, of course!

QUESTIONS

1. ¿ Quién sale de casa ?   2. ¿ Por dónde pasa ?   3. ¿ A dónde llega ?
4. ¿ Quién abre la puerta ?   5. ¿ Qué hay de nuevo ?   6. ¿ A quién busca
Enrique ?   7. ¿ Qué trae Enrique ?   8. ¿ Conoce José a Tomás Ortega ?
9. ¿ Dónde vive Tomás ?   10. ¿ Puede esperar Enrique ?   11. ¿ Está ocupado
José ?   12. ¿ Qué puede leer Enrique ?   13. ¿ Qué hay en la mesa que está
cerca de Enrique ?   14. ¿ La conoce Enrique ?   15. ¿ Qué trae María Gómez a la
clase ?   16. ¿ A quién visita María ?   17. ¿ Cómo es María ?   18. ¿ A dónde va
José a terminar la composición ?

GRAMMATICAL USAGE

A. PRESENT INDICATIVE OF SOME IRREGULAR VERBS

conocer, *to know, be acquainted with*	poder, *to be able, can*	salir, *to leave, go out*	traer, *to bring*	ver, *to see*
		SINGULAR		
conozco	puedo	salgo	traigo	veo
conoces	puedes	sales	traes	ves
conoce	puede	sale	trae	ve
		PLURAL		
conocemos	podemos	salimos	traemos	vemos
conocéis	podéis	salís	traéis	veis
conocen	pueden	salen	traen	ven

Poder, like **querer**, is followed by an infinitive without a preposition:
Vd. puede ver la casa, *You can see the house.*

B. THE PERSONAL A

> **Ve a su amigo.** He sees his friend.
> **¿ Busca Vd. a José?** Are you looking for Joe?
> **¿ A quién ve Vd. ?** Whom do you see?
> **Tengo un amigo mejicano.** I have a Mexican friend.

An unusual feature of Spanish is the use of **a** before the direct object of a verb when the noun refers to a definite person. It is used with **¿ quién ?** to mean *whom?* but is not used after forms of **tener.**

Práctica. Read in Spanish, noting the use of the personal **a,** then give the English for each sentence:

1. Conozco a Felipe. 2. ¿ Conoce Vd. a mi hermana? 3. No veo a la señorita Ortega. 4. Juan busca al señor Padilla. 5. ¿ A quién llama Vd.? 6. ¿ Buscan a su madre? 7. ¿ Espera Carmen a María? 8. No puedo buscar a Tomás ahora.

C. DIRECT OBJECT PRONOUNS

SINGULAR		PLURAL	
me	me	**nos**	us
te	you (*fam.*)	**os**	you (*fam.*)
le	him, you (*formal m.*)	**los**	them (*m.*), you (*formal m.*)
la	her, it (*f.*), you (*formal f.*)	**las**	them (*f.*), you (*formal f.*)
lo	it (*m. and neuter*)	**los**	them (*m.*)

Note carefully the third person direct object pronouns and do not confuse them with the definite articles. In addition to referring to masculine objects, **lo** may refer to an action, a statement, or an idea: **Lo creo,** *I believe it.*

Some Spanish-speaking people, particularly in Spanish America, prefer to use **lo** instead of **le** for *him, you* (formal), but only the more common form **le** is used in this text.

D. POSITION OF OBJECT PRONOUNS

José abre la puerta.	Joseph opens the door.
José la **abre.**	Joseph opens it.
Ella ve las revistas.	She sees the magazines.
Ella las **ve.**	She sees them.

> No busco | a Tomás |.   I am not looking for Thomas.
>
> No | le | busco.   I am not looking for him.

Object pronouns are placed <u>immediately before the verb.</u> If the sentence is negative, they come between **no** and the verb.

Práctica.   Read in Spanish, then give the English for the following. Note particularly the object pronouns and their position with respect to the verb:

1. Tengo el cuaderno; lo tengo. 2. Ella tiene los lápices; los tiene. 3. Escribo la composición; la escribo. 4. Juan abre las ventanas; Juan las abre. 5. No veo a José; no le veo. 6. Buscan a los muchachos; los buscan. 7. No miro a mi hermana; no la miro. 8. ¿No espera Vd. a María? ¿No la espera Vd.?

E. VERBS WHICH REQUIRE A DIRECT OBJECT WITHOUT A PREPOSITION

> **Busca el periódico.** He is looking for the newspaper.
> **Lo mira.** He is looking at it.
> **Escuchan el programa.** They listen to the program.
> **Esperamos a Roberto.** We are waiting for Robert.

Note that the prepositions *for, at, to* are included in the English meaning of the verbs **buscar, esperar, mirar, escuchar.** The personal **a** is used when the direct object is a person (fourth example).

However, just as **entrar** requires **en** before an object, **salir** requires **de.** If no object is expressed, **en** and **de** are omitted:

> **Salen de (Entran en) la casa.** They leave (enter) the house.
> **Los dos jóvenes salen (entran).** Both young men leave (enter).

F. THE INFINITIVE AFTER A PREPOSITION

> **al entrar** on (upon) entering, when (he) enters
> **después de terminar la composición** after finishing the composition

In Spanish the infinitive, not the present participle, is regularly used after a preposition. **Al** plus an infinitive is the equivalent to English *on* (*upon*) plus the present participle. This construction may also be translated as a clause beginning with *when.*

G. MEANING OF *SABER* AND *CONOCER*

Sé que viene esta noche. I know that he is coming tonight.
Le conozco bien. I know him well. (I am well acquainted with him.)
¿ Conoce Vd. esa revista ? Do you know that magazine ?

Saber means *to know facts* or *to have knowledge* of something. Remember that with an infinitive **saber** means *to know how to:* **Sé leer el español,** *I know how to (can) read Spanish.* **Conocer** means *to know* in the sense of *to be acquainted with someone* or *something.*

Práctica. Read in Spanish, then indicate why **saber** or **conocer** is used in each case:

1. Yo sé que está en España. 2. ¿ Conocen Vds. al señor Ortega ? 3. ¿ Sabe Vd. si está en casa? 4. Ella sabe escribir en español. 5. Saben que ella me conoce. 6. Él conoce bien las calles de esta ciudad.

H. DEMONSTRATIVE ADJECTIVES

	SINGULAR			PLURAL	
Masc.	Fem.		Masc.	Fem.	
este	**esta**	this	**estos**	**estas**	these
ese	**esa**	that (*nearby*)	**esos**	**esas**	those (*nearby*)
aquel	**aquella**	that (*distant*)	**aquellos**	**aquellas**	those (*distant*)

A demonstrative adjective points out the noun to which it refers. (Do not confuse the demonstrative with the relative **que.**) It comes before its noun and, like all other adjectives in Spanish, it agrees with the noun in gender and number. It is repeated before each noun in a series. **Ese, esa, –os, –as** indicate persons or objects near to, or associated with, the person addressed; **aquel, aquella, –os, –as** indicate persons or objects distant from the speaker and the person addressed.

EXERCISES

A. Give the English for:

puedo	conoce	veo	venimos	salgo
podemos	vengo	traigo	vemos	miran
conozco	visitan	sé	pueden	traemos

llama	abren	viene	busco	terminan
abrimos	invita	salen	entra	espera

B. Read each sentence in Spanish, then repeat, substituting the proper form of the direct object pronoun for each noun object and modifiers (*e.g.*, **Abro la puerta, La abro**):

1. Abre la ventana. 2. Abre las ventanas. 3. Vemos el cuadro. 4. Vemos los cuadros. 5. No mira la revista. 6. No mira las revistas. 7. Conoce al hombre. 8. Conoce a los dos jóvenes. 9. No sé la lección. 10. No conozco a María. 11. Llama a Tomás. 12. Buscan a Dorotea. 13. Ella no ve a sus hijas. 14. Escuchan un programa. 15. Esperamos a nuestro profesor. 16. ¿ Espera Vd. a sus padres? 17. Miran nuestras casas. 18. ¿ No miran esta silla? 19. No veo a Felipe y a su amigo. 20. Visitan a María y a su hermana.

C. Give the Spanish for:

1. I open the door. 2. I open it. 3. He has the magazines. 4. He has them. 5. We have the book. 6. We have it. 7. They see the man. 8. They see him. 9. We are looking for the newspaper. 10. We are looking for it. 11. He listens to the program. 12. She doesn't listen to it. 13. Are you looking at the men? 14. Are you looking at them? 15. Here is the composition. 16. Here it is.

D. Read in Spanish, substituting the proper forms for the words in italics:

1. Yo *know* que están en Méjico. 2. Yo no *know* a aquel hombre. 3. *We know* que viene hoy. 4. *They know* bien la ciudad. 5. José *knows how* hablar inglés. 6. Vd. le *know* bien. 7. *I bring* esta carta para María. 8. *This* periódico es de hoy. 9. *This* casa es nueva. 10. *These* jóvenes no son españoles. 11. *These* sillas no son cómodas. 12. ¿ Está Vd. mirando *that* revista? 13. No puede venir *this* noche. 14. *Those* alumnas que están cerca de Carlos son sus hermanas. 15. Yo quiero *those* lápices que Vd. tiene. 16. *I am looking for* su cuarto. 17. Ellos no *us* ven. 18. Mi familia va a *that* ciudad. 19. No vamos a visitar *those* países. 20. ¿ Conoce Vd. a *the two young men*? 21. Ellos *you* (fam. s.) miran. 22. Ella no *you* (fam. pl.) busca.

E. Supply **a** or **en** in each blank if one or the other is required:

1. Vamos —— casa. 2. Ellos vienen —— la escuela. 3. Entran —— el cuarto a las ocho. 4. Miran —— los cuadros. 5. No ven —— sus amigos. 6. ¿ —— quién esperan? 7. No conocemos —— la hermana de María. 8. No queremos —— leer la revista. 9. No pueden —— venir hoy. 10. Ellos saben —— hablar español. 11. Voy a su casa —— pasar la noche. 12. Ella sale de la casa y me invita —— entrar ——.

COMPOSITION

1. Upon leaving his house, Henry passes along the street. 2. When he knocks at Joe's (house), his friend opens the door and invites him to enter. 3. The two young men enter the living room and they chat a while. 4. What's new? Are you looking for Tom tonight? 5. Yes, I am looking for him, but I do not see him. 6. He comes to your house almost every night, doesn't he? 7. Yes, and you can wait here [for] a while if you wish. 8. Gladly, thanks. If you are busy, I can read the newspaper. 9. Here it is. Do you know that Mexican magazine which is on the table near that window? 10. Of course, man! My friend Louis brings it to my room often. 11. Do you know Mary Gómez? She has several Spanish magazines and we look at them in (the) class. 12. I know her well. She is charming and very pretty also. 13. She is Spanish and she comes to visit my sister often. 14. After chatting a while, Joe goes to his room because he has to finish a composition.

LECTURA I

España

Read in Spanish. Many of the new words which closely resemble English, called cognates, can be recognized easily. See the comments on page 62 and at the end of later Lecturas. Make every effort to figure out the meaning of new words by their use in the sentence, but if you are unable to do so, you will find them listed in the end vocabulary. A number of words not easily recognized are translated in footnotes. Many of the new words in the reading selections will appear later in the active vocabularies.

Hay un mapa en la pared. Es un mapa de España y Portugal. Los dos países forman la Península Ibérica,[1] que está en el suroeste de Europa. Los habitantes de España hablan español y los habitantes de Portugal hablan portugués. El español y el portugués son lenguas romances. El italiano y el francés son lenguas romances también. Hablan italiano en Italia y francés en Francia. Todas las lenguas romances vienen del latín.

La capital de España es Madrid. Está en el centro del país, en la provincia de Castilla la Nueva.[2] Castilla la Vieja está al norte, hacia [3] la frontera francesa. Castilla es la tierra [4] de los castillos [5] y de la lengua castellana.[6]

Barcelona, el centro industrial, y Valencia, otra ciudad bastante grande, están en la costa del Mar Mediterráneo. En el sur hay varias ciudades importantes, como Sevilla, Cádiz, Córdoba, Granada y Málaga. Cádiz y

---

[1] **Ibérica,** *Iberian.*   [2] **Castilla la Nueva,** *New Castile.*   [3] **hacia,** *toward.*
[4] **tierra,** *land.*   [5] **castillos,** *castles.*   [6] **castellana,** *Castilian.*

Málaga son puertos del sur, pero las otras ciudades no están en la costa. Toledo y Segovia, que son ciudades muy antiguas, están en la meseta [1] central, cerca de Madrid. Al oeste, hacia la frontera portuguesa, están Ávila y Salamanca. Burgos, Bilbao, San Sebastián y Santander están en el norte del país. Hoy día casi todas las ciudades españolas tienen barrios [2] nuevos con casas y edificios muy modernos y barrios antiguos con casas viejas y calles estrechas. [3]

Las trece regiones o provincias antiguas de España son Galicia, Asturias, León, Castilla la Vieja, las Provincias Vascongadas, [4] Navarra, Aragón, Cataluña, Valencia, Murcia, Castilla la Nueva, Andalucía y Extremadura.

España tiene cinco ríos importantes y muchas montañas. Al norte está separada de Francia por los altos [5] Pirineos. Toda la parte central es una meseta grande. En el sur están la Sierra Morena y la Sierra Nevada. También hay muchas montañas en la meseta central y en la parte noroeste, pero no son muy altas.

---

[1] **meseta,** *tableland, plateau.*   [2] **barrios,** *districts.*   [3] **estrechas,** *narrow.*
[4] **Vascongadas,** *Basque.*   [5] See page 199 for notes on word order.

San Martín bridge and gate in
the old wall, Toledo, Spain

Aunque España es un país pequeño, su lengua es muy importante hoy día. Millones de habitantes de España, de los diez y ocho países de la América Española y de varias partes de los Estados Unidos hablan español. Las relaciones comerciales, políticas y culturales entre los Estados Unidos y los países de habla española [1] son muy importantes. La influencia de España y de los países hispanoamericanos en la vida diaria,[2] la música, el arte, la arquitectura y en otros aspectos de la cultura en general es grande. Estudiamos el español para apreciar [3] bien la cultura española y su influencia en la vida moderna.

QUESTIONS

1. ¿ Qué hay en la pared ? 2. ¿ Qué forman España y Portugal ? 3. ¿ Dónde está la Península Ibérica ? 4. ¿ Qué lengua hablan en España ? 5. ¿ Qué hablan en Portugal ? 6. ¿ Qué hablan en Italia ? 7. ¿ Qué hablan en Francia ? 8. ¿ De qué lengua vienen las lenguas romances ?

9. ¿ Cuál es la capital de España ? 10. ¿ Dónde está Madrid ? 11. ¿ Dónde está Castilla la Vieja ? 12. ¿ Qué es Castilla ?

13. ¿ Qué ciudad es el centro industrial de España ? 14. ¿ Dónde está Valencia ? 15. ¿ Cuáles son unas ciudades del sur de España ? 16. ¿ Qué puertos hay en el sur ? 17. ¿ Qué otras ciudades hay en España ?

18. ¿ Cuáles son las provincias antiguas ? 19. ¿ Cuántos ríos importantes hay ? 20. ¿ Qué montañas están en el norte ? 21. ¿ Qué es toda la parte central ? 22. ¿ Qué montañas están en el sur ?

23. ¿ Es grande España ? 24. ¿ En qué otros países hablan español ? 25. ¿ En qué aspectos de la cultura es grande la influencia de España y de los países hispanoamericanos ? 26. ¿ Para qué estudiamos el español ?

[1] **de habla española,** *Spanish-speaking.* [2] **diaria,** *daily.* [3] **apreciar,** *appreciate.*

60

The Alcázar, Segovia
Burton Holmes from
Ewing Galloway, N. Y.

Shepherd with his flock

WORD STUDY

a. Exact cognates. The ability to recognize cognates is of enormous value in mastering a foreign language. Many Spanish and English words are identical, although the pronunciation may vary: romance, capital, central, industrial, cultural, general.

b. Approximate cognates. A few principles for recognizing near cognates, with examples from the selection above, are:

1. The English word has no written accent: península, región, latín.
2. Many English words have double consonants: comercial.
3. Many English nouns lack Spanish final –a, –e, –o: mapa, italiano, parte, importante, arte, música, aspecto, moderno.
4. Certain Spanish nouns in –ia, –io end in –y in English: Italia.
5. Spanish nouns in –cia, –cio end in –ce in English: Francia, provincia, influencia, edificio (*edifice, building*).
6. Most Spanish nouns in –ción are feminine and end in –tion in English: (la) relación.

c. Less approximate cognates. Other words with miscellaneous differences which should be recognized easily, especially in context or when pronounced in Spanish, are: formar, *to form;* habitante, *inhabitant;* centro, *center;* frontera, *frontier;* puerto, *port;* costa, *coast;* norte, *north;* oeste, *west;* noroeste, *northwest;* montaña, *mountain;* político, *political;* arquitectura, *architecture;* cultura, *culture;* millón, *million.*

ROBERT WM. HINDS

7

Present indicative of *dar* and *decir*   **Indirect object pronouns**

Reflexive substitute for the passive   **Use of *gustar***

Adjectives used as nouns   **Comparison of adjectives**

SPANISH USAGE

— ¿ Por qué sale Vd. tan temprano, Bárbara ? ¿ Va a dar
un paseo a esta hora ?

— Voy de compras. Mi mamá me dice que tengo que estar
en el centro a las nueve, hora en que se abren las tiendas. Todas
las semanas me da dinero para comprar las cosas que necesito. 5
¿ No puede Vd. ir al centro, Carmen ?

— Siempre me gusta ir de compras pero esta vez no puedo,
gracias. Tengo que comprar varias cosas allí en aquel mercado,
y después tengo que ayudar a mi mamá a limpiar la casa. Mi tía
viene de California mañana para pasar uno o dos meses. 10

(*Bárbara toma un autobús en la esquina y media hora más tarde
llega al centro. Al entrar en la tienda, una empleada le pregunta
qué* [1] *quiere. Bárbara le dice que busca un sombrero.*)

---

[1] An accent mark must be written on interrogatives which introduce indirect
questions the same as in the case of direct questions.

— Tenemos muchos sombreros bonitos, señorita, y hoy todos tienen precios especiales. (*La empleada le enseña a Bárbara sombreros de varios estilos.*)

— Me gusta este rojo. Es más bonito que el blanco. En
5 realidad, es el más bonito de todos. ¿ Qué precio tiene ?

— Hoy lo damos a quince dólares, pero su precio es veinte.

— Pues, a ese precio no es barato. Quiero ver otro,[1] por favor. No me gustan esos grandes. ¿ Qué precio tiene aquel sombrero más pequeño que está sobre el mostrador ?

10 — Diez dólares. ¿ No le gusta a Vd. ? Yo creo que es más bonito que el otro y este estilo se usa mucho ahora. Le digo otra vez, señorita, que para el precio es bueno.

— No es malo. Lo tomo.[2] Aquí tiene Vd. el dinero.

(*Antes de salir de la tienda, Bárbara sube al piso donde venden*
15 *vestidos. Mira dos que le gustan mucho, pero son demasiado caros y no los compra. Luego la joven va a comprar un libro sobre Méjico para su padre.*)

VOCABULARY

el autobús (*pl.* autobuses) bus
ayudar (a + *inf.*) to help, aid
barato, –a cheap
Bárbara Barbara
caro, –a expensive, dear
el centro center, downtown
la compra purchase
comprar to buy
la cosa thing
dar to give
decir to say, tell
demasiado, –a *adj. and pron.* too much (many); *adv.* too, too much
después *adv.* afterwards, later
el dinero money
el dólar dollar (*U.S.*)
donde where, in which

la empleada clerk, employee (*woman*)
enseñar (a + *inf.*) to show, teach
especial special
la esquina corner (*street*)
el estilo style
el favor favor
gustar to be pleasing to, like
malo, –a bad
el mercado market
el mes month
el mostrador counter
otro, –a other, another
el paseo walk, ride; boulevard
el piso floor, story
el precio price
preguntar to ask (*a question*)
que than
la realidad reality

[1] The *indefinite* article is not used with otro. [2] For vividness the present tense often is used for the future: **Lo tomo**, *I'll (I shall) take it.*

la semana week
el sombrero hat
  subir (a + *obj.*) to go up, get into,
    climb (up, into)
  usar to use, wear

vender to sell
el vestido dress
la vez (*pl.* veces) time (*in a series*),
    occasion

dar un paseo to take a walk (ride)
en realidad really, truly, in fact (reality)
estar en el (ir al) centro to be (go) downtown
ir de compras to go shopping
lo damos a we are offering (selling) it for
lo tomo I'll take it
media hora a half hour
otra vez again
por favor please (*used at end of statement*)
¿ qué precio tiene? What is the price of (it)?

QUESTIONS

1. ¿ Qué le pregunta Carmen a Bárbara? 2. ¿ A dónde va Bárbara? 3. ¿ A qué hora tiene que estar en el centro? 4. ¿ Qué le da su mamá todas las semanas? 5. ¿ Puede ir Carmen al centro? 6. ¿ A dónde va primero? 7. ¿ Qué tiene que hacer después? 8. ¿ Quién viene de California? 9. ¿ Qué toma Bárbara para ir al centro? 10. Al entrar en la tienda, ¿ qué le pregunta una empleada? 11. ¿ Qué le dice Bárbara? 12. ¿ Qué le enseña la empleada? 13. ¿ Le gusta a Bárbara el sombrero rojo? 14. ¿ Es bonito? 15. ¿ Qué precio tiene el sombrero? 16. ¿ A qué precio lo venden generalmente? 17. ¿ Qué precio tiene el sombrero que está sobre el mostrador? 18. ¿ Le gusta a Bárbara el sombrero pequeño? 19. ¿ Lo toma? 20. ¿ Qué le da a la empleada? 21. ¿ A dónde va Bárbara antes de salir de la tienda? 22. ¿ Le gustan los vestidos? 23. ¿ Por qué no los compra? 24. ¿ Qué compra para su padre?

GRAMMATICAL USAGE

A. IRREGULAR PRESENT INDICATIVE OF *DAR* AND *DECIR*

dar, *to give*		decir, *to say, tell*	
SINGULAR	PLURAL	SINGULAR	PLURAL
doy	damos	digo	decimos
das	dais	dices	decís
da	dan	dice	dicen

B. INDIRECT OBJECT PRONOUNS

SINGULAR		PLURAL	
me	(to) me	**nos**	(to) us
te	(to) you (*fam.*)	**os**	(to) you (*fam.*)
le	(to) him, her, it, you (*formal*)	**les**	(to) them, you (*formal*)

Me da el dinero. He gives me the money (He gives the money to me).

Le escribo una carta. I write him (her) a letter.

Ella nos (les) enseña el sombrero. She shows us (them) the hat.

Una empleada le pregunta qué quiere. A clerk asks her what she wants.

An indirect object tells *to* or *for* whom an action is done. In Spanish the indirect object pronoun includes the meaning *to* (sometimes *for:* e.g., **Me abre la puerta,** *He opens the door for me*). In English the word *to* is omitted if the indirect object precedes a direct object: *He gives me the money,* but *He gives the money to me.* It will be helpful to remember that when referring to persons the indirect object pronoun is used with certain verbs such as **decir, escribir, leer, preguntar** (last example).

Be sure to observe that **le** is used for all third person singular indirect object pronouns and **les** for the plural, while **me, te, nos, os** are identical to the direct object pronouns. These forms come immediately before the verb. (Some exceptions will be given later.) The context of the sentence usually makes the meaning of **le** and **les** clear; however, when they mean (*to) you* (formal), singular and plural, **a usted(es)** is usually expressed in Spanish also:

¿ Le venden a Vd. muchos sombreros ? Do they sell you many hats?

Les doy a Vds. los libros. I'm giving you the books.

In Spanish the indirect object pronoun is often used in addition to the indirect object noun:

Ella le enseña a Bárbara varios sombreros. She shows Barbara several hats.

Le digo a Carlos la verdad. I'm telling Charles the truth.

Práctica. Read in Spanish and indicate whether each pronoun is a direct or an indirect object:

1. Ella no me ve todavía. 2. Les enseño mis compras. 3. Le digo el precio.

4. Su madre no le compra un vestido. 5. Nos escriben muchas cartas. 6. Las abrimos y las leemos. 7. Me esperan en casa. 8. La invito a ir de compras. 9. Le pregunto cuándo va a salir. 10. La llamo y le digo la verdad. 11. Me enseña un sombrero y lo compro. 12. Les doy dinero porque lo necesitan.

C. REFLEXIVE SUBSTITUTE FOR THE PASSIVE

Se abren las tiendas a las nueve. The stores are opened at nine.
Aquí se venden vestidos. Dresses are sold here.
Este estilo se usa mucho ahora. This style is worn a great deal now.

In the active voice the subject acts upon an object: *The man opens the doors at nine,* **El hombre abre las puertas a las nueve.** In the passive voice the subject is acted upon by the verb: *The doors are opened at nine,* **Se abren las puertas a las nueve.**

In Spanish the passive is often expressed by using the reflexive object **se** before the third person of the verb, which is singular or plural, depending on the number of the subject. The subject often follows the verb in this construction. (See Lesson 8 for the explanation of reflexive verbs.)

D. USE OF *GUSTAR*, "TO BE PLEASING TO, LIKE"

Me gusta el sombrero. I like the hat (The hat is pleasing to me).
¿ No le gusta a Vd. ? Don't you like it ?
Nos gusta ir de compras. We like to go shopping.
No me gustan esos grandes. I don't like those large ones.
Le gustan mucho. He likes them a great deal.

Spanish has no verb meaning *to like* and uses, instead, the verb **gustar** meaning *to be pleasing.* Therefore, every English sentence using the verb *to like* must be changed into one using *to be pleasing* before it can be turned into Spanish. Instead of *I like the hat,* say *The hat is pleasing to me* (**Me gusta el sombrero**); or instead of *I don't like those hats,* say *Those hats are not pleasing to me* (**No me gustan esos sombreros**).

Only two forms of the verb **gustar** are regularly used in the present tense: **gusta** if one thing or an action is pleasing, **gustan** if more than one. English *it* and *them* are not expressed (second and fifth examples) and the subject usually follows the form of **gustar.**

Le gusta a Bárbara el vestido. Barbara likes the dress.
A Bárbara le gustan los vestidos. Barbara likes the dresses.

When a noun is the indirect object of **gustar** the indirect object pronoun (**le** in the examples) is also used but not translated. For greater emphasis the noun indirect object may precede the verb.

Práctica.   Give the English for:

1. Me gusta este vestido. 2. Me gustan estos vestidos. 3. Le gusta esta silla. 4. Le gustan estas sillas. 5. No nos gusta la revista. 6. No nos gustan las revistas. 7. Les gusta ir al centro. 8. ¿ Le gusta a Vd. nuestra casa? 9. Me gusta mucho. 10. A Juan le gustan estas cosas caras. 11. Le gusta a María este estilo. 12. Les gusta a Carlos y a José también.

E. ADJECTIVES USED AS NOUNS

La joven (La señorita) compra un libro.   The young woman buys a book.
Me gusta este rojo.   I like this red one.
El blanco es muy bonito.   The white one is very pretty.
No me gustan esos grandes.   I don't like those large ones.

Just as adjectives of nationality are used as nouns (page 23), so are many other adjectives, especially when used with the definite article or the demonstrative adjective. In such cases the adjective agrees in gender and number with the noun understood. The word *one(s)* is often included in the English meaning.

F. COMPARISON OF ADJECTIVES

1. **bonito**   pretty   **(el) más bonito**   (the) prettier, prettiest
   caro   expensive   **(el) menos caro**   (the) less expensive, least expensive

When we compare adjectives in English we say *pretty, prettier, prettiest; expensive, more (less) expensive, most (least) expensive.* In Spanish we use **más** to mean *more, most,* and **menos** for *less, least.* The definite article is used when *the* is a part of the meaning, and the adjective must agree with the noun in gender and number: **el más bonito, la más bonita, los más bonitos, las más bonitas.** Sometimes the possessive adjective (**mi, tu,** etc.) replaces the definite article. Other examples are:

Este sombrero es más bonito.   This hat is prettier.
El blanco es el más bonito de todos.   The white one is the prettiest of all.
Es el mercado más grande.   It is the larger (largest) market.
Es mi sombrero más nuevo.   It is my newer (newest) hat.

Note the word order in the last two examples. You can tell from the context when an adjective in Spanish has comparative or superlative force; that is, whether **más** means *more* or *most* and whether **menos** means *less* or *least*.

2. **Es más bonito que el otro.**   It is prettier than the other one.
   Tiene menos de diez dólares.   He has less than ten dollars.

Than is translated by **que** before a noun or pronoun, but before a numeral it is translated by **de.**

3. **Es la ciudad más grande del país.**   It is the largest city in the country.

After a superlative, *in* is translated by **de.**

EXERCISES

A. Give the Spanish for:

1. I give. 2. we give. 3. he says. 4. I say. 5. we say. 6. they say. 7. I leave. 8. he leaves. 9. they come. 10. I see. 11. I know (*person*). 12. we can. 13. we buy. 14. we see. 15. they sell. 16. she goes up. 17. I bring. 18. they bring. 19. he finishes. 20. we invite. 21. we open. 22. you (*formal*) knock. 23. they help. 24. you (*fam. s.*) give. 25. you (*fam. pl.*) say.

B. Read in Spanish, substituting the proper Spanish form for the English object pronoun underlined, indicating whether each is direct or indirect:

1. Mi padre me da el dinero. 2. It traigo a mi hermana. 3. Ella us enseña sus compras. 4. Ella them dice la verdad. 5. You (*formal pl.*) leo las frases. 6. Vds. them escriben en los cuadernos. 7. Her pregunto qué quiere. 8. Carmen him ayuda a aprender la lección. 9. No us escriben muchas cartas. 10. Yo her doy el periódico y ella it lee. 11. No him compro el sombrero. 12. Them vende varios vestidos. 13. Them invitan a comer en su casa. 14. Us ven todos los días. 15. Ella them trae muchas revistas.

C. Give the Spanish for:

1. a more beautiful house. 2. the most beautiful house. 3. a cheaper hat. 4. the cheapest hat. 5. a smaller school. 6. the most interesting book. 7. the least busy. 8. the largest store in the city. 9. younger than Barbara. 10. the prettiest dress in the store. 11. the most expensive house. 12. the easiest lessons. 13. my hat and the white one. 14. this bus and the other one. 15. the larger ones.

D. Read in Spanish, substituting Spanish words for the English in italics:

1. *I like* su vestido rojo. 2. *I do not like* aquellos sombreros verdes. 3. *We do not like* estas casas. 4. *They do not like* comprar mucho. 5. Tiene varias revistas que *I like* mucho. 6. A Carlos le gusta mucho *this* estilo. *Do you like it?* 7. Le gusta *to take walks* con Bárbara. 8. Dan un paseo casi *every day*. 9. Después de *leaving the market*, van a casa. 10. *We have to* limpiar la casa *again*. 11. Ella no puede *go shopping* esta vez. 12. *Them* pregunto: « ¿ Qué hay de nuevo? » 13. Aquí *is spoken* español. 14. No *are sold* libros en la biblioteca. 15. *Is not seen* a menudo este estilo. 16. Es la ciudad *largest in the* país. 17. El sombrero *smaller* es más caro. 18. El vestido blanco es *cheaper than the red one*.

COMPOSITION

1. Barbara leaves the house early in order to go shopping. 2. Her father always gives her money (in order) to buy the things that she wants. 3. She asks her friend Carmen if she can go downtown. 4. Carmen and her mother have to clean the house. 5. After taking a bus at [1] the corner, she arrives at the store [a] half hour later. 6. The doors are opened at half past nine and she enters the store at that time. 7. The clerk asks her what she wants. 8. Barbara tells her that she is looking for a new hat. 9. I like this red one; it is prettier than the others. What is the price? 10. Ten dollars. And the clerk says that the style is very good and that it is worn a great deal. 11. After buying the smaller one, she goes up to the floor where they sell dresses. 12. She sees several dresses which she likes. 13. She does not buy them because they are too expensive. 14. Before taking the bus in order to go home, she buys a book on Mexico for her mother.

[1] en.

Boy delivers milk in Colombia

LECTURA II

La América del Sur

Hoy vamos a mirar otro mapa que tenemos en la pared. Es el mapa de la América del Sur. Como Vds. saben, es un continente muy grande. Hay nueve repúblicas en que se habla español, y una, el Brasil, donde se habla portugués. El Brasil es un país muy grande; en realidad, es más grande que los Estados Unidos.

Venezuela y Colombia están en el norte del continente. Caracas es la capital de Venezuela y Bogotá, la[1] de Colombia. Además de[2] Colombia, que está también en el Mar Caribe,[3] las repúblicas de la costa del Océano Pacífico son el Ecuador, el Perú y Chile. Quito, Lima y Santiago son las capitales de estos tres países. Como Vds. pueden ver, Chile es un país muy largo[4] y estrecho. La Argentina, en el sur, es un país muy rico. Buenos Aires, su capital, tiene casi cuatro millones de habitantes y es una ciudad muy moderna. En las ciudades de la Argentina hay mucha industria y la pampa es una región muy fértil. Allí se produce un poco de todo, por ejemplo,[5] trigo,[6] maíz, alfalfa y se cría mucho ganado.[7] El Uruguay es el país más pequeño de la América

---

[1] **la,** *that.*   [2] **Además de,** *Besides.*   [3] **el Mar Caribe,** *the Caribbean Sea.*
[4] **largo,** *long.*   [5] **por ejemplo,** *for example.*   [6] **trigo,** *wheat.*   [7] **se cría mucho ganado,** *much cattle (livestock) is raised.*

71

del Sur, y su tierra es fértil también. La tercera parte de sus habitantes viven en la capital, Montevideo. Hay muchas playas [1] bonitas cerca de la ciudad y en la costa del Río de la Plata. Bolivia y el Paraguay están en el interior del continente y no tienen costa. La Paz, Bolivia, es la capital

más alta del mundo. Asunción, una ciudad muy antigua, es la capital del Paraguay.

La América del Sur tiene tres ríos grandes: el Amazonas, que es el río más grande del mundo, el Orinoco, en el norte, y el sistema del Río de la Plata.

[1] **playas,** *beaches.*

El continente tiene montañas, llanuras,[1] desiertos y selvas,[2] y el clima varía según[3] la altura. Una gran[4] parte de los habitantes de Colombia, el Ecuador, el Perú, Bolivia y Chile viven en las altas mesetas y en los valles de la cordillera de los Andes. Es difícil ir de un país a otro, especialmente si uno tiene que cruzar[5] las montañas.

La mayor parte de la población[6] de la Argentina y del Uruguay es blanca. Por lo contrario,[7] en el Ecuador, el Perú y Bolivia hay muchos indios, especialmente en los pueblos y en las ciudades de los Andes. En el Paraguay también hay muchos indios. La mayor parte de los habitantes de los otros países tienen sangre mezclada[8] de español y de indio.

[1] **llanuras,** *plains.* [2] **selvas,** *forests.* [3] **según,** *according to.* [4] **gran,** *great.* (When **grande** precedes a singular noun it becomes **gran** and means *great.*) [5] **cruzar,** *to cross.* [6] **La mayor parte de la población,** *Most of the population.* [7] **Por lo contrario,** *On the contrary.* [8] **sangre mezclada,** *mixed blood.*

Peruvian Andes, near Ticlio

Pocitos Beach in Montevideo, Uruguay
Pan American World Airways

Sunday market in Tarma, Peru

School in Caracas, Venezuela

Uruguayan gaucho

QUESTIONS

1. ¿Qué mapa miramos hoy? 2. ¿Es grande o pequeño el continente? 3. ¿En cuántas repúblicas se habla español? 4. ¿Qué país es más grande que los Estados Unidos? 5. ¿Qué lengua se habla allí? 6. ¿Qué países están en el norte? 7. ¿Cuáles son las repúblicas de la costa del Océano Pacífico? 8. ¿Cuál es la capital del Perú? 9. ¿Cuál es la capital de Chile? 10. ¿Cómo es Chile? 11. ¿Cómo es la Argentina? 12. ¿Cuál es su capital? 13. ¿Cuántos habitantes tiene? 14. ¿Dónde hay mucha industria? 15. ¿Qué se produce en la pampa? 16. ¿Es grande el Uruguay? 17. ¿Cuál es su capital? 18. ¿Tiene muchos habitantes Montevideo? 19. ¿Qué hay cerca de la ciudad? 20. ¿Qué países están en el interior del continente? 21. ¿Cuál es la capital de Bolivia? 22. ¿Dónde está Asunción?

23. ¿Cuál es el río más grande del mundo? 24. ¿Dónde está el Orinoco? 25. ¿Cómo varía el clima del continente? 26. ¿Dónde viven muchos habitantes de los países de la costa del Pacífico? 27. ¿Es fácil ir de un país a otro?

28. ¿En qué países es blanca la mayor parte de la población? 29. ¿En qué países hay muchos indios? 30. ¿Hay indios en el Paraguay?

WORD STUDY

a. The Spanish endings –ia, –io = English –y; –dad = –ty; –mente = –ly. *What are the meanings of:* industria, contrario, realidad, especialmente?

b. A number of Spanish and English words are similar in form, but quite different in meaning: largo, *long.*

c. List the words in this Lectura which lack Spanish final –a, –e, –o.

d. Compare: alto, *high, and* altura, *height;* pueblo, *town, village, and* población, *population;* mesa, *table, and* meseta, *tableland, plateau.*

e. Many Spanish words can be recognized by associating English words derived from the same source. Careful attention to such related words will aid greatly in improving your vocabulary.

Compare:	mayor	*greater*	*major*
	antigua	*old, ancient*	*antique*
	sangre	*blood*	*sanguinary*

8

SPANISH USAGE

— ¿ A qué hora se acuesta Vd., Ricardo ? — le pregunta el señor López.[1]

— Por lo común me acuesto a las diez y media o a las once. Pero a veces no puedo acostarme hasta la medianoche.

5 — ¿ A qué hora se levanta Vd. ?

— Me levanto a las siete de la mañana.

— ¿ Qué hace Vd. después de levantarse ?

— Me lavo la cara y las manos, luego bajo al comedor para desayunarme. Me siento en seguida porque la familia siempre 10 está sentada a la mesa cuando llego.

— ¿ Se pone Vd. el sombrero al salir de casa ?

— No, señor, me pongo el sombrero solamente cuando llueve. Hoy día los jóvenes no usan sombrero.

---

[1] The subject often follows the verb in Spanish after a direct quotation.

— ¿ Qué piensa Vd. hacer durante la tarde ?

— Primero voy a lavar el coche. Después deseo hablar con un amigo que piensa hacer un viaje a Méjico pronto. Me dice que puedo acompañarle. ¿ No le gusta a Vd. la idea ?

— ¡ Cómo no ! Me gusta mucho. ¿ Cómo se llama su amigo ? 5

— Se llama Carlos Alcalá. ¿ Le conoce Vd. ?

— Sí, Ricardo, le conozco bien. Guarda su coche en un garaje que está cerca de mi casa y le veo a menudo en la calle. ¿ Piensan Vds. ir en coche o en avión ?

— En avión. El señor Alcalá tiene solamente dos semanas 10 de vacaciones y hoy día, como Vd. sabe, no cuesta mucho viajar en avión. Mi padre vuelve esta noche de un viaje a Cuba y voy a decirle entonces[1] lo que pensamos hacer. Yo creo que va a darme el dinero.

— Espero que sí. Pues, es hora de volver a casa. Tengo que 15 llegar antes de las once porque uno de mis amigos viene a verme a esa hora. Hasta luego.

— Hasta la vista.

VOCABULARY

acompañar to accompany
acostarse (ue) to go to bed
el avión (*pl.* **aviones**) (air)plane
bajar to go down(stairs), get off (out)
la cara face
el coche car
el comedor dining room
costar (ue) to cost
desayunarse to take (eat) breakfast
desear to desire, wish, want
entonces then, at that time
el garaje garage
guardar to guard, keep
hacer to do, make
la idea idea
lavar to wash; *reflex.* wash (oneself)

levantar to raise, lift; *reflex.* get up, rise
lo que what, that which
llamarse to be called, be named
llover (ue) to rain
la mano (*note gender*) hand
la medianoche midnight
pensar (ie) to think; + *inf.* intend
poner to put, place; *reflex.* put on (oneself)
Ricardo Richard
sentarse (ie) to sit down
las vacaciones vacation (*used in pl.*)
viajar to travel
el viaje trip
volver (ue) to return, come back

[1] **Entonces** means *then* in the sense of *at that time*. When *then* means *next, later*, **luego** is used.

a veces at times, sometimes
¿ cómo se llama (él) ? what is (his) name?
en coche (avión) by car (plane), in a car (plane)
en seguida at once, immediately
es hora de it is time to
espero que sí I hope so
hacer un viaje to take (make) a trip
por lo común generally, commonly

QUESTIONS

(Personal questions) 1. ¿ Cómo se llama Vd.? 2. ¿ A qué hora se acuesta Vd.? 3. ¿ Se acuesta Vd. después de la medianoche a veces? 4. ¿ A qué hora se levanta Vd.? 5. ¿ Qué hace Vd. después de levantarse? 6. ¿ En qué cuarto comemos? 7. ¿ A qué hora se desayuna Vd.? 8. ¿ Usa Vd. sombrero? 9. ¿ Se pone Vd. el sombrero antes de salir de casa ?

(Based on the Spanish Usage section) 10. ¿ Qué piensa hacer Ricardo durante la tarde? 11. ¿ Qué va a hacer después? 12. ¿ Qué piensa hacer su amigo? 13. ¿ Cómo se llama su amigo? 14. ¿ Van a Méjico en coche? 15. ¿ Dónde guarda su coche el señor Alcalá? 16. ¿ Cuántas semanas de vacaciones tiene? 17. ¿ Cuesta mucho viajar en avión hoy día? 18. ¿ De dónde vuelve el padre de Ricardo? 19. ¿ Qué cree Ricardo? 20. ¿ A qué hora tiene que llegar a casa el señor López? 21. ¿ Quién viene a verle? 22. ¿ Qué le dice Ricardo?

GRAMMATICAL USAGE

A. IRREGULAR PRESENT INDICATIVE OF *HACER* AND *PONER*

hacer, *to do, make*		poner, *to put, place*	
SINGULAR	PLURAL	SINGULAR	PLURAL
hago	hacemos	**pongo**	ponemos
haces	hacéis	pones	ponéis
hace	hacen	pone	ponen

B. PRESENT INDICATIVE OF STEM–CHANGING VERBS, CLASS I

pensar, *to think*		volver, *to return*	
SINGULAR	PLURAL	SINGULAR	PLURAL
pienso	pensamos	**vuelvo**	volvemos
piensas	pensáis	**vuelves**	volvéis
piensa	**piensan**	**vuelve**	**vuelven**

Certain verbs have regular endings, but the stem vowel **e** becomes **ie** and **o** becomes **ue** when stressed; that is, in the three singular forms and in the third person plural. All stem-changing verbs of Class I end in –**ar** and –**er.** Verbs of this type are indicated thus: **pensar (ie), volver (ue).**

C. REFLEXIVE PRONOUNS

SINGULAR		PLURAL	
me	(to) myself	**nos**	(to) ourselves
te	(to) yourself (*fam.*)	**os**	(to) yourselves (*fam.*)
se	(to) himself, herself, yourself (*formal*); itself, oneself	**se**	(to) themselves, yourselves (*formal*)

The reflexive pronouns are used as direct and indirect objects. In the first and second persons singular and plural they are identical to the direct and indirect object pronouns.

D. PRESENT INDICATIVE OF THE REFLEXIVE VERB *LAVARSE,* "TO WASH (ONESELF)"

SINGULAR

(yo) me lavo	*I wash (myself)*
(tú) te lavas	*you* (fam.) *wash (yourself)*
(él, ella) se lava	*he, she washes (himself, herself)*
Vd. se lava	*you* (formal) *wash (yourself)*

PLURAL

(nosotros, –as) nos lavamos	*we wash (ourselves)*
(vosotros, –as) os laváis	*you* (fam.) *wash (yourselves)*
(ellos, –as) se lavan	*they wash (themselves)*
Vds. se lavan	*you* (formal) *wash (yourselves)*

A verb is called <u>reflexive</u> when the subject does something to itself, either directly, **Se lava,** *He washes (himself),* or indirectly, **Se compra un coche,** *He buys a car for himself, He buys himself a car.* Reflexive pronouns are in the same person as the subject of the verb. Many verbs are reflexive in Spanish and not in English. The third person reflexive **se** attached to an infinitive indicates a reflexive verb: **lavarse.**

For position with respect to the verb, reflexive pronouns follow the same rules as other object pronouns.

The first person singular of reflexive verbs used in this lesson, except for **desayunarse,** is given with literal translation:

	LITERAL TRANSLATION	USUAL MEANING
me acuesto	I put myself to bed	I go to bed
me lavo	I wash myself	I wash
me levanto	I raise myself	I get up, rise
me llamo	I call myself	my name is, I am called
me pongo	I put to myself	I put on
me siento	I seat myself	I sit down

Práctica.　Say in Spanish and give the English for:

1. se pone
2. se ponen
3. me desayuno
4. se acuesta
5. nos levantamos
6. nos ponemos
7. se sientan
8. se sienta
9. se llama
10. te lavas
11. os laváis
12. Vd. se lava

E. POSITION OF PRONOUNS USED AS OBJECTS OF AN INFINITIVE

Viene a verme.　He is coming to see me.
Va a darme el dinero.　He is going to give me the money.
¿ Qué hace Vd. después de levantarse ?　What do you do after getting up ?
Vamos a sentarnos.　We are going to sit down.
Quiero acompañarlos.　I want to accompany them.

Recall that object pronouns are regularly placed immediately before the verb. However, when they are used as objects of an infinitive they are placed after the verb and are attached to it.

F. THE DEFINITE ARTICLE FOR THE POSSESSIVE

Se lavan la cara.　They wash their faces.
No me pongo el sombrero.　I am not putting on my hat.
Tiene el sombrero en la mano.　He has his hat in his hand.
Su sombrero está en la silla.　His hat is on the chair.

The definite article is often used instead of the possessive adjective with a noun which represents a part of the body or an article of clothing, and sometimes with other articles closely associated with the subject, when this noun is the object of a verb or preposition. Compare the first three examples with the fourth, in which case **su sombrero** is the subject of the verb. Observe in the first example that Spanish uses the singular **la cara** to show that each person has one face.

After a negative the article is usually omitted:

> **Hoy día los jóvenes no usan sombrero.** Nowadays the young men don't wear hats (a hat).

Práctica. Read in Spanish, then give the English for:

1. Levanta la mano. 2. Me lavo las manos. 3. Nos lavamos las manos.
4. Nos lavamos la cara. 5. Me pongo el vestido. 6. Nos ponemos el sombrero.
7. Tengo el reloj en la mano. 8. Su sombrero es nuevo. 9. No tengo sombrero.
10. ¿ Quieres ponerte el vestido ?

EXERCISES

A. Give the correct reflexive pronoun with each verb form:

—— llamo	—— levanta	—— acuestan	—— laváis
—— sentamos	Vd. —— sienta	—— levantamos	—— pongo
—— lavan	Vds. —— ponen	—— sientas	—— llama

B. Give the English for:

pongo	llama	usamos	voy a levantarme
me pongo	se llama	vuelven	podemos sentarnos
lavan	me siento	llueve	quieren lavarse
se lavan	se acuestan	piensa	espero acostarme
te levantas	cuestan	se desayunan	antes de sentarse
os sentáis	nos acostamos	pensamos	al lavarme

C. Translate the English forms, using for each the subject indicated:

1. Mi hermano *gets up, washes, goes down to the dining room, sits down at the table*. 2. Nosotros *enter the house, read the newspaper, eat* (dinner), *chat a while, go to bed*. 3. Vd. *are named Richard, leave the house, put on your hat, go to the market*. 4. Ellos *buy a car, take a trip, return home, wash the car*.

D. Read in Spanish, substituting the proper Spanish forms for the words in italics:

1. *I like* este avión. 2. *I like* estos coches. 3. *We like* la idea. 4. *We like* aquellas casas. 5. *He likes* viajar en avión. 6. *They like* viajar en coche.
7. Deseo lavarme *my hands*. 8. Va a lavarse *his face*. 9. Antes de *arriving* a la escuela. 10. Después de *washing* el coche. 11. Es *time* de volver a casa.
12. Los veo *at times*. 13. ¿ Va Vd. a verlos *often* ? 14. Esperamos *so*. 15. Que-

remos *get up* ahora.   16. Pienso *go to bed* temprano esta noche.   17. Ellos siempre *return* a las cinco.   18. *It does not rain* mucho aquí.   19. Me levanto, *then* me lavo *my face*.   20. *Afterwards* bajo a tomar el desayuno.   21. Ricardo *doesn't wear a* sombrero.   22. ¿ Dónde *does he keep* su coche?

COMPOSITION

1. Richard returns home late and he does not go to bed until one o'clock. 2. He gets up late and washes his face at once.   3. After going down to the dining room, he sits down at the table in order to eat breakfast.   4. His parents and his brother are already seated when he enters.   5. He eats little because it is time to leave home.   6. His father tells him that he has to wash the car after lunch.   7. Richard doesn't want to do it because he intends to talk with Mr. Alcalá then.   8. But he washes it before going to see Mr. Alcalá.   9. His friend wants to take a trip to Mexico by plane during (the) vacation.   10. He asks Richard if he can accompany him on the trip.   11. Richard talks with his parents and they like the idea a great deal.   12. They give him the money in order to take the trip.   13. It is said that it does not cost much [in order] to travel in Mexico now.   14. Richard goes to see Mary because he wants to tell her what he intends to do.

LECTURA III

México [1]

Hoy vamos a leer algo acerca de nuestro buen vecino [2] al sur de los Estados Unidos. El Río Grande, que pasa entre el estado de Texas y cuatro estados mexicanos, forma parte de la frontera con México. En la otra parte de la frontera están nuestros estados de California, Arizona y Nuevo México.

La Carretera [3] Panamericana va desde Nuevo Laredo hasta Guatemala y pasa por Monterrey, ciudad industrial de mucha importancia. Para llegar a la ciudad de México, que está en la meseta central, es necesario cruzar montañas muy altas. Hay otra carretera más nueva que va desde la ciudad norteamericana de El Paso, o la mexicana [4] de Ciudad Juárez, hasta la meseta central.

La capital está situada en el Distrito Federal y tiene más de tres millones de habitantes. Es el centro comercial y cultural del país. Muchas

---

[1] The letter *x* in **México** and **mexicano,** written **Méjico** and **mejicano** in Spain, is pronounced like Spanish *j*. The Mexican spelling is used in this Lectura.
[2] **buen vecino,** *good neighbor.* [3] **Carretera,** *Highway.* [4] **la mexicana,** *the Mexican one.*

Paseo de la Reforma, Mexico City

de las colonias [1] de la capital son elegantes y tienen avenidas anchas [2] y casas nuevas de una arquitectura muy moderna, pero las colonias pobres tienen casas viejas y calles estrechas y antiguas. Por todas partes [3] se ve un gran número de fuentes, árboles y flores, especialmente en los parques que adornan la ciudad. Los magníficos edificios comerciales dan una buena idea del progreso y de la prosperidad de la capital.

Entre las ciudades importantes se encuentran [4] Monterrey, Guadala-jara, Saltillo, San Luis Potosí, Puebla y Taxco. Veracruz, un puerto que tiene mucha importancia, está en la costa del Golfo de México. En el este del país también está el puerto de Tampico, importante por su exportación de petróleo. Los puertos de Mazatlán y de Acapulco, este último [5] famoso por sus playas bellas y sus hoteles modernos, se encuentran en la costa del Océano Pacífico. Mérida es la ciudad principal de la península de Yucatán. No hay ciudad grande en la península de la Baja California.

[1] **colonias,** *districts.*   [2] **avenidas anchas,** *wide avenues.*   [3] **Por todas partes,** *Everywhere.*   [4] **se encuentran,** *are found, are.*   [5] **este último,** *this last one.*

Pyramid of the Sun, Mexico

Cholula, Mexico

Mexican girl at temple
of Quetzalcoatl

Floating gardens, Xochimilco, Me

Front of the old part of the cathedral in Mexico City

Church of La Purísima in Monterrey, Mexico

En todas partes del país hay montañas. Las más altas son las [1] de la Sierra Madre Occidental, que está en el oeste, y las de la Sierra Madre Oriental, situada en el este. Es el país más montañoso de la América del Norte. En las montañas hay oro, plata y otros minerales. México tiene varios volcanes. El Popocatépetl y el Iztaccíhuatl están cerca del valle central y están cubiertos de nieve [2] todo el año. El volcán más nuevo, el Paricutín, no es muy alto. El Orizaba, el pico más alto del país, está hacia el sur.

El norte de México es un gran desierto. En cambio,[3] en el istmo de Tehuantepec la vegetación es abundante porque el clima es tropical y llueve mucho. La mayor parte de los mexicanos viven en la meseta central, que tiene un clima muy agradable por [4] la altura en que se encuentra.

Aunque el español es la lengua nacional de México, la civilización del país es una mezcla de la cultura primitiva de los indios y de la cultura de los españoles. La mayor parte de los mexicanos son mestizos, es decir,[5] tienen sangre mezclada de español y de indio. Los indios que viven en las ciudades hablan español, pero en ciertas regiones aisladas [6] hay muchos que no lo hablan. Sin embargo,[7] en los sitios donde hay escuelas aprenden a hablar español.

La Caleta, Acapulco, Mexico

Indian head made of diorite

[1] **las,** *those.*   [2] **cubiertos de nieve,** *covered with snow.*   [3] **En cambio,** *On the other hand.*   [4] **por,** *because of.*   [5] **es decir,** *that is to say.*   [6] **aisladas,** *isolated.*
[7] **Sin embargo,** *Nevertheless.*

QUESTIONS

1. ¿ Acerca de qué país vamos a leer hoy? 2. ¿ Qué río pasa entre los Estados Unidos y México? 3. ¿ Por dónde pasa la Carretera Panamericana? 4. ¿ Qué es necesario cruzar para llegar a la capital? 5. ¿ Dónde está la capital? 6. ¿ Cuántos habitantes tiene? 7. ¿ Cómo son muchas colonias? 8. ¿ Qué tienen otras colonias? 9. ¿ Qué se ve por todas partes? 10. ¿ Cómo son los edificios comerciales?

11. ¿ Cuáles son otras ciudades importantes? 12. ¿ Qué es Veracruz? 13. ¿ Dónde está? 14. ¿ Por qué es importante Tampico? 15. ¿ Por qué es famoso Acapulco? 16. ¿ Dónde está Mérida?

17. ¿ Cómo se llaman las dos Sierras? 18. ¿ Qué minerales hay en las montañas? 19. ¿ Hay volcanes en México? 20. ¿ En qué parte están? 21. ¿ Cuál es el pico más alto? 22. ¿ Dónde hay un gran desierto? 23. ¿ Cómo es el clima del istmo de Tehuantepec? 24. ¿ Dónde viven muchos mexicanos? 25. ¿ Cómo es el clima de la meseta central?

26. ¿ Cuál es la lengua nacional de México? 27. ¿ Son blancos todos los mexicanos? 28. ¿ Hablan español todos los indios? 29. ¿ Qué aprenden en los sitios donde hay escuelas?

WORD STUDY

a. The Spanish ending **–oso** is often equivalent to English *–ous:* famoso, *famous. What is the meaning of* montañoso?

b. Many English words beginning with *s* followed by a consonant have Spanish cognates beginning with **es** plus the consonant. *Give the English for:* español, estado, escuela.

c. Compare the meanings of the following pairs of words: cultura — cultural; importancia — importante; montaña — montañoso; centro — central.

d. Find one or more words in this Lectura which illustrate the following rules: Spanish **–cio, –cia** = English *–ce;* **–io, –ia** = *–y;* **–dad** = *–ty;* **–ción** = *–tion.*

9

Commands	Position of object pronouns in commands
Expressions with *tener*	Days of the week Ways to express time

SPANISH USAGE

— Siéntense Vds.   Juan, hágame Vd. el favor de abrir la ventana.   Ábrala en seguida porque necesitamos aire fresco. Está bien.   Ahora, cierren Vds. sus libros y sus cuadernos y pónganlos en los pupitres.   No los miren y escuchen bien.   Voy a hacerles algunas [1] preguntas que Vds. deben contestar en español. 5 Inés, ¿ tiene Vd. frío ?

— No, señorita, no tengo frío.   Siempre tengo mucho calor aquí.

— Guillermo, ¿ tiene Vd. hambre y sed ?

— Tengo mucha hambre, pero no tengo sed.   Si me levanto 10 tarde generalmente no tomo más que café antes de venir a la clase. Algunas veces tomo un vaso de leche.

— Isabel, ¿ llega Vd. a tiempo todos los días ?

— No, señorita, a veces llego tarde si no me despierto a tiempo. 15

— Marta, ¿ tiene Vd. sueño en la clase ?

---

[1] Up to this point unemphatic *some* and *any* (*no* in a negative sentence, *e.g.*, *I have no money*, **No tengo dinero**), so commonly used in English, have not been translated in Spanish.   However, when emphasized, these words are expressed in Spanish.

— Sí, señorita, de vez en cuando, pero si Vd. ve que tengo mucho sueño siempre me hace una pregunta.

— Es verdad que a veces lo hago. Antonio, ¿ qué día de la semana es hoy?

5 — Es viernes, último [1] día de clases de esta semana.

— ¿ No tiene Vd. clases los sábados?

— Tengo clases los lunes, los martes, los miércoles, los jueves y los viernes.

— Carolina, ¿ qué hace Vd. los domingos?

10 — Voy a la iglesia los domingos por la mañana. Por la tarde tengo mucho tiempo para estudiar. A menudo doy un paseo con algunos alumnos.

— Pues, Vds. entienden y hablan muy bien. Ahora levántense. Tomen sus libros y sus cuadernos; no los dejen [2] en los 15 pupitres. Salgan despacio, por favor. Hasta el lunes.

VOCABULARY

el **aire** air

alguno, –a *adj. and pron.* some, any, someone; *pl.* some

Antonio Anthony, Tony

el **café** coffee

el **calor** heat, warmth

Carolina Caroline

cerrar (ie) to close

contestar to answer, reply

deber to owe; must, should, ought to

dejar to leave (behind)

despacio slowly

despertar (ie) to awaken, wake up; *reflex.* wake up (oneself)

entender (ie) to understand

fresco, –a cool, fresh

el **frío** cold

Guillermo William, Bill

el **hambre** (*f.*) hunger

la **iglesia** church

Inés Inez, Agnes

Juan John

la **leche** milk

Marta Martha

la **pregunta** question

el **pupitre** desk (*school*)

la **sed** thirst

el **sueño** sleep

el **tiempo** time (*in general sense*)

último, –a last (*in a series*)

a la iglesia to church

algunas veces sometimes

a tiempo on time

de vez en cuando from time to time, occasionally

[1] The definite article is omitted before nouns in apposition when identification or distinction is not stressed. [2] The transitive verb **dejar,** *to leave* (*behind*) requires a direct object. Do not confuse **dejar** with **salir,** *to leave, go out of* (a place).

hacer una pregunta (a) to ask a question (of)
haga (hágame) Vd. *or* hagan (háganme) Vds. el favor de + *inf.* please +
  verb
(los domingos) por la mañana (Sunday) mornings
mucho tiempo much (a long) time
no (tomar) más que (to take) only, (to take) nothing but
tener tiempo para to have time to (for)

QUESTIONS

1. ¿ Qué les dice la profesora a los alumnos? 2. ¿ Qué le dice a Juan?
3. ¿ Por qué abre la ventana? 4. ¿ Qué les dice la profesora después a todos
los alumnos? 5. ¿ Qué va a hacer ella? 6. ¿ En qué lengua deben contestar los
alumnos? 7. ¿ Tiene frío Inés? 8. ¿ Quién tiene mucha hambre? 9. ¿ Tiene
sed también? 10. ¿ Qué toma si se levanta tarde? 11. ¿ Toma leche algunas
veces? 12. ¿ Llega a tiempo Isabel todos los días? 13. ¿ Cuándo llega tarde?
14. ¿ Tiene sueño Marta? 15. ¿ Qué hace la profesora cuando Marta tiene sueño?
  (Personal questions) 16. ¿ Tiene Vd. sueño en la clase a veces?
17. ¿ Hago yo preguntas si Vds. tienen sueño? 18. ¿ Tiene Vd. hambre
ahora? 19. ¿ Qué hacemos cuando tenemos hambre? 20. ¿ Qué día de la
semana es hoy? 21. ¿ Tiene Vd. clases los sábados? 22. ¿ Cuántas clases
tiene Vd. el martes? 23. ¿ A dónde vamos los domingos? 24. ¿ Cuáles son
los otros días de la semana?

GRAMMATICAL USAGE

A. COMMANDS

INFINITIVE	STEM	SINGULAR	PLURAL	
hablar	habl–	hable Vd.	hablen Vds.	*speak*
comer	com–	coma Vd.	coman Vds.	*eat*
abrir	abr–	abra Vd.	abran Vds.	*open*
decir	**dig–**	**diga** Vd.	**digan** Vds.	*say, tell*
hacer	**hag–**	**haga** Vd.	**hagan** Vds.	*do, make*
poner	**pong–**	**ponga** Vd.	**pongan** Vds.	*put, place*
querer	**quier–**	**quiera** Vd.	**quieran** Vds.	*wish*
salir	**salg–**	**salga** Vd.	**salgan** Vds.	*leave, go out*
tener	**teng–**	**tenga** Vd.	**tengan** Vds.	*have*
traer	**traig–**	**traiga** Vd.	**traigan** Vds.	*bring*
venir	**veng–**	**venga** Vd.	**vengan** Vds.	*come*
ver	**ve–**	**vea** Vd.	**vean** Vds.	*see*
pensar	**piens–**	**piense** Vd.	**piensen** Vds.	*think*
volver	**vuelv–**	**vuelva** Vd.	**vuelvan** Vds.	*return*

To the stem of –**ar** verbs add the ending –**e** for the singular polite command and –**en** for the plural. For all other verbs the endings are –**a** and –**an.** In Spanish the stem for the command form of all but six verbs, four of which are given below, is that of the first person singular present indicative. Stem-changing verbs follow the same rule. **Poder** cannot be used as a command and the forms of **conocer** and **saber** are not used as commands in this text.

Vd. and **Vds.** are regularly expressed in commands and are placed after the verb; however, in a series of commands it is not necessary to repeat **Vd.** or **Vds.** with each one.

Four verbs whose first person singular present indicative ends in –**oy** do not follow the rule given above:

INFINITIVE	SINGULAR	PLURAL	
dar	**dé** Vd.	**den** Vds.	give
estar	**esté** Vd.	**estén** Vds.	be
ir	**vaya** Vd.	**vayan** Vds.	go
ser	**sea** Vd.	**sean** Vds.	be

B. POSITION OF OBJECT PRONOUNS IN COMMANDS

Ábrala Vd. Open it.
No la abra Vd. Do not open it.
Siéntense Vds. Sit down.
Pónganlos Vds. en la mesa. Put them on the table.
No se pongan Vds. el sombrero. Do not put on your hats.

You have learned that object pronouns are placed immediately before the verb in Spanish except when used as the object of an infinitive, in which case they are attached to it (Lesson 8). They are also placed after the verb and are attached to it when used as the object of a positive command. In negative commands the object pronouns precede the verb. When object pronouns are attached to command forms in writing, an accent mark must be placed over the syllable of the verb which is stressed when the form stands alone. The stress automatically falls on the correct syllable when one pronoun is attached to an infinitive.

Práctica. Read in Spanish, noting the command forms:

1. Póngalo Vd. allí. 2. No lo ponga Vd. aquí. 3. Tráiganme Vds. sus cuadernos. 4. No me traigan Vds. sus libros. 5. Dénos Vd. café caliente. 6. No nos dé Vd. agua fría. 7. Hágame Vd. el favor de levantarse. 8. Levántese Vd., por favor.

C. EXPRESSIONS WITH *TENER*

	calor.		warm.
	frío.		cold.
Juan tiene	hambre.	John is	hungry.
	sed.		thirsty.
	sueño.		sleepy.

Tienen mucho frío. They are very cold.
Tenemos mucha hambre. We are very hungry.

In describing certain physical and mental conditions of living beings, **tener** is used with <u>nouns</u> in Spanish to express the English equivalent of *to be* with adjectives. Since the words **calor, frío,** etc., are nouns in these expressions, they are modified by the adjective **mucho, –a,** not the adverb **muy.** **Hambre** and **sed** are feminine nouns and require **mucha.**

Compare **El agua está fría,** *The water is cold,* in which case **fría** is an adjective. (One says **el hambre** since **hambre** begins with stressed **ha–,** see page 44.)

Práctica. Read in Spanish, then give the English for:

1. Tengo frío; tengo mucho frío. 2. Tiene sueño; tiene mucho sueño. 3. Tenemos calor; tenemos mucho calor. 4. Tienen hambre; tienen mucha hambre. 5. ¿ Tiene Vd. sed? ¿ Tiene Vd. mucha sed? 6. El agua está caliente; no está muy fría.

D. DAYS OF THE WEEK

el domingo	(on) Sunday	el jueves	(on) Thursday
el lunes	(on) Monday	el viernes	(on) Friday
el martes	(on) Tuesday	el sábado	(on) Saturday
el miércoles	(on) Wednesday		

As an aid to remembering the days of the week, learn the following jingle:

> **Lunes y martes y miércoles tres,**
> **Jueves y viernes y sábado seis.**
> **Y domingo siete.**

Hasta el lunes. Until Monday.
No tenemos clases los sábados. We have no classes on Saturdays.
Hoy es viernes. Today is Friday.

The definite article is used with the days of the week, except after **ser.** The article also translates English *on.* The days of the week are not capitalized in Spanish and they have the same form for the singular and plural, except for **los sábados** and **los domingos.** (Spanish words of more than one syllable which end in unaccented –es and –is have the same form for the singular and plural.)

E. WAYS TO EXPRESS TIME

You have learned that **hora** is used to express *time of day;* that **vez** is used to express time in a series, such as *this time, the first time (occasion), at times,* and that **rato** means *a short time, a while.*

When *time* refers to length of time or to time in general, use **tiempo:**

> **No tengo tiempo para comer.**   I don't have time to eat.
> **Llega a tiempo.**   He arrives on time.
> **Van a estar aquí mucho tiempo.**   They are going to be here a long time.

EXERCISES

A. Give the first person singular present indicative, then the singular and plural commands of:

tomar	abrir	lavar	decir	venir	volver
pasar	escribir	traer	poner	tener	pensar
comer	aprender	hacer	ver	salir	cerrar

B. Read each sentence in Spanish, then repeat each one in the negative:

1. Ábralo Vd. 2. Tráigalos Vd. a casa. 3. Pónganlas Vds. aquí. 4. Díganos Vd. la verdad. 5. Enséñeles Vd. el vestido. 6. Escríbanles Vds. esta tarde. 7. Espérela Vd. 8. Ciérrenlos Vds. 9. Levántese Vd. en seguida. 10. Siéntense Vds. ahora. 11. Aprenden a leerlo. 12. Quiero acostarme temprano.

C. Read in Spanish, substituting pronouns for the noun objects, then express each sentence as a singular command, putting the pronoun in the proper position:

1. Hablo español. 2. Aprendo la lección. 3. Escribo las frases. 4. Pongo los libros aquí. 5. Traigo el dinero. 6. No dejo el sombrero aquí. 7. No uso sombrero hoy. 8. Cierro las ventanas ahora.

D. Give the Spanish for:

1. I open the book. I open it. Open it. 2. I bring the coffee. I bring it. Bring it. 3. He doesn't close the window. He doesn't close it. Don't close it. 4. Give the book to the teacher. Give it to the teacher. Do not give it to the teacher. 5. Put on your hat. Do not put on your hat. He puts on his hat. 6. She sits down. Sit down. Don't sit down.

E. Read in Spanish, substituting Spanish words for those in italics:

1. Hoy es *Wednesday*. 2. *On Mondays* tengo tres clases. 3. Van a estar allí hasta *Thursday*. 4. Voy de compras *on Saturday*. 5. *On Sundays* vamos *to church* con nuestros padres. 6. Ella *is* frío. 7. Inés y Marta *are* sueño. 8. Juan y yo *are very* calor. 9. ¿ Tiene Vd. *very* sed ? 10. El café *is* frío. 11. Guillermo está *very* cansado. 12. Ella *them asks* muchas preguntas. 13. Carolina *takes only* café para el desayuno. 14. Hágalo Vd. esta noche, *please*. 15. *Please* sentarse. 16. *At times* vienen a nuestra escuela. 17. Voy a llamarlos *again*. 18. ¿ Conoce Vd. a *the young woman?* 19. Tenemos *time to* hablar un rato. 20. Va a *take* un paseo con Inés esta *time*. 21. Aquí *is spoken* español. 22. *Are closed* las puertas a las cinco. 23. Hoy es el *last* día de la semana. 24. *We like* mucho aire fresco. 25. *We must* hablar español todo el *time*.

COMPOSITION

1. Please (*pl.*) sit down at once and put your books on the desks. 2. John, close the door, please, and then open the windows. 3. After opening them, bring me your sentences for today. 4. Put them on the table; do not leave them on your desk. 5. When the teacher asks them questions, they understand her and they answer in Spanish. 6. Are you very warm ? — No, Miss Alcalá, I am cold this morning. 7. Are you sleepy in (the) class at times ? — Yes, if I go to bed late. 8. Some students do not have time to eat breakfast every day. 9. From time to time they wake up late, and they must arrive on time. 10. It is almost time to eat lunch and I am hungry. 11. What day of the week is today ? — It is Friday, [the] last day of classes. 12. We go to church with our friends on Sunday mornings. 13. There are no (aren't any) classes in this school on Saturday. 14. Take (*pl.*) your books in your hands; do not leave them in the classroom.

LECTURA IV

Los otros países hispanoamericanos

Si vamos en avión de Méjico a Panamá, pasamos por cinco de las repúblicas que forman la América Central: Guatemala, El Salvador, Honduras, Nicaragua y Costa Rica. Estos pequeños países cultivan café, banana y otros productos tropicales que consumimos en los Estados Unidos. Panamá es importante principalmente por el canal del mismo nombre.

En Costa Rica la mayor parte de los habitantes son blancos, y en Guatemala son indios. En los otros países de la América Central hay blancos e [1] indios, pero la mayor parte de los habitantes son mestizos. En general no hay muchos negros en el interior; hay más en las costas. El clima es tropical en la costa, pero es agradable en las mesetas altas.

Las otras dos repúblicas hispanoamericanas se encuentran en el Mar Caribe. Cuba es una isla bastante grande que está muy cerca de los Estados Unidos. En media hora, más o menos, podemos ir en avión desde la Florida hasta la Habana. Muchas canciones y muchos bailes que son muy populares en nuestro país vienen de la [2] Cuba tropical y romántica. Y nuestras orquestas tocan rumbas, congas y otros ritmos latinoamericanos.

[1] Before words beginning with i–, hi–, Spanish uses e, *and*, for y.   [2] The definite article must be used with proper names when they are modified.

El tango, otro ritmo popular, no es de Cuba; es de la Argentina. La samba es del Brasil.

La República Dominicana es parte de la isla de Santo Domingo. En esta isla se encuentra Haití, otra república pequeña, en donde se habla francés. Así es que se hablan tres lenguas romances en la América Latina: el español, el portugués y el francés. La isla de Puerto Rico pertenece [1] a los Estados Unidos, pero por su lengua y su cultura forma parte del mundo latinoamericano.

La vegetación en todas las islas es tropical y hermosa. Algunos de los principales [2] productos son la caña de azúcar,[3] el café y el tabaco. El tabaco es uno de los productos originales del Nuevo Mundo, como también lo [4] es el maíz, que hoy día se encuentra en todas partes de América.

En todas las islas del Mar Caribe se encuentran muchos habitantes de origen africano. Hay una gran influencia negra en la literatura, la música y las costumbres de esta región. Ya sabemos que en todos los países latinoamericanos hay varias razas y no debemos olvidar [5] que cada región tiene sus propias [6] costumbres. Al mismo tiempo [7] hay que recordar [8] que los mestizos y los blancos predominan en la vida política y económica de todos los países.

En las lecturas siguientes [9] vamos a leer algo más sobre España y sobre los países hispanoamericanos. Naturalmente hay que saber algo de la geografía y de las condiciones económicas de un pueblo, pero para comprender los problemas de la América Española hay que saber algo de la cultura indígena y de la cultura europea; en realidad, hay que conocer algo de la historia, de la vida y del pensamiento [10] de todos los hispanoamericanos.

[1] **pertenece,** *belongs.*   [2] See page 199 for notes on word order.   [3] **la caña de azúcar,** *sugar cane.*   [4] The neuter pronoun **lo** is used to refer to the predicate of the preceding clause which is understood in this clause.   [5] **olvidar,** *forget.*   [6] **propias,** *own.*   [7] **Al mismo tiempo,** *At the same time.*   [8] **hay que recordar,** *one must remember.*   [9] **siguientes,** *following.*   [10] **pensamiento,** *thought.*

Capitol building, Havana, Cuba

Environs of Lake Atitlán, Guatema[la]

Pan American World Airw[ays]

Guatemalan Indian girl

Harvesting sugar cane in Puerto Rico

Loading cargo plane in Honduras

Dam at Comerío, Puerto Rico

Washing bananas, Honduras

Hemp ready for export, Guatemala

QUESTIONS

1. ¿ Cuántos países forman la América Central? 2. ¿ Cuáles son?
3. ¿ Son grandes? 4. ¿ Qué cultivan allí? 5. ¿ Por qué es importante
Panamá?

6. ¿ En qué país son blancos la mayor parte de los habitantes?
7. ¿ Dónde hay muchos indios? 8. ¿ Hay muchos negros en la América
Central? 9. ¿ Cómo es el clima?

10. ¿ Qué es Cuba? 11. ¿ Dónde está? 12. ¿ Qué viene de Cuba?
13. ¿ Qué tocan nuestras orquestas? 14. ¿ De dónde es el tango?
15. ¿ De dónde es la samba?

16. ¿ Qué repúblicas se encuentran en la isla de Santo Domingo?
17. ¿ Qué lengua se habla en Haití? 18. ¿ Qué lenguas romances se
hablan en la América Latina? 19. ¿ A qué país pertenece Puerto Rico?

20. ¿ Cómo es la vegetación en todas las islas? 21. ¿ Cuáles son algunos de los principales productos? 22. ¿ Qué productos son originales
de las Américas?

23. ¿ En qué encontramos una gran influencia negra? 24. ¿ Quiénes
predominan en la vida política y económica? 25. ¿ Qué hay que saber
para comprender los problemas de la América Española?

WORD STUDY

a. Verb cognates.

1. The English verb has no ending: pasar, formar, comprender
(*comprehend*).

2. Spanish verbs in −**ar** often end in −*ate* in English: cultivar, predominar.

3. The English verb ends in −**e**: consumir.

*b. Pronounce the following exact cognates, stressing the proper syllable
in Spanish:* central, tropical, general, interior, popular, principal,
original.

*c. Give English cognates for the following and indicate the variation in
spelling:* orquesta, ritmo, cultura, vegetación, producto, origen, influencia, literatura, político, económico, geografía, realidad.

d. Give opposites for: blanco, grande, olvidar, más.

e. Give the adverbs which are based on the adjectives: principal, natural.

ROBERT WILLIAM HINDS

10

The preterit indicative of regular verbs

Preterit of *dar*, *ir*, and *ser*   Use of the preterit

Indefinite and negative expressions

The definite article with expressions of time

SPANISH USAGE

— ¡ Hola, José ! ¿ Qué tal ?

— Bien, gracias. Pero Juan, ¿ qué pasó anoche ? Traté dos veces de llamarle a Vd. por teléfono entre las siete y las ocho, y nadie me contestó.

— Pues, es que ayer por la tarde mis padres se fueron a 5 Nueva York y los llevé [1] al aeropuerto a las cinco. Después fuí al centro a cenar temprano. A las siete fuí a casa de María y dimos un paseo por el parque. Después fuimos al café a tomar un refresco. Volvimos a su casa y charlamos un rato antes de mirar unos programas de televisión. Y Vd., ¿ no salió ? 10

— ¡ Hombre ! Nunca me quedo en casa los sábados por la noche. Isabel y yo fuimos al cine. Mi padre no me dió permiso

---

[1] **Llevar** is used when *to take* means *to carry* or *take* (something or someone) *to* a place. **Tomar** means *to take* in the sense of *to take up* or *pick up* (*e.g.*, take something in one's hand) or *to take something to eat* or *drink*.

para usar el coche, así es que volvimos a casa sin visitar a nadie. Sé que Luis llevó a Teresa al cine, pero no los vimos.

— ¿ Qué película vieron Isabel y Vd. ?

— Una magnífica [1] película mejicana. Hay una orquesta que
5 toca algunas canciones típicas muy bonitas y un joven mejicano que canta muy bien. Hay también algunos números de baile muy bonitos, especialmente el *jarabe tapatío*, el baile nacional de Méjico. El muchacho baila bastante bien, pero la muchacha lo hace perfectamente.

10 — Creo que mi padre vió esa película el año pasado y le gustó mucho. Entre los programas de televisión de anoche vimos media hora de preciosos bailes españoles. Alguien dice que este grupo español va a trabajar en Nueva York unas tres o cuatro semanas.

— Es verdad. Espero tener oportunidad de verlo la semana
15 que viene. Allí viene mi autobús y tengo que tomarlo. Adiós.

— Hasta la vista.

VOCABULARY

el aeropuerto airport
alguien someone, anybody, somebody
anoche last night
el año year
así *adv.* so, thus
ayer yesterday
bailar to dance
el baile dance
bastante *adj. and pron.* enough, sufficient; *adv.* quite (a bit), rather
la canción (*pl.* **canciones**) song
cantar to sing
el cine movie(s)
entre between, among
especialmente especially
el grupo group
irse to go (away), leave (for)

llevar to take, carry
magnífico, −a magnificent, fine
la muchacha girl
el muchacho boy
nacional national
nadie no one, nobody, (not) . . . anybody (anyone)
Nueva York New York
el número number
nunca never, (not) . . . ever
la oportunidad opportunity
la orquesta orchestra
pasado, −a past, last
pasar to happen
la película film
precioso, −a precious, beautiful, "darling"
quedarse to stay, remain
el refresco refreshment, cold drink

[1] Note that the descriptive adjective **magnífica** precedes the noun; also note **preciosos** in line 12. There will be no drill on this point in the exercises. Note similar cases in the Lecturas and the explanation on page 199.

sin *prep.* without
el **teléfono** telephone
Teresa Teresa
típico, –a typical

tocar to play (*music*), touch
tratar to treat, try
unos, –as about (*quantity*)

así es que *conj.* so, thus (*lit.*, so it is that)
ayer por la tarde yesterday afternoon
dar permiso para to give permission to
dos veces twice
los sábados por la noche (on) Saturday nights
es que the fact is (that)
(la semana) que viene next (week)
número de baile dance number
¿ qué tal ? how goes it ? how are you ?
tener oportunidad de + *inf.* to have an opportunity to + *verb*
tratar de + *inf.* to try to + *verb*

QUESTIONS

1. ¿ Qué pregunta Juan cuando ve a José ? 2. ¿ Qué trató de hacer José anoche ? 3. ¿ A qué hora llamó ? 4. ¿ A dónde se fueron los padres de Juan ? 5. ¿ Quién los llevó al aeropuerto ? 6. ¿ Dónde cenó Juan ? 7. ¿ A dónde fué después de cenar ? 8. ¿ A dónde fueron Juan y María ? 9. ¿ Qué tomaron en el café ? 10. ¿ Qué miraron en casa de María ? 11. ¿ Se quedó en casa José ? 12. ¿ Quién le acompañó al cine ? 13. ¿ Usó el coche ? 14. ¿ Visitaron a alguien ? 15. ¿ A quién llevó Luis al cine ? 16. ¿ Les gustó la película ? 17. ¿ Qué hay en la película ? 18. ¿ Cuál es el baile nacional de Méjico ? 19. ¿ Bailan bien los muchachos en la película ? 20. ¿ Cuándo vió la película el padre de Juan ? 21. ¿ Qué vieron en el programa de televisión ? 22. ¿ Cuántas semanas va a estar en Nueva York el grupo español ? 23. ¿ Qué toma José ?

(Personal questions) 24. ¿ Habla Vd. mucho por teléfono ? 25. ¿ Va Vd. al cine a menudo ? 26. ¿ Fué Vd. al cine anoche ? 27. ¿ Le gusta a Vd. bailar ? 28. ¿ Va Vd. a un baile a veces ? 29. ¿ Toma Vd. un refresco después de un baile ? 30. ¿ Ve Vd. muchas películas en la televisión ? 31. ¿ Son buenas las películas ? 32. ¿ Tiene Vd. oportunidad de ver películas mejicanas ?

GRAMMATICAL USAGE

A. THE PRETERIT INDICATIVE OF REGULAR VERBS

hablar		comer		vivir	
SING.	PLURAL	SING.	PLURAL	·SING.	PLURAL
hablé	hablamos	comí	comimos	viví	vivimos
hablaste	hablasteis	comiste	comisteis	viviste	vivisteis
habló	hablaron	comió	comieron	vivió	vivieron

The preterit tense is formed by adding the endings **–é, –aste, –ó, –amos, –asteis, –aron** to the infinitive stem of **–ar** verbs, or the endings **–í, –iste, –ió, –imos, –isteis, –ieron** to the stem of **–er** and **–ir** verbs.   Remember that **–er** and **–ir** verbs have identical endings, except in the first and second persons plural of the present indicative tense. The stress is on the ending in the preterit and the first and third persons singular of regular verbs have a written accent.

The preterit is translated like the English past tense: **hablé,** *I spoke, did speak;* **Vd. comió,** *you ate, did eat;* **vivieron,** *they lived, did live.* In questions and negative statements *did* is used in English, but not in Spanish:

> **¿ Escribió Vd. la carta ?**   Did you write the letter ?
> **No la compramos.**   We did not buy it.

The preterit forms of **conocer, salir,** and **ver** are regular, except that the first person singular **vi** (**ver**) is often not accented.   Also, stem-changing verbs that end in **–ar** and **–er** are regular in the preterit; for example, **pensar: pensé, pensaste, pensó,** etc.; **volver: volví, volviste, volvió,** etc.

B. IRREGULAR PRETERIT OF *DAR, IR,* AND *SER*

	dar		**ir, ser**	
SINGULAR	PLURAL	SINGULAR	PLURAL	
dí	**dimos**	**fuí**	**fuimos**	
diste	**disteis**	**fuiste**	**fuisteis**	
dió	**dieron**	**fué**	**fueron**	

Dar takes regular second conjugation endings in the preterit.   **Ir** and **ser** have identical forms, but context makes the meaning clear. **Dí** is translated *I gave, did give;* **fuí,** *I went, did go,* or *I was.*

C. USE OF THE PRETERIT

> **Cené temprano anoche.**   I ate supper early last night.
> **Charlaron un rato.**   They chatted a while.
> **¿ Qué pasó ayer ?**   What happened yesterday ?
> **No vivieron aquí más que dos años.**   They lived here only two
>   years.

The preterit, sometimes called the past definite, is the narrative past tense in Spanish. It tells that an action began, that an action ended, or that a past action or state was completed within a definite period of time, regardless of the length of duration.

D. INDEFINITE AND NEGATIVE EXPRESSIONS

algo	something, anything	**nada**	nothing, (not) . . . anything
alguien	someone, somebody, anybody	**nadie**	no one, nobody, (not) . . . anybody (anyone)
siempre	always	**nunca**	never, (not) . . . ever

Tienen algo. They have something.
No tengo nada *or* **Nada tengo.** I have nothing (I haven't anything).
Nadie viene esta noche. No one is coming tonight.
Nunca vemos a nadie. We never see anyone.
Salió sin decir nada. He left without saying anything.

The negatives **nada, nadie,** and **nunca** may either precede or follow a verb. When they follow, **no** or some other negative must precede the verb. If these negatives come before the verb or are used without a verb, **no** is not required: **¿ Qué está Vd. haciendo? — Nada.** *What are you doing? — Nothing.*

The pronouns **alguien** and **nadie** refer only to persons, unknown or not mentioned before, and the personal **a** is required when they are used as objects of the verb:

¿ Ve Vd. a alguien? Do you see anyone?
No vimos a nadie. We did not see anyone (We saw nobody).

Alguno, used as an adjective or pronoun (see footnote 1, p. 89), refers to persons or things already thought of or mentioned:

Alguno de los muchachos me llamó. Someone of the boys called me.
Ella cantó algunas canciones. She sang some songs.

Práctica. Read in Spanish, then give the English meaning:

1. Hay algo en la mesa. No hay nada allí. 2. ¿ Quiere Vd. algo? —No quiero nada. 3. Alguien la llamó. Nadie me llamó. 4. ¿ Busca Vd. a alguien? — No busco a nadie. 5. Ella no escribe nada a nadie. 6. Alguien bailó. Alguno de ellos bailó. 7. Volvió sin ver a nadie. 8. Nunca da nada a nadie. 9. ¿ Qué hay de nuevo? — Nada de particular. 10. Nadie sabe que salió sin hacer nada.

E. THE DEFINITE ARTICLE WITH EXPRESSIONS OF TIME

Volvió el año pasado. He returned last year.
Espero verlos el mes que viene. I hope to see them next month.

When an expression of time, such as **semana, mes, año,** a day of the week, is modified by an adjective, the definite article must be used.

Contrast **pasado,** *last, past* (just passed) with **último,** *last* (in a series).

EXERCISES

A. Read in Spanish, changing the verbs from the present tense to the preterit:

1. No me levanto hasta las siete y media. 2. Me lavo las manos y la cara. 3. Después bajo al comedor y me siento a la mesa. 4. Mi hermano se despierta tarde y no se desayuna. 5. Salgo de casa y voy a la escuela. 6. Antes de sentarme, abro las ventanas. 7. El profesor entra y mira a los alumnos. 8. Nos habla en español y le contestamos. 9. Algunos alumnos no contestan nada. 10. La clase termina a las nueve menos diez y todos los alumnos salen despacio. 11. Algunos toman los libros en las manos y los llevan a casa. 12. Carlos y yo vamos a la biblioteca. 13. No volvemos a casa hasta las doce. 14. Nos quedamos en casa hasta las dos de la tarde.

B. Translate the following pairs of verbs:

1. hablo, hablé. 2. como, comí. 3. vivo, viví. 4. charla, charló. 5. contestan, contestaron. 6. vuelve, volvió. 7. pienso, pensamos. 8. se sienta, se sentó. 9. uso, usó. 10. nos acostamos (*pres.*), nos acostamos (*pret.*). 11. vemos, vimos. 12. damos, dimos. 13. aprendo, aprendió. 14. llevo, llevó. 15. fuí, fué.

C. Give the Spanish for:

1. I take, I took. 2. she sings, she sang. 3. we spend, we spent. 4. he returns, he returned. 5. he sits down, he sat down. 6. I learn, I learned. 7. he writes, he wrote. 8. we understand, we understood. 9. we open, we opened. 10. I give, I gave. 11. they go, they went. 12. we go, we went. 13. he gives, he gave. 14. you see, you saw.

D. Express the following commands in the singular:

1. Answer. 2. Eat supper. 3. Write. 4. Come. 5. Bring. 6. Close it. 7. Open them. 8. Do not do it. 9. Do not take it home. 10. Sit down. 11. Do not get up. 12. Stay here.

E. Read in Spanish, supplying the correct Spanish for the English words in italics:

1. Tiene *something*. 2. No queremos *anything*. 3. *Someone* se quedó allí anoche. 4. *Nobody* me llamó por teléfono. 5. No vieron a *anybody*. 6. La orquesta tocó *some* canciones españolas. 7. *Some* de los bailes son magníficos. 8. Juan *never* me dió *anything*. 9. Volvieron sin hacer *anything*. 10. ¿ Compró *anything* su hermano? — *Nothing*. 11. ¿ Qué sabe Vd.? — *Nothing* de particular. 12. *Some* cuadros están en la pared. 13. Los vimos *last week*. 14. Salieron *last night*. 15. Van a Méjico *next year*. 16. Yo la *took* al cine el sábado por la noche. 17. Teresa siempre *takes* el autobús a las ocho. 18. Generalmente ella *takes* el almuerzo en el centro.

COMPOSITION

1. Where did you go yesterday afternoon? 2. No one answered when I tried to call you by telephone. 3. The fact is that my parents went to New York and I took them to the airport at four o'clock. 4. Before returning home, Mary and I went to a café where we chatted a while. 5. Last night we ate supper downtown and then went to Teresa's. 6. Later she and Louis took us to the movies. 7. Did you stay at home or did you go to the movies too? 8. Man! I never stay at home on Saturday nights. 9. Betty and I saw a fine film in which there are some Mexican dances. 10. There is an orchestra which plays some Mexican songs which are very pretty. 11. After taking cold drinks in the café, we returned home without seeing anyone. 12. Next week Teresa intends to take several friends to another Mexican film. 13. She tried to learn some Mexican dances last year. 14. I took her to a dance last month and she dances quite well.

Sidewalk café

Buying ice cream

LECTURA V

Costumbres españolas

Hoy vamos a leer algo acerca de algunas costumbres españolas. Primero queremos describir el café y dar una idea de la importancia que tiene para muchos españoles.

Parece que en España todo el mundo [1] va al café todos los días. En el café se reúnen [2] personas de todas las clases sociales y allí hablan de literatura, de música, de la vida política, económica y social; es decir, hablan de todo. Mientras hablan, fuman y toman café, chocolate o té, o pasteles y helados. Para almorzar o cenar, los españoles van al restaurante. En las calles que tienen aceras [3] anchas hay cafés al aire libre.[4] También hay cafés a la sombra [5] de los árboles en las plazas y en los parques.

Cuando está uno en una pensión [6] o en un hotel, toma el desayuno en el cuarto, casi a cualquier [7] hora. Llama uno, y el criado o la criada trae café o chocolate con un panecillo [8] o con pan tostado. Ya sabemos que en España almuerzan a las dos de la tarde y que no comen o cenan hasta las nueve o las diez de la noche. Con la cena los españoles toman vino, que no es muy caro allá.

Las tiendas y las oficinas se abren a las nueve de la mañana y se cierran a la una o la una y media para almorzar. Como después del almuerzo muchos españoles descansan o duermen la siesta,[9] las tiendas se abren otra vez a las cuatro o las cuatro y media, y están abiertas hasta las ocho o las ocho y media. Antes de cenar, mucha gente pasea [10] por las calles y por los parques. En estos paseos los novios y los amigos se saludan [11] y charlan.

Spanish peasant

[1] **todo el mundo,** *everybody.*   [2] **se reúnen,** *meet, gather.*   [3] **aceras,** *sidewalks.*
[4] **al aire libre,** *in the open air, open-air.*   [5] **a la sombra,** *in the shade.*   [6] **pensión,**
boardinghouse.   [7] **cualquier,** *any.*   [8] **panecillo,** *roll.*   [9] **duermen la siesta,**
take a nap.   [10] **gente pasea,** *people stroll.*   [11] **se saludan,** *greet each other.*

109

En todos los pueblos y en todas las ciudades hay mercados donde venden legumbres,[1] carne,[2] pescado,[3] frutas y cosas semejantes. Las criadas van al mercado por la mañana temprano para comprar lo que se necesita para el día. Además de los mercados, hay tiendas donde venden pan, otras donde venden leche, otras donde venden paño,[4] lana [5] y otras telas [6] para hacer trajes y vestidos.

Si preguntan Vds. qué clase de vestidos y trajes se usan en España, debemos decir que muy modernos. Si una señora quiere un vestido nuevo, solamente tiene que llevar a la modista [7] la tela y la fotografía del vestido que quiere y la modista le hace el vestido a la última moda.[8] Casi todos los vestidos y los trajes son hechos a la medida.[9] En cambio, en las provincias mucha gente usa trajes antiguos. A veces, cuando hay fiesta en una ciudad, los españoles se ponen los trajes pintorescos [10] de sus provincias.

España es un país muy antiguo que conserva sus costumbres al mismo tiempo que acepta rápidamente cosas nuevas, como la radio, la televisión, el cine, los autobuses, los camiones,[11] los aviones, y muchas otras invenciones modernas.

---

[1] **legumbres,** *vegetables.*   [2] **carne,** *meat.*   [3] **pescado,** *fish.*   [4] **paño,** *cloth.*
[5] **lana,** *wool.*   [6] **telas,** *fabrics, cloths.*   [7] **modista,** *dressmaker.*   [8] **a la última moda,** *in the latest style.*   [9] **son hechos a la medida,** *are made to measure.*
[10] **pintorescos,** *picturesque.*   [11] **camiones,** *trucks.*

Market in Madrid, Spain

A couple from Ibiza, Balearic Islands. Spain

Lacemakers, Galicia, Spain

Mother and child, Salamanca, Spain

A picnic, Spain

Girls wearing their mantillas, Spain

QUESTIONS

1. ¿ Acerca de qué vamos a leer hoy ? 2. ¿ Qué queremos describir primero ? 3. ¿ Van muchas personas al café en España ? 4. ¿ De qué hablan ? 5. ¿ Qué toman en el café ? 6. ¿ A dónde van para almorzar o cenar ? 7. ¿ Dónde se encuentran cafés al aire libre ?

8. ¿ Dónde toma uno el desayuno si está en una pensión o en un hotel ? 9. ¿ A quién llama uno ? 10. ¿ Qué trae el criado o la criada ? 11. ¿ A qué hora almuerzan en España ? 12. ¿ A qué hora cenan ? 13. ¿ Qué toman los españoles con la cena ?

14. ¿ A qué hora se abren las tiendas? 15. ¿ A qué hora se cierran para almorzar? 16. ¿ Qué hacen muchos españoles después del almuerzo? 17. ¿ A qué hora se abren las tiendas otra vez? 18. ¿ Hasta qué hora están abiertas? 19. ¿ Qué hace mucha gente antes de cenar?

20. ¿ Dónde hay mercados? 21. ¿ Qué venden allí? 22. ¿ Quiénes van al mercado por la mañana? 23. ¿ Qué venden en otras tiendas?

24. ¿ Usan trajes y vestidos modernos en España? 25. ¿ Qué hace una señora si quiere un vestido nuevo? 26. ¿ Qué traje usa mucha gente en las provincias? 27. ¿ Qué cosas acepta España hoy día?

NOTES ON WORD ORDER

Contrary to the common order of subject, verb, object (predicate noun, adjective, etc.) in a declarative sentence, the subject often follows the verb in Spanish, particularly if the subject is long or some other element begins the sentence. While other inversions will be observed later in the text, some typical ones are:

a. When the subject is long or is modified by a phrase or a clause:

En el café se reúnen personas de todas las clases sociales.
In the café persons of all social classes gather.

b. When an adverbial expression begins the sentence:

Cuando está uno en una pensión . . .
When one is in a boardinghouse . . .
Si preguntan Vds. qué clase de vestidos . . .
If you ask what kind of dresses . . .

c. When the speaker desires to stress the verbal idea rather than the subject:

Llama uno . . .   One calls . . .

d. After a direct quotation (see page 76, lines 1–2):

— **¿ A qué hora se acuesta Vd., Ricardo ? — le pregunta el señor López**
"At what time do you go to bed, Richard?" Mr. López asks him.

e. In relative and adverbial clauses when the verb does not have a noun object (see pages 127–128):

Si no saben Vds. lo que significan las palabras siguientes . . .
If you do not know what the following words mean . . .

REVIEW LESSON II

A. Give the English for:

ponen	vuelvo	quieren	me despierto	volvieron
se ponen	volvemos	salgo	siéntese Vd.	dimos
digo	cierran	decimos	lávense Vds.	fueron
traigo	cuesta	viajan	contestó	me desayuné
hago	entiende	llueve	vendió	se despertó
sé	conozco	charlan	cantó	ayudaron

B. Give the singular commands of:

tomar	aprender	hacer	dar	salir
vender	abrir	tener	ir	llevar
decir	cerrar	traer	ser	ponerse

C. Change the verbs in the following sentences to the preterit:

1. La veo. 2. Les doy el dinero. 3. Van al cine. 4. No se levanta tarde.
5. Salgo a las ocho. 6. Se abren las puertas a las nueve. 7. Se cierran a las
cinco. 8. Llueve mucho. 9. Se acuesta temprano. 10. La llevo al baile.
11. Dejan el sombrero en la silla. 12. Me enseña a bailar.

D. Read in Spanish, inserting **a, en,** or **de** in each blank if required:

1. Queremos —— ir al cine. 2. Van —— comprar libros. 3. Salen —— casa
muy tarde. 4. Nos invitaron —— comer. 5. Me ayudó —— limpiar la casa.
6. Entró —— a las siete. 7. Ella nos enseñó —— bailar. 8. Traté ——
escribir una composición anoche. 9. Piensan —— acompañarme. 10. No
pueden —— volver hoy. 11. Llegaron —— tiempo. 12. Buscan —— su coche.
13. Hágame Vd. el favor —— cerrarlas. 14. Están —— el centro. 15. Es
hora —— acostarse. 16. Visitan —— sus hijos. 17. Aprendieron —— hablar
bien. 18. No saben —— tocar estas canciones. 19. No buscan —— nadie.
20. Salió sin ver —— nadie.

E. Supply the definite article if necessary:

1. Hoy es —— martes. 2. Vienen —— sábado. 3. La vió —— semana
pasada. 4. Son —— dos de la tarde. 5. —— señorita Alcalá me dió el dinero.
6. Ella no enseña —— español. 7. Buenas tardes, —— señor Molina. 8. ——

señores Gómez no llegaron ayer. 9. Lávese Vd. —— cara. 10. —— agua no
está fría. 11. Viven en —— Argentina. 12. —— español es difícil. 13. Fueron
a —— América del Sur. 14. —— joven está enferma. 15. Vamos a ——
iglesia —— domingos. 16. Lo tiene en —— mano. 17. Esperamos volver
—— mes que viene. 18. Compró una casa de —— piedra.

F. Read in Spanish, translating the words in italics:

1. *Someone* llamó a la puerta. 2. Juan no vió a *anyone* allí. 3. *Some* de los
muchachos salieron de la casa. 4. Felipe *never* puede usar el coche. 5. *We like*
su coche nuevo. 6. Lo compraron *last week*. 7. Tomás *took* a María al baile.
8. Inés y yo *took* un paseo. 9. Antes de *looking for* un lápiz, tráigame Vd. el
periódico. 10. Lea Vd. la frase *again*. 11. *Take* el libro en *your* mano. 12. *Leave*
la revista en la mesa. 13. No puede volver a casa *tonight*. 14. Vienen *on
Thursday*. 15. *Is closed* la biblioteca a las nueve. 16. No tienen *time* para
terminarlo. 17. Ellos *are* mucho frío. 18. Pregúntele Vd. si *is* hambre.
19. Ella *is* muy cansada. 20. Su hermana *is* muy simpática.

G. Give the Spanish for:

1. next week. 2. from time to time. 3. at once. 4. every day. 5. twice.
6. I hope so. 7. What is your name? 8. Of course! 9. We are very sleepy.
10. Bring her the notebook. 11. Do not write it (*f.*) to John. 12. We are
going to need them. 13. He wants to clean our house. 14. Try to learn
them (*f.*). 15. Don't go shopping this afternoon. 16. He likes to talk Spanish.
17. Please invite her. 18. What's new? 19. They went to church. 20. Come
to see us often. 21. He left yesterday afternoon. 22. He stayed here only a
week. 23. It is time to get up. 24. He bought the largest house in the city.

CONVERSACIÓN II

La casa y la familia

MARÍA. — ¡ Hola, Carmen ! ¿ Cómo está Vd. hoy ?

CARMEN. — Perfectamente bien, gracias. ¿ A dónde va Vd. a esta
hora ?

MARÍA. — Voy a casa. Es tarde y mi madre me espera para limpiar
la casa.   5

CARMEN. — ¿ Dónde vive Vd. ?

MARÍA. — Vivo con mi familia en aquella casa nueva que está allí
cerca del parque.

CARMEN. — Sé donde está. Es muy grande. ¿ Cuántos cuartos tiene ?

MARÍA. — Tiene una sala, un comedor, una cocina, dos cuartos de baño y cuatro alcobas. En el sótano hay una sala de recreo. Hay
5 mucha luz en todos los cuartos porque la casa tiene muchas ventanas.

CARMEN. — ¿ Qué muebles hay en la sala ?

MARÍA. — Hay un sofá, varias sillas, tres sillones, un estante, una mesa y un aparato de televisión. En el suelo hay una alfombra.

CARMEN. — ¿ No tiene Vd. aparato de radio también ?

10 MARÍA. — Tengo uno de onda corta en mi alcoba. Cuando no quiero mirar los programas de televisión o cuando mi padre está en casa y quiere leer, voy a mi cuarto para escuchar la radio. Allí paso muchas horas escuchando programas de música española. En mi cuarto tengo un tocador, una mesita, un armario, un estante para libros y tres sillas.

15 CARMEN. — Debe de ser muy cómoda su casa. ¿ Tiene Vd. hermanos ?

MARÍA. — Tengo dos hermanos y una hermana. Uno de mis hermanos se llama Felipe, el otro, Luis, y mi hermana, Ana. Somos seis de familia.

20 CARMEN. — ¿ Van todos a la escuela ?

MARÍA. — Felipe y yo vamos a la escuela superior; Ana y Luis van a la universidad. Cuando ellos no están en casa, mi abuela viene a vivir con nosotros (us). Ya no vive mi abuelo. Mi abuela es anciana, pero tiene buena salud y es muy simpática. Pero, ¿ dónde vive Vd. ?

25 CARMEN. — Vivo cerca de la escuela en aquella casa pequeña, de estilo español. Tiene un patio con una fuente y también un jardín donde hay rosas y flores de toda clase. No es grande, pero es muy cómoda.

MARÍA. — Pues, ¿ vive Vd. allí ? Es una casa muy bonita; en realidad, es una de las más bonitas de la ciudad. Me gusta mucho el
30 balcón con todas las flores. Pues, ahora tengo que irme. Pronto voy a invitarla a Vd. a mi casa.

CARMEN. — Muchas gracias, María. Adiós.

MARÍA. — Nos vemos, Carmen.

VOCABULARY

la abuela grandmother	**el armario** wardrobe, chest
el abuelo grandfather	**el balcón** (*pl.* **balcones**) balcony
la alcoba bedroom	**la clase** kind
la alfombra rug	**la cocina** kitchen
anciano, –a old	**corto, –a** short

el **cuarto de baño** bathroom
la **escuela superior** high school
el **estante (para libros)** bookcase
la **flor** flower
la **fuente** fountain
el **jardín** (*pl.* **jardines**) garden
la **luz** (*pl.* **luces**) light
la **mesita** small table
los **muebles** furniture
la **música** music
la **onda** wave

la **radio** radio
la **rosa** rose
la **sala de recreo** recreation room
la **salud** health
el **sillón** (*pl.* **sillones**) armchair
el **sofá** sofa, davenport
el **sótano** basement
el **suelo** floor
el **tocador** dressing table
la **universidad** university

aparato de radio (televisión) radio (television) set
debe de ser (it) must be
nos vemos we'll be seeing each other
somos seis de familia there are six of us in the family
ya no no longer

Práctica. Pairs of students may be asked to give original conversations in Spanish, using words given up to this point, on such topics as:

1. Their home, its location, the names of the rooms, etc. 2. The furniture and objects found in the various rooms. 3. Members of their families and what they are doing or where they live.

11

The imperfect indicative tense

Uses of the imperfect tense   Expressions with *hacer*

Use of the definite article with the seasons

SPANISH USAGE

— ¡ Hola, Eduardo !

— ¿ Qué tal, Pablo ?   ¿ Qué escribía Vd. cuando entré ?

— Escribía una composición en español para mañana.

— Yo también escribí una.   La tengo en mi cuarto.   Léame

5 Vd. la parte que tiene escrita, por favor.

— Creo que no está bien escrita, pero escúchela Vd. « Cuando era yo[1] muy pequeño, vivía con mi familia en el campo.   Me

---

[1] See page 113 for comments on word order.

gustaba vivir allí porque mi hermano y yo podíamos montar a caballo todos los días. Muchas veces mi padre nos llevaba en coche a sitios muy bonitos en las montañas que no estaban muy lejos de la casa. Nos gustaba mucho pasear bajo la sombra de los árboles altos y hermosos [1] de los bosques. En el verano era 5 especialmente agradable dar estos paseos porque por casa hacía mucho sol y calor, y en el bosque siempre hacía fresco. Las otras estaciones del año eran agradables también, especialmente la primavera cuando siempre hacía buen tiempo. En el invierno hacía mucho frío en las montañas y durante mucho tiempo el 10 bosque estaba cubierto de nieve. Entonces no podíamos pasear. Recuerdo bien que un día de otoño fuimos a un sitio que estaba muy lejos. Eran las ocho de la mañana cuando salimos de la casa. Hacía mucho viento, pero no hacía frío. La temperatura era agradable. Poco después de llegar, comimos bajo los árboles. A 15 las tres o las tres y media vimos que había muchas nubes en el cielo. Nuestro padre quería volver a casa, pero nosotros insistimos en quedarnos un rato más. Él tenía razón porque poco después comenzó a llover. El agua corría por todas partes. En realidad, llovía tanto cuando estábamos en camino de casa que 20 casi no podíamos ver. Llegamos a casa muy tarde. Desde entonces nunca más nos quedamos en las montañas cuando parecía que iba a llover. »

— Está muy bien escrita su composición, Pablo.

— Pues, muchas gracias. Es Vd. muy amable. 25

VOCABULARY

agradable agreeable, pleasant
alto, –a tall, high
amable kind
el **árbol** tree
bajo prep. under, beneath, below
el **bosque** woods, forest
el **caballo** horse
el **camino** road, way

el **cielo** sky
comenzar (**ie**) (**a** + inf.) to begin (to), commence (to)
correr to run
cubierto, –a (**de**) covered (with)
Eduardo Edward
la **estación** (pl. **estaciones**) season
había there was, there were

[1] When two or more adjectives of equal value modify a noun, they follow and the last two are connected by **y**; commas may be used in English: **los árboles altos y hermosos,** the tall, beautiful trees.

insistir (en + *obj.*) to insist (on)
el invierno winter
lejos *adv.* far, distant
lejos de *prep.* far from
la montaña mountain
montar to mount, ride
la nieve snow
la nube cloud
el otoño fall, autumn
Pablo Paul
parecer to appear, seem
la parte part

pasear to walk, stroll
la primavera spring
la razón (*pl.* **razones**) reason
recordar (ue) to recall, remember
el sitio site, place
el sol sun
la sombra shade, shadow
tanto *adv.* so (as) much
la temperatura temperature
el tiempo weather
el verano summer
el viento wind

día (de otoño) (fall) day
en camino de (casa) on the way (home)
montar a caballo to ride horseback
muchas veces often, many times
nunca más never again
poco después shortly afterward
poco después de shortly after
por casa around (near) home
por todas partes everywhere
tener razón to be right
un rato más a while longer

QUESTIONS

1. ¿ Qué escribía Pablo cuando Eduardo entró? 2. ¿ Dónde vivía Pablo cuando era muy pequeño? 3. ¿ Le gustaba vivir allí? 4. ¿ Qué podían hacer su hermano y él? 5. ¿ Estaban lejos las montañas? 6. ¿ A dónde los llevaba muchas veces su padre? 7. ¿ Qué les gustaba hacer allí? 8. ¿ Qué era agradable hacer en el verano? 9. ¿ Hacía calor o fresco en el bosque? 10. ¿ Qué tiempo hacía en las montañas en el invierno? 11. ¿ De qué estaba cubierto el bosque? 12. ¿ A dónde fué la familia un día de otoño? 13. ¿ Qué hora era cuando salieron de la casa? 14. ¿ Qué tiempo hacía por casa de Pablo? 15. ¿ Dónde comieron? 16. ¿ Qué vieron a las tres o las tres y media? 17. ¿ Qué quería hacer el padre? 18. ¿ En qué insistieron Pablo y su hermano? 19. ¿ Qué pasó poco después? 20. ¿ Por dónde corría el agua? 21. ¿ Era temprano o tarde cuando llegaron a casa ?

(General questions.) 22. ¿ Qué tiempo hace hoy? 23. ¿ Hace frío? 24. ¿ Hace sol? 25. ¿ Hay nubes en el cielo? 26. ¿ Qué tiempo hace aquí en el verano? 27. ¿ En el invierno? 28. ¿ En la primavera? 29. ¿ Llueve mucho aquí? 30. ¿ Qué hay a veces en el invierno? 31. ¿ Le gusta a Vd. el invierno? 32. ¿ Le gusta a Vd. el verano? 33. ¿ Monta Vd. a caballo?

GRAMMATICAL USAGE

A. THE IMPERFECT INDICATIVE TENSE

1. The Regular Verbs **hablar, comer, vivir:**

SINGULAR

hablaba	comía	vivía
hablabas	comías	vivías
hablaba	comía	vivía

PLURAL

hablábamos	comíamos	vivíamos
hablabais	comíais	vivíais
hablaban	comían	vivían

The imperfect tense is translated: **hablaba,** *I was talking, used to (would) talk, talked* (habitually).

Note that –**er** and –**ir** verbs have the same endings in the imperfect tense. All forms of these two conjugations bear an accent mark, while only the first person plural of –**ar** verbs is accented. Since the first and third persons singular are identical in the imperfect tense, the subject pronouns must be used more often than with other tenses.

2. The Irregular Verbs **ir, ser,** and **ver:**

ir: iba, ibas, iba, íbamos, ibais, iban
ser: era, eras, era, éramos, erais, eran
ver: veía, veías, veía, veíamos, veíais, veían

Ir, ser, and **ver** are the only verbs in Spanish which have irregular forms in the imperfect tense. The meanings are: **iba,** *I was going, used to go, went;* **era,** *I used to be, was;* **veía,** *I used to see, was seeing, saw.*

B. USES OF THE IMPERFECT TENSE

The imperfect indicative tense, often called the past descriptive, is used to describe past actions, scenes, or conditions which were continuing for an indefinite period of time in the past. The speaker transfers himself mentally to the past and views the action or condition as taking place before him. There is no reference to the beginning or the end of the action or condition. This tense always translates English *used to* plus the infinitive and *was* or *were* plus the present participle. Study carefully the following examples in which the imperfect is used:

1. To express description or a condition, with no action taking place:

La temperatura era agradable. The temperature was pleasant.
Hacía más fresco. It was cooler.
El parque estaba lejos de casa. The park was far from home.
Había muchos bosques allí. There were many forests there.

2. To indicate repeated or habitual past action, equivalent to English *used to* or *would:*

Cuando era yo muy pequeño, vivía allí. When I was very small,
  I lived (used to live) there.
Íbamos a las montañas. We used to (would) go to the mountains.

3. To indicate that an action was in progress, or to describe what was going on when something happened (the preterit indicates what happened under the circumstances described):

Yo escribía cuando Vd. entró. I was writing when you entered.
Era muy tarde cuando llegamos. It was very late when we
  arrived.

4. To describe mental activity or state in the past; thus, verbs meaning *believe, know, wish, be able,* etc., are usually translated by the imperfect:

Creía que iba a llover. He believed that it was going to rain.
Sabían que queríamos quedarnos. They knew that we wanted
  to stay.

5. To express time of day in the past:

Eran las nueve cuando volvió. It was nine o'clock when he
  returned.
¿ Qué hora era ? What time was it ?

Práctica. Read in Spanish, substituting the proper imperfect inflected form of each infinitive underlined, then give the English meaning:

1. El agua estar caliente. 2. El día ser muy hermoso. 3. Él me llevar todos los días. 4. Ella siempre levantarse tarde. 5. Ella estar cansada cuando

entró. 6. Juan tener hambre cuando volvió. 7. Ser las dos cuando salió. 8. Yo saber que él tener razón. 9. Yo querer ir a verlos. 10. Él escribir y yo leer. 11. Ellos ir al cine todas las noches. 12. Yo tener frío y él tener sueño.

C. EXPRESSIONS WITH *HACER*

¿ Qué tiempo hace ?   What kind of weather is it?
Hace buen (mal) tiempo.   It is good (bad) weather.
Hace frío (fresco).   It is cold (cool).
No hacía (mucho) calor.   It wasn't (very) warm.
Hacía sol.   It was sunny (The sun was shining).

Hacer is used with certain nouns in Spanish to describe the temperature or the weather.   Since **frío, fresco, calor, sol** are nouns when used with **hacer,** they must be modified by the adjective **mucho,** not the adverb **muy.**   (Compare the use of **tener** with certain nouns, page 93.)   One also uses **Hay (Había) sol,** *The sun is (was) shining.*

Recall that **estar** is used with adjectives to express a temporary or changing condition of the subject: **El agua estaba fría,** *The water was cold.*   However, one uses **ser** to express a characteristic quality: **La nieve es fría,** *The snow is cold.*

Bueno and **malo** are shortened to **buen** and **mal** before masculine singular nouns; they retain their regular form otherwise: **un buen camino,** *a good road;* **dos buenos caminos,** *two good roads.*

D. USE OF THE DEFINITE ARTICLE WITH THE SEASONS

Me gusta la primavera (el invierno).   I like spring (winter).
Es otoño (verano) ahora.   It is fall (summer) now.

The definite article is regularly used with the seasons; however, it is usually omitted after **ser** or in a prepositional phrase: **un día de otoño,** *a fall day.*

EXERCISES

A. Give the English for:

1. Yo hablo, hablé, hablaba. 2. Él come, comió, comía. 3. Vd. vive, vivió, vivía. 4. Nosotros volvemos, volvimos, volvíamos. 5. Ella comienza, comenzó, comenzaba. 6. Ellos son, fueron, eran. 7. Vds. van, fueron, iban. 8. Tú te sientas, te sentaste, te sentabas. 9. Vosotros veis, visteis, veíais.

B. Give the Spanish for:

1. I carry, carried, was carrying. 2. he runs, ran, was running. 3. they write, wrote, used to write. 4. you (*formal s.*) see, saw, used to see. 5. you (*fam. s.*) recall, recalled, were recalling. 6. we are (**ser**), were, used to be. 7. she goes, went, was going. 8. they begin, began, were beginning.

C. Complete each sentence with the correct present indicative form of **hacer, tener,** or **estar:**

1. Hoy —— buen tiempo. 2. —— sol y no —— mucho frío. 3. Yo —— calor y mucha sed. 4. Yo —— sentado aquí porque —— cansado. 5. —— fresco bajo la sombra de este árbol. 6. Esta agua —— fresca. 7. Ella —— sentada a la mesa porque —— hambre. 8. A veces —— mucho viento en la primavera. 9. Muchas veces —— mal tiempo, ¿ verdad? 10. A menudo yo —— frío. 11. Cuando —— mal tiempo, no —— sol. 12. Nosotros —— razón.

D. Read in Spanish, giving the correct Spanish form of each verb in italics. In this exercise all verbs are in the imperfect tense, except those indicated preterit (pret.). Note carefully the differences in the uses of the two tenses:

1. Cuando yo *was living* en California, *I used to spend* mucho tiempo en las montañas. 2. Todos los veranos mi familia *used to go* a uno de los parques nacionales. 3. Como el parque no *was* lejos, mi padre nos *would take* en el coche. 4. El parque *was* muy hermoso. 5. *There were* muchos árboles grandes y *we could* dar paseos a muchos sitios. 6. La temperatura siempre *was* agradable allí. 7. Generalmente *it was* fresco allí y *I liked* subir a las montañas. 8. El verano pasado *I returned* (pret.) a California. 9. Un amigo y yo *wanted* ver un sitio adonde *we used to go* cuando *we were* jóvenes. 10. *It was* las ocho de la mañana cuando *we left* (pret.) de la casa. 11. *It was* sol y mucho calor en la ciudad. 12. *We took* (pret.) el almuerzo en el parque. 13. Después *we took* un paseo bajo la sombra de los árboles. 14. *We did not climb* (pret.) a las montañas esa vez porque *we were* cansados. 15. Poco después *we saw* (pret.) que *there were* muchas nubes en el cielo. 16. Nos *it seemed* (pret.) que *it was going to* llover. 17. Aunque *it rained* (pret.) solamente media hora, el agua *was running* por todas partes. 18. A las cinco de la tarde *we left* (pret.) del parque y *it was* muy tarde cuando *we arrived* (pret.) a casa.

E. Give the Spanish for:

1. They are right. 2. You are very kind. 3. We like spring. 4. Fall is a pleasant season. 5. We used to ride horseback. 6. They stayed a while longer. 7. He insisted on returning home. 8. The boys were running everywhere. 9. The trees were covered with snow. 10. We never saw him again.

COMPOSITION

1. When we were young, we used to live in the country. 2. Our house was near the mountains and our father often took us to some beautiful places. 3. Even though it was warm around home in summer, it was always cool in the mountains. 4. We liked to stroll through the forest where the temperature was very pleasant. 5. Generally we ate under the shade of the beautiful trees in the parks. 6. We would not go to the mountains in winter if the forest was covered with snow. 7. I recall that one spring day my father took us to a park far from our house. 8. It was cool and very windy and there were few clouds in the sky. 9. Upon arriving at the park, we ate lunch and rested a while under the tall trees. 10. When my brother and I were taking a walk with some friends, we saw that it was going to rain. 11. We returned to the car and shortly afterward it began to rain. 12. We never returned to the mountains again when it was bad weather.

LECTURA VI

España en América

La exploración, la colonización y la civilización de América son principalmente obra[1] de España. Hay que recordar que en realidad la palabra « América » no significa solamente los Estados Unidos, sino los dos continentes, la América del Norte y la América del Sur. A veces usamos la palabra « norteamericano » cuando hablamos de los habitantes de los Estados Unidos, pero este término tampoco es exacto,[2] porque Méjico y la América Central forman parte de la América del Norte.

Para los norteamericanos la exploración que realizaron[3] los españoles en una gran parte de nuestro territorio tiene interés especial. Algunos de los famosos exploradores son Ponce de León, Cabeza de Vaca, Hernando de Soto, Coronado y Cabrillo. Desde San Francisco hasta el sur del continente podemos ver hoy día las ruinas de las antiguas misiones españolas. Hay muchas misiones bien conocidas que se encuentran en California, como Santa Bárbara, San Luis Obispo y San Juan Capistrano.

[1] **obra,** *work.*   [2] **este término tampoco es exacto,** *this term is not exact either.*
[3] **realizaron,** *carried out, realized.*

Explorers come to the New World

126

Balcony, Ronda, Spain **Patio of San Miguel Mission, California**

En California, Arizona, Nuevo México, Texas, la Florida y otros lugares hay un gran número de casas y edificios de estilo español. Tienen balcones, corredores, arcadas, portales,[1] tejados,[2] y patios con flores y fuentes que recuerdan la arquitectura española. La verdadera casa española tiene ventanas con rejas de hierro[3] y un patio, que está en el centro de la casa y que tiene una fuente, flores, pájaros,[4] etcétera. En las ciudades y en los pueblos la plaza corresponde al patio de la casa. Allí pasean jóvenes y viejos. Muchas veces se encuentran cafés al aire libre en las plazas.

Hoy día tenemos muchos nombres españoles en los Estados Unidos. Varios estados tienen nombres de origen español: la Florida, la tierra de las flores; Nevada, la tierra de la nieve; Colorado, la tierra roja; y Montana, la montaña. California tiene el nombre de una isla que se menciona en un antiguo libro español. También hay muchas ciudades que tienen nombres españoles, como San Agustín, El Paso, San Antonio, Santa Fe, Las Cruces, Las Vegas, San Diego, San José, San Francisco, Sacramento, Los Ángeles, cuyo nombre completo es El Pueblo de Nuestra Señora, la Reina[5] de los Ángeles. También muchos ríos, valles y montañas tienen nombres españoles, como el Río Grande, el Sacramento, el Nueces, el Brazos, la Sierra Nevada, etcétera.

Son innumerables las palabras españolas que se usan todos los días en inglés. Si no saben Vds. lo que

[1] **portales,** *doorways.* [2] **tejados,** *roofs (of tiles).* [3] **rejas de hierro,** *iron grills, gratings.* [4] **pájaros,** *birds.* [5] **Reina,** *Queen.*

significan las palabras siguientes pueden buscarlas en un diccionario inglés: *adiós, adobe, amigo, alpaca, arroyo, banana, bolero, bronco, burro, cargo, cordillera, corral, coyote, chinchilla, chocolate, fiesta, hacienda, hombre, mantilla, mesa, mosquito, parasol, paseo, patio, plaza, pronto, pueblo, rodeo, sierra, sombrero, tapioca.* ¿ Conocen Vds. otras?

Las palabras siguientes también son de origen español: *alligator* (el lagarto, *lizard*), *buckaroo* (vaquero, *cowboy*), *calaboose* (calabozo, *dungeon*), *canyon* (cañón), *canoe* (canoa), *desperado* (desesperado, *desperate, one in despair*), *hurricane* (huracán), *hoosegow* (juzgado, *court of justice*), *lasso* (lazo), *lariat* (la reata), *maize* (maíz), *mustang* (mesteño), *palaver* (palabra), *savvy* (¿ sabe?), *tobacco* (tabaco), *vamoose* (vamos), *vanilla* (vainilla).

Debemos a España muchas frutas, varios animales y otros productos que tenemos hoy día en las Américas. Por ejemplo, las naranjas,[1] los limones, las aceitunas,[2] y las uvas [3] son de España; también de allí son el trigo, el arroz,[4] la caña de azúcar y muchas plantas, y varios animales domésticos, como el caballo, la vaca,[5] el toro,[6] la oveja [7] y el cerdo.[8] El resto del mundo también debe mucho a España por la introducción en Europa del maíz, el chocolate, la patata, el camote,[9] el tabaco, el tomate, la vainilla y muchas otras legumbres y frutas que tuvieron [10] su origen en las Américas.

Ranchos de Taos Mission, New Mexico

---

[1] **naranjas,** *oranges.*   [2] **aceitunas,** *olives.*   [3] **uvas,** *grapes.*   [4] **arroz,** *rice.*
[5] **vaca,** *cow.*   [6] **toro,** *bull.*   [7] **oveja,** *sheep.*   [8] **cerdo,** *pig.*   [9] **camote,** *sweet potato.*   [10] **tuvieron** (pret. of **tener**), *had.*

129

QUESTIONS

1. ¿ A qué país debemos la exploración de América? 2. ¿ Qué significa la palabra « América »? 3. ¿ Cuándo usamos la palabra « norteamericano » a veces? 4. ¿ Por qué no es exacto? 5. ¿ Quiénes son varios exploradores de América? 6. ¿ Qué ruinas podemos ver hoy día? 7. ¿ Cuáles son tres misiones bien conocidas? 8. ¿ Qué tienen las casas y los edificios de estilo español? 9. ¿ Qué tiene una verdadera casa española? 10. En las ciudades, ¿ qué corresponde al patio de la casa? 11. ¿ Qué se encuentra muchas veces en las plazas? 12. ¿ Cuáles de nuestros estados tienen nombres españoles? 13. ¿ Qué significa « la Florida »? 14. ¿ Colorado? 15. ¿ Nevada? 16. ¿ Qué ciudades tienen nombres españoles? 17. ¿ Qué palabras españolas se usan en inglés? 18. ¿ Qué productos debemos a España? 19. ¿ Qué animales debemos a España ? 20. ¿ Qué productos debe el resto del mundo a España?

WORD STUDY

a. Contrast the meaning of: verdad — verdadero, interés — interesante, exploración — explorador, realidad — realizar.

b. Give English cognates and indicate the variation in the following: civilización, territorio, especial, famoso, misión, corredor, corresponder, completo, diccionario, introducción.

c. On page 129, lines 3–9, pronounce the Spanish words which are often used in English, using the correct Spanish pronunciation. Then pronounce the Spanish words in parentheses in the paragraph which follows, and note how the English form developed.

d. **Santo** is shortened to **San** before the names of masculine saints, except those beginning with **To–** and **Do–**: San Francisco, *Saint Francis;* San Agustín, *St. Augustine;* San Diego, *St. James;* but Santo Tomás, *St. Thomas;* Santo Domingo, *St. Dominic.* **Santa** is not shortened before the names of feminine saints: Santa Bárbara, *Saint Barbara;* the word also means *Holy:* Santa Fe, *Holy Faith;* Santa Cruz, *Holy Cross.*

Give the meaning of: San Antonio, San Luis, San Juan, San Felipe, San Jorge, San Carlos, San Pablo, Santa María, Santa Ana, Santa Teresa.

ROBERT WILLIAM HINDS

12

SPANISH USAGE

— ¿ Cuál es la fecha de hoy ?

— Es el primero de diciembre de mil novecientos cincuenta y siete.

— ¿ Qué día de la semana fué ayer ?

— Fué sábado, treinta de noviembre. Fué el cumpleaños de 5 mi padre, y mi madre invitó a varios amigos a nuestra casa anoche.

— ¿ Cuántos años tiene su padre ?

— Tiene cuarenta y seis. Nació en mil novecientos once, cuando mis abuelos vivían en Buenos Aires.

— ¿ Qué población tiene Buenos Aires hoy día ?   10

— Creo que tiene unos cuatro millones de habitantes. Es la ciudad más grande de la América del Sur.

— ¿ Es más grande que la ciudad de Méjico?

— Sí, pero Méjico tiene ahora más de tres millones de habitantes. En la mayor parte de los países hispanoamericanos la ciudad más grande del país es la capital. Por ejemplo, Monte-
5 video, Santiago y Lima tienen un millón de habitantes, más o menos, cada una. ¿ Conoce Vd. a los señores Espinosa? Anoche nos enseñaron muchas fotografías que sacaron en su viaje por la América del Sur.

— Sí, los conocí [1] el verano pasado, pero no sabía de su viaje
10 a la América del Sur. ¿ Fué su primer viaje? ¿ Cuánto tiempo pasaron allí?

— Partieron de Nueva York el dos de septiembre y volvieron el veinte y cinco de noviembre. Fué el segundo viaje del señor Espinosa, pero el primero de su esposa. Antes de casarse, él vivió
15 allí varios años trabajando en una compañía norteamericana. Después de ver sus fotografías, tengo grandes deseos de ir allá algún [2] día. Los señores Espinosa me trajeron una cartera de cuero que me gusta mucho. Y le trajeron a mi novia María una preciosa [3] pulsera de plata.

20 — Carlos, ¿ por qué no se casa Vd. con María? Sé que ella también quiere ir allá.

— Es una buena idea, pero todavía no gano bastante dinero. Cuesta mucho hacer un viaje tan largo, especialmente para dos personas.

VOCABULARY

el abuelo grandfather; *pl.* grandparents
allá there (*often after verbs of motion*)
la cartera wallet, billfold
casarse (**con** + *obj*.) to marry, get married

la compañía company
el cuero leather
el cumpleaños birthday
el deseo desire, wish
el ejemplo example
la esposa wife
la fecha date

---

[1] In the preterit **conocer** means *to meet*. [2] **Alguno** is shortened to **algún** before masculine singular nouns. [3] When an adjective modifies a noun plus another adjective or a prepositional phrase, the adjective regularly precedes the noun.

la **fotografía** photograph, snapshot
  ganar to earn, win, gain
el **habitante** inhabitant
  hispanoamericano, –a Spanish
    American
  largo, –a long
  mayor greater

nacer to be born
la **novia** fiancée, sweetheart
  partir (**de** + *obj.*) to leave, depart
la **persona** person
la **población** population
la **pulsera** bracelet
  sacar to take (out)

¿ **cuánto tiempo?** how long?
¿ **cuántos años tiene** (**él**)? how old is (he)?
la **mayor parte de** most of, the greater part of
por ejemplo for example
sacar fotografías to take photographs
tener . . . años to be . . . years old
tener grandes deseos de to be very anxious (have great desires) to
un (**viaje**) **tan** (**largo**) such a (long trip)

QUESTIONS

(General questions) 1. ¿ Cuál es la fecha de hoy? 2. ¿ Cuál fué la fecha de ayer? 3. ¿ Qué día de la semana es hoy? 4. ¿ Qué fecha va a ser mañana? 5. ¿ Cuántos años tiene Vd.? 6. ¿ En qué año nació Vd.? 7. ¿ Tiene Vd. hermanos? 8. ¿ Cuántos años tiene(n)? 9. ¿ Cuántos años tiene su padre?

(Based on the Spanish Usage section) 10. ¿ Qué población tiene Buenos Aires? 11. ¿ Es más grande que la ciudad de Méjico? 12. ¿ Cuántos habitantes tiene Méjico? 13. ¿ Son grandes las capitales de los países hispanoamericanos? 14. ¿ Cuántos habitantes tiene Lima? 15. ¿ Por dónde viajaron los señores Espinosa? 16. ¿ Qué sacaron en el viaje? 17. ¿ Cuándo partieron para la América del Sur? 18. ¿ Cuándo volvieron? 19. ¿ Dónde vivió el señor Espinosa antes de casarse? 20. ¿ Por qué no se casa Carlos con María?

GRAMMATICAL USAGE

A. IRREGULAR PRETERIT OF *TRAER*

SINGULAR	PLURAL
traje	trajimos
trajiste	trajisteis
trajo	trajeron

Note that in the first and third persons singular the stress falls on the stem, instead of the ending; therefore, **e** and **o** are not accented. Observe the spelling of **trajeron. Traje** is translated *I brought, did bring.*

B. CARDINAL NUMERALS

30	treinta	300	trescientos, –as
31	treinta y un(o)	400	cuatrocientos, –as
40	cuarenta	500	quinientos, –as
50	cincuenta	600	seiscientos, –as
60	sesenta	700	setecientos, –as
70	setenta	800	ochocientos, –as
80	ochenta	900	novecientos, –as
90	noventa	1000	mil
100	cien(to)	2000	dos mil
102	ciento dos	100,000	cien mil
200	doscientos, –as	1,000,000	un millón (de)

cien casas one hundred houses
ciento treinta y un días one hundred thirty-one days
quinientas muchachas five hundred girls
un millón de habitantes a million inhabitants

Ciento becomes **cien** before nouns or the numerals **mil** and **millones,** but the full form is retained before numerals under a hundred. Multiples of **ciento** agree in gender and number with the noun modified.

Un is omitted before **cien(to)** and **mil.** However, one says **un millón,** and if a noun follows **millón** (*pl.* **millones**), **de** is used before the noun. Recall that **uno** and numerals ending in **uno** drop –o before a masculine noun.

In Spanish **y** is normally used only between numerals that are multiples of ten, less than one hundred, and numerals less than ten: **veinte y seis, cincuenta y ocho,** but **doscientos quince.**

C. ORDINAL NUMERALS

1st	primero, –a	5th	quinto, –a	8th	octavo, –a
2nd	segundo, –a	6th	sexto, –a	9th	noveno, –a
3rd	tercero, –a	7th	séptimo, –a	10th	décimo, –a
4th	cuarto, –a				

The ordinal numerals agree in gender and number with the nouns they modify. **Primero** and **tercero** drop final –o before a masculine singular noun: **el primer (tercer) viaje,** *the first (third) trip,* but **las primeras personas,** *the first persons.*

Ordinal numerals are regularly used only through *tenth;* for higher numerals the cardinals are used: **Carlos Quinto,** *Charles V (Charles the Fifth);* **Alfonso Trece,** *Alfonso XIII.*

D. THE MONTHS

enero	January	**mayo**	May	**septiembre**	September
febrero	February	**junio**	June	**octubre**	October
marzo	March	**julio**	July	**noviembre**	November
abril	April	**agosto**	August	**diciembre**	December

The months are not capitalized, except at the beginning of a sentence. They are masculine but they do not require the definite article unless modified.

E. DATES

¿ **Cuál es la fecha (de hoy) ?**
¿ **Qué fecha es (hoy) ?** } What is the date (today) ?
(Hoy) es el dos de diciembre. (Today) is the second of December.
Nació el primero de enero. He was born (on) the first of January.
el treinta y uno de mayo (on) the thirty-first of May (May 31)
Hoy es domingo, 25 de diciembre de 1955. Today is Sunday, December 25, 1955.

Also commonly used are:

¿ **A cuántos estamos (hoy) ?** What is the date (today) ?
Estamos a ocho de noviembre. (Today) is the eighth of November.

The cardinal numerals are used to express the day of the month, except for **el primero,** *first.* The definite article **el** translates *on* with the day of the month.

In counting and reading dates, use **mil** with numerals of one thousand or more: **el diez de abril de mil novecientos cincuenta y siete,** *April 10, 1957.*

EXERCISES

A. Memorize the following:

Treinta días trae noviembre,
con abril, junio y septiembre;
veintiocho o veintinueve, uno;
y los demás [1] treinta y uno.

[1] **los demás,** *the others, the rest.*

B. Read in Spanish:

1. 35 escuelas. 2. 51 autobuses. 3. 1000 coches. 4. 500 muchachas.
5. 100 libros. 6. 100 cartas. 7. 110 hombres. 8. 2000 alumnos. 9. 750 caballos. 10. 365 días. 11. 1,000,000 de árboles. 12. 2,000,000 de habitantes.
13. 500,000 teléfonos. 14. 41 ciudades. 15. 77 iglesias. 16. el 2 de mayo
de 1808. 17. el 4 de julio de 1776. 18. el 16 de septiembre de 1810. 19. el
25 de diciembre de 1958. 20. el 1 de enero de 1960.

C. Complete the following:

1. Mis hermanos partieron *the first of April*. 2. Llegaron a San Antonio *the
fifth of that month*. 3. Nuestras clases terminaron *the twenty-seventh of May*.
4. *On the second of June* fuí a San Antonio en avión. 5. Pasamos *the fourth of
July* con algunos amigos allí. 6. Volví a casa *the fifteenth of August*. 7. Tra-
bajé hasta *the tenth of September*. 8. ¿ Qué pasó *the twelfth of October?* 9. Hoy
es *the eleventh of November*. 10. Mi esposa nació *on the thirty-first of March*.
    11. Lea Vd. la *first* frase. 12. La *second* es larga. 13. Yo voy a leer la
third frase. 14. Pronuncie Vd. otra vez las *first* palabras. 15. ¿ Cuál es el
first mes del año? 16. Octubre es el *tenth* mes. 17. ¿ Conoce Vd. a la *second*
muchacha que viene por la calle? 18. ¿ Quién vive en la *fourth* casa? 19. El
fifth muchacho es mi primo. 20. ¿ Quién era Felipe *the Second?*

D. Review section F, pages 68–69, then give the Spanish for:

1. the large house, a larger house, the largest house. 2. little money, more
money, less money. 3. a long road, a longer road, the longest road in the
country. 4. my cheap hat, my cheaper hat, the cheapest hat in the store.
5. He has more friends than I. 6. She is the prettiest girl in the class. 7. Mary
is prettier than Betty. 8. It has more than a million inhabitants. 9. The first
boy is taller. 10. The third man is my grandfather. 11. My grandparents live
in the second house. 12. Some day he hopes to go there. 13. Betty and Charles
were married last month. 14. Why doesn't Carmen marry Paul? 15. How
long did he stay there last night?

E. Review the uses of the preterit and imperfect in Lessons 10 and
11, then use the proper form of the infinitive underlined in each sentence:

1. Ser las tres de la tarde cuando yo salir de casa. 2. Aunque hacer frío,
ser un día hermoso. 3. Como yo querer comprar un sombrero, tomar un autobús
que me llevar al centro. 4. Cuando yo entrar en la tienda, todas las empleadas
estar ocupadas. 5. Al fin una empleada me preguntar si yo querer algo. 6. Yo
contestar que sí y ella me enseñar algunos sombreros bonitos. 7. Después de
un rato yo comprar uno que ser barato. 8. Yo ir a otra tienda para buscar varias
cosas pero volver a casa sin comprar nada más.

COMPOSITION

1. Miss Padilla, from where did Mr. and Mrs. Espinosa depart for South America? 2. They left New York by plane on the fifth of July. 3. It was the day on which my sister and Joe were married. 4. Did they visit most of the Spanish American capitals this time? 5. I believe so, even though it costs more than fifteen hundred dollars (in order) to make the trip. 6. Mr. Espinosa used to work with [1] an American company in Chile and he wanted to see the country again. 7. After spending a month there, they went to Buenos Aires, the largest city in South America. 8. It is larger than Madrid or Mexico City, isn't it? 9. Yes, it is said that it has about 4,000,000 inhabitants nowadays. 10. The weather was very pleasant there in the first days of August even though it was winter. 11. It was the third trip of Mr. Espinosa and the second (one) of his wife. 12. They brought us many beautiful photographs which they took in several countries. 13. I am very anxious to make a trip to South America. 14. If you go there, please bring me a leather billfold and a silver bracelet.

[1] Use **en.**

Playing jai alai

Playing at bullfighting, Spain

LECTURA VII

Los deportes [1]

En las tierras españolas hay una gran variedad de deportes y todos tienen muchos aficionados.[2] No sólo los hombres, sino también las mujeres toman parte en los deportes, especialmente en el golf, el tenis y la natación.[3] Una gran parte de los juegos son de origen inglés o norteamericano, pero otros, como la pelota o el *jai alai* y la corrida de toros,[4] son de origen español. El fútbol, de estilo *soccer*, es muy popular, y algunos de los estadios tienen una capacidad de 50,000 a 120,000 espectadores. También encontramos el béisbol, el básquetbol, las carreras de caballos,[5] el polo, el boxeo, la caza,[6] la pesca,[7] en realidad, todos los deportes que se conocen en los Estados Unidos y en el resto del mundo.

---

[1] **deportes,** *sports.*   [2] **aficionados,** *fans.*   [3] **natación,** *swimming.*   [4] **corrida (de toros),** *bullfight.*   [5] **carreras de caballos,** *horse races.*   [6] **caza,** *hunting.*   [7] **pesca,** *fishing.*

138

Muchas personas creen que en todos los países de habla española hay corridas de toros, pero la verdad es que se encuentran solamente en ciertos países, como en España, Méjico, Colombia, Venezuela y el Perú. La corrida de toros es un espectáculo muy popular en estos países, aunque no le gusta a todo el mundo. Los domingos por la tarde muchos aficionados van a la plaza de toros [1] para ver a sus toreros predilectos.[2] Generalmente hay tres toreros y cada uno mata dos toros. En un lado de la plaza hay sol, pero es más cómodo sentarse en el otro lado, en la sombra. Mientras los espectadores esperan el principio de la corrida, una banda toca piezas de música. A las cuatro en punto [3] comienza la corrida. Después del desfile de todos los que [4] toman parte en el espectáculo, dejan entrar al primer toro.[5] Si el toro es bravo [6] y el torero valiente, todos aplauden y se emocionan mucho.[7] Muchos extranjeros no comprenden el significado de la corrida y sienten [8] mucha lástima por el toro. Para apreciar la corrida hay que comprender el arte y la destreza [9] del torero y de las otras personas que toman parte en el espectáculo.

La pelota es el famoso juego vasco,[10] del norte de España. Se juega [11] en un frontón [12] que tiene tres paredes: una alta, que está frente a los jugadores, otra a un lado y la tercera, detrás. Los espectadores se sientan al otro lado, donde no hay pared. Para lanzar [13] la pelota, los jugadores usan una cesta [14] que tiene forma curva. Una pareja de jugadores, los azules, se opone a otra pareja, los blancos o los

[1] **plaza de toros,** *bull ring.*   [2] **predilectos,** *favorite.*   [3] **en punto,** *sharp.*   [4] **desfile . . . que,** *parade of all who.*   [5] **dejan . . . toro,** *they let the first bull enter.*   [6] **bravo,** *fierce.*   [7] **se emocionan mucho,** *they become very excited.*   [8] **sienten,** *they feel.*   [9] **destreza,** *skill.*   [10] **vasco,** *Basque.*   [11] **Se juega,** *It is played.*   [12] **frontón,** *court.*   [13] **lanzar,** *to throw.*   [14] **cesta,** *racket.*

rojos. Éste es un juego muy rápido y para jugarlo bien es necesario ser muy ágil. Es popular no sólo en España, sino también en Cuba, en Méjico y en otros países del Nuevo Mundo. También se juega en algunas ciudades de los Estados Unidos.

El béisbol, el deporte nacional de los Estados Unidos, es también el deporte nacional de Cuba. En Venezuela, en Méjico, en la América Central y en la República Dominicana hay una gran afición por el béisbol. Varios equipos [1] de estos países celebran series internacionales. Hoy día muchos jugadores de nuestros equipos profesionales son de la América Española.

Hace muchos años [2] los gauchos argentinos tenían un juego llamado « el pato ».[3] Era un juego muy peligroso [4] y por eso [5] lo prohibieron las autoridades. Montados a caballo, los jugadores luchaban [6] por la posesión de una pelota bastante grande y pesada [7] que tenía mangos.[8] Los jugadores se arrojaban [9] sobre sus adversarios, les pegaban con un látigo [10] y con las boleadoras,[11] y también trataban de echar por tierra al caballo.[12] Para ganar la partida [13] tenían que llevar la pelota unos seis o siete kilómetros. Ahora tienen una forma moderna del juego, mucho menos peligrosa, que tiene elementos del polo y del básquetbol.

En la época de los mayas y de los aztecas había un juego de pelota semejante al básquetbol. Sin usar las manos ni la cabeza, los jugadores tenían que pasar una pelota de hule [14] por un anillo [15] que estaba en una pared. Pero la influencia de aquel juego en el origen del básquetbol moderno es dudosa.[16] Hoy día el básquetbol es muy popular en todos los países latinoamericanos.

---

[1] **equipos,** *teams.*   [2] **Hace muchos años,** *Many years ago.*   [3] **pato,** *duck.*
[4] **peligroso,** *dangerous.*   [5] **por eso,** *because of that.*   [6] **luchaban,** *fought.*
[7] **pesada,** *heavy.*   [8] **mangos,** *handles.*   [9] **se arrojaban,** *threw themselves.*   [10] **les pegaban con un látigo,** *they beat them with a whip.*   [11] **boleadoras,** *lariat with ball at one end.*   [12] **trataban . . . caballo,** *they tried to throw the horse to the ground.*
[13] **partida,** *match.*   [14] **hule,** *rubber.*   [15] **anillo,** *ring.*   [16] **dudosa,** *doubtful.*

QUESTIONS

1. ¿ Hay muchos deportes en las tierras españolas? 2. ¿ En qué deportes toman parte las mujeres? 3. ¿ Cuáles son dos deportes de origen español? 4. ¿ Es popular el fútbol? 5. ¿ Qué capacidad tienen algunos estadios? 6. ¿ Qué otros deportes tienen?

7. ¿ Hay corridas de toros en todos los países españoles? 8. ¿ Le gusta a todo el mundo la corrida de toros? 9. ¿ A dónde van los aficionados para ver una corrida? 10. ¿ Cuántos toreros hay generalmente? 11. ¿ Cuántos toros mata cada uno? 12. ¿ Qué hay en un lado de la plaza? 13. ¿ Dónde es más cómodo sentarse? 14. ¿ A qué hora comienza la corrida? 15. ¿ Cuándo aplauden todos? 16. ¿ Qué hay que comprender para apreciar una corrida?

17. ¿ Qué es la pelota? 18. ¿ Dónde se juega? 19. ¿ Cuántas paredes tiene un frontón? 20. ¿ Qué usan los jugadores? 21. ¿ Es rápido el juego? 22. ¿ Dónde es popular? 23. ¿ Cuál es el deporte nacional de Cuba? 24. ¿ En qué otros países hay una gran afición por este juego?

25. ¿ Qué juego tenían los gauchos de la Argentina? 26. ¿ Qué juego había durante la época de los mayas y los aztecas? 27. ¿ Qué tenían que hacer los jugadores? 28. ¿ Es popular el básquetbol en los países latinoamericanos?

WORD STUDY

a. The Spanish ending –**dor** often indicates one who performs or participates in an action: jugador, *player;* espectador, *spectator.*

b. Observe the relation in meaning of the following words: (1) jugar, *to play;* jugador, *player;* juego, *game;* (2) toro, *bull, and* torero, *bullfighter;* (3) afición, *fondness, and* aficionado, *fan, one who is fond of;* (4) espectáculo, *spectacle, and* espectador, *spectator.*

c. Find one or more words in this Lectura which illustrate each of the following principles: Spanish –**dad** = English –*ty;* –**io** = –*y;* –**ción** = –*tion;* the verb ending –**ar** = –*ate.*

ROBERT WILLIAM HINDS

13

Irregular verbs having *i*-stem preterits

Uses of the present participle

Position of object pronouns with the present participle

Se used as an indefinite subject

Pronouns used as objects of prepositions

Use of the definite article in a general sense

SPANISH USAGE

— Buenos días, señor Blanco.

— Buenos días, Arturo.   Me alegro mucho de verle a Vd.
Anoche vi a su hermano y a la novia de él y me dijeron que piensa
Vd. volar al Perú el mes que viene.   Mi esposa y yo hicimos un
5 viaje por la América del Sur en el año de 1954 y pasamos dos
semanas en el Perú.   Queríamos pasar más tiempo allí, pero fué
imposible esa vez.   A nosotros nos gustó especialmente el Cuzco,
la antigua capital de los incas.   Y para mí las antiguas ruinas de
Machu Picchu, no lejos del Cuzco, son las más interesantes de
10 las Américas.

142

— Estoy leyendo varios libros sobre el Perú ahora y estoy de acuerdo con Vd. Los libros tienen muchas fotografías magníficas y se aprende mucho mirándolas. Ahora más que nunca tengo deseos de conocer mejor la vida de los indios de los Andes. ¿ Cuánto tiempo se necesita para ir de Lima al Cuzco ? 5

— Cuando hicimos el viaje, primero volamos de Lima a Arequipa, en tres horas. Allí tomamos el tren a las diez de la noche y llegamos al Cuzco a las seis de la tarde siguiente. Sin embargo, algunas mujeres que vinieron en avión directamente de Lima al Cuzco hicieron el vuelo en dos horas y media. 10

— Alguien me dijo la semana pasada que los peruanos son perezosos y que no trabajan mucho. ¿ Es cierto ?

— ¡ Claro que no ! Sí que trabajan, pero al mismo tiempo saben gozar de la vida. Puede decirse que saben vivir y que no pasan tanto tiempo pensando en el dinero, como nosotros. Tienen 15 muchas fiestas y a menudo dejan para mañana lo que no es necesario hacer hoy, pero piense Vd. en los varios aspectos de la cultura peruana, como la historia, el arte, la literatura, la música. También mire las fotografías de las fábricas, de los edificios comerciales, de las casas modernas y de las escuelas nuevas, si 20 quiere ver lo que el Perú está haciendo en el siglo veinte. Si puede Vd. ir a casa conmigo, puedo enseñarle muchas fotografías y muchas otras cosas que trajimos del Perú.

— ¡ Cómo no ! ¡ Con mucho gusto ! Espéreme Vd. un momento. Voy a decirle a mi mamá que voy a acompañarle a Vd. 25

VOCABULARY

el acuerdo agreement
alegrarse (**de** + *obj.*) to be glad (to)
los Andes Andes
antiguo, –a old, ancient
el arte art
Arturo Arthur
el aspecto aspect
cierto, –a certain, true
comercial commercial, business
la cultura culture
el Cuzco Cuzco
directamente directly

el edificio building
la fábrica factory
la fiesta fiesta, festival
gozar (**de** + *obj.*) to enjoy
la historia history
imposible impossible
el inca Inca
el indio Indian
la literatura literature
mejor better, best
mismo, –a same, very
moderno, –a modern
el momento moment

la **mujer** woman
la **música** music
  perezoso, –a lazy
  peruano, –a (*also noun*) Peruvian
las **ruinas** ruins
  el **siglo** century

siguiente following, next
tanto, –a as (so) much; *pl.* as (so)
  many
el **tren** train
volar (ue) to fly
el **vuelo** flight

al mismo tiempo at the same time
¡ claro que no ! of course not ! certainly not !
dos horas y media two hours and a half
estar de acuerdo to agree, be in agreement
me alegro (mucho) de I am (very) glad to
pensar en (+ *obj.*) to think of (about)
sí que + *verb* indeed, certainly
sin embargo nevertheless, however
tanto, –a + *noun* + **como** as (so) much (many) . . . as

QUESTIONS

1. ¿ Quiénes están hablando ?   2. ¿ A dónde piensa volar Arturo ?   3. ¿ A dónde hicieron un viaje los señores Blanco ?   4. ¿ En qué año lo hicieron ? 5. ¿ Cuánto tiempo pasaron en el Perú ?   6. ¿ Qué ciudad les gustó especialmente ?   7. ¿ Qué ruinas hay no lejos del Cuzco ?   8. ¿ Qué está leyendo Arturo ? 9. ¿ Qué hay en los libros ?   10. ¿ Qué desea Arturo ?   11. ¿ Volaron los señores Blanco directamente de Lima al Cuzco ?   12. ¿ A qué hora partieron de Arequipa ?   13. ¿ Cuándo llegaron al Cuzco ?   14. ¿ Cuánto tiempo se necesita para volar directamente de Lima al Cuzco ?   15. ¿ Son perezosos los peruanos ? 16. ¿ Qué dijo el señor Blanco de los peruanos ?   17. ¿ Cuáles son algunos aspectos de la cultura ?   18. ¿ Qué puede enseñarle el señor Blanco a Arturo ?

GRAMMATICAL USAGE

A. IRREGULAR VERBS HAVING *I*–STEM PRETERITS

decir	hacer	querer	venir
		SINGULAR	
dije	hice	quise	vine
dijiste	hiciste	quisiste	viniste
dijo	hizo	quiso	vino
		PLURAL	
dijimos	hicimos	quisimos	vinimos
dijisteis	hicisteis	quisisteis	vinisteis
dijeron	hicieron	quisieron	vinieron

The endings of these four verbs, which have i-stem preterits, are the same as for **traer** (Lesson 12). Note the spelling of **dijeron** and **hizo.**

The first singular preterit of each verb is translated as follows: **dije,** *I said, did say, I told, did tell;* **hice,** *I made, did make, I did;* **quise,** *I wanted, did want, I wished, did wish;* **vine,** *I came, did come.*

B. USES OF THE PRESENT PARTICIPLE

1. In Lesson 5 the forms of the present participles of regular verbs were given and their use in the progressive tense was explained: **Estoy (Estaba) leyendo un libro,** *I am (was) reading a book.*

Verbs used since Lesson 5 which have irregular present participles are:

decir:	**diciendo**	saying, telling
ir:	**yendo**	going
poder:	**pudiendo**	being able
venir:	**viniendo**	coming
creer:	**creyendo**	believing
leer:	**leyendo**	reading
traer:	**trayendo**	bringing

2. **No pasan tanto tiempo pensando en el dinero.** They do not spend so much time thinking about money.

   Mirando las fotografías, se aprende mucho. (By) looking at the photographs, one learns a great deal.

The present participle is used alone in Spanish, as in English, or to express *by* plus the present participle.

Remember that the infinitive, not the present participle, is often used after a preposition: **Antes de verlos,** *Before seeing them.*

C. POSITION OF OBJECT PRONOUNS WITH THE PRESENT PARTICIPLE

Leyéndolo, aprendí mucho. By reading it, I learned much.
Está haciéndolo. ⎫
Lo está haciendo. ⎬ He is doing it.

Pronouns used as the object of the present participle are <u>always attached</u> to the participle, except in the progressive tense, in which case the pronouns <u>may</u> be placed before **estar.** An accent mark must be written when a pronoun is attached to the present participle.

Remember that object pronouns are also attached to positive commands and to infinitives; otherwise they precede the verb.

Práctica. Read in Spanish, noting the position of the object pronouns and the accented forms:

1. Lo trae. Va a traerlo. Está trayéndolo. Tráigalo Vd. No lo traiga Vd.
2. Las miran. Piensan mirarlas. Están mirándolas. Mírenlas Vds. No las miren Vds. 3. Les escribo. Quiero escribirles. Estoy escribiéndoles. Escríbales Vd. No les escriba Vd.

D. *SE* USED AS AN INDEFINITE SUBJECT

Se dice que es verdad. They say / People say / It is said } that it is true.

Se cree que son perezosos. People believe (It is believed) that they are lazy.

Se puede decir or **Puede decirse . . .** One can say . . . (It can be said . . .)

¿ Cuánto tiempo se necesita ? How much time does one need (is needed) ?

Sometimes an action is expressed without indicating definitely who is doing what the verb implies. In such cases in English we use subjects like *one, people, they, you,* which do not refer to anyone in particular, while in Spanish we use **se.** The verb is in the third person singular since **se** is considered the subject. **Uno** (**Una**) is likewise used, particularly with reflexive verbs: **Uno se levanta tarde los domingos,** *One gets up late on Sundays.*

Compare this use of **se** with that explained in section C, page 67, in which case the verb may be either third person singular or plural. When used with a singular verb form **se** may be used either as an indefinite subject or as a reflexive substitute for the passive.

E. PRONOUNS USED AS OBJECTS OF PREPOSITIONS

1.

	SINGULAR				PLURAL		
para {	mí	for {	me		nosotros, –as	for {	us
	ti		you (*fam.*)	**para** {	vosotros, –as		you (*fam.*)
	él		him, it (*m.*)		ellos		them (*m.*)
	ella		her, it (*f.*)		ellas		them (*f.*)
	usted		you (*formal*)		ustedes		you (*formal*)

With the exception of the first and second persons singular, the forms which are used as objects of <u>prepositions</u> are the same as the subject pronouns. Note, however, the difference in meanings, and remember that direct and indirect object pronouns (**me, te, le,** etc.) are never used after prepositions.

Used with **con,** the first and second persons singular have the special forms **conmigo** and **contigo.**

Occasionally **mí, ti, nosotros, –as, vosotros, –as,** and **sí** (third person singular and plural) are used reflexively: **para mí,** *for myself;* **para nosotros, –as,** *for ourselves;* **para sí,** *for himself, herself, yourself* (formal), *themselves, yourselves* (formal). When used with **con, sí** becomes **consigo,** *with himself,* etc. This form will be used later in the text.

2. **Le doy a ella el dinero.** I give her the money.
   Me enseñó a mí las fotografías. He showed *me* the photographs.
   ¿ Le gustan a Vd. ? Do you like them ?
   Vi a su hermano y a la novia de él. I saw your brother and his fiancée.

The prepositional forms are often used with the preposition **a** <u>in addition to</u> the direct and indirect object pronouns for emphasis and, in the third person, also for clearness. In the case of **usted(es)** it is more polite to use the prepositional form in addition to the object pronoun. See page 66.

The prepositional forms are also used with **de** (fourth example) to clarify **su(s),** *his, her, your* (formal), *their.*

F. USE OF THE DEFINITE ARTICLE IN A GENERAL SENSE

Me gustan los caballos. I like horses (*i.e.,* all horses).
Les gusta la música. They like music (*i.e.,* music in general).
Los peruanos trabajan mucho. Peruvians work hard.
Gozan de la vida. They enjoy life.

If a noun in Spanish denotes a general class, that is, if it applies to all horses, music in general, all Peruvians, etc., the definite article is used with it. Many sentences begin with nouns of this type. However, contrast this use with that where *some* and *any* are involved: **Compra libros,** *He buys (some) books;* **¿ Tiene Vd. dinero hoy?** *Do you have any money?*

The definite article is also used in Spanish with abstract nouns, such as life, liberty, etc.

EXERCISES

A. Substitute Spanish forms for the English in italics, then translate:

1. Eduardo *is* leyendo un libro. 2. Nosotros estamos *reading it* también.
3. Pasan mucho tiempo *chatting*. 4. *Passing* cerca de la casa, le hablé a ella.
5. No *being able to* ver a Juan, volví a casa. 6. Ellos *were* diciéndoles muchas
cosas interesantes acerca del Perú. 7. Se cree que Roberto está *thinking about*
María. 8. Antes de *finishing* la carta, salió. 9. *By running*, llegamos a tiempo.
10. *I am* levantándome ahora. 11. Nos estamos *washing* las manos. 12. Al *en-*
tering en el cuarto, se sentó.

B. Read each sentence in Spanish, then repeat, changing the inflected
verbs to the preterit:

1. Ella viene a darme la fotografía. 2. Hace lo que le digo. 3. Ellas dicen
que van al baile. 4. No quiero ir allá. 5. Se ve que dice la verdad. 6. Se
sienta a la mesa y come. 7. Decimos que nos levantamos temprano. 8. Vienen
cuando los llamo.

C. Place the object pronouns in the proper position in each sentence
in the group:

1. (nos) Ella escribe. Quiere escribir. Está escribiendo. 2. (lo) Gano.
Gane Vd. Traté de ganar. 3. (les) Dice la verdad. Diga Vd. la verdad. Voy
a decir la verdad. 4. (le) Doy un caballo. No dé Vd. un caballo. No puedo
comprar un caballo. 5. (me) Levanto. Pienso levantar. Estoy levantando.

D. Give the English for:

1. Se viaja mucho en avión en la América del Sur. 2. Se come bien aquí.
3. Se sabe que gozan de la vida allí. 4. Se cree que está haciendo un viaje largo.
5. Se abren las ventanas cuando hace calor en el cuarto. 6. Se cerraron
después de media hora. 7. ¿ Cómo puede uno decirle a ella lo que debe hacer ?
8. Sí que todos estaban hablando al mismo tiempo.

E. Read in Spanish, giving the correct Spanish forms for the words
in italics:

1. Tráigalo Vd. para *me*. 2. ¿ Quiere Vd. ir a la iglesia con *her ?* 3. Arturo
no hizo el viaje *with me*. 4. Ella quería ir al Perú con *them*. 5. Sí que ella
pensaba en *him*. 6. El coche estaba cerca de *it* (*f.*). 7. No pueden partir sin
us. 8. ¿ Quién vino con *you* anoche? 9. María, yo quiero ir *with you* (*fam.*).
10. Felipe se sentó lejos de *her*. 11. Trabajo para *myself*. 12. Lo compraron
para *themselves*. 13. El primo de Juan y *your* hermana vienen. 14. Mi libro
y *his* cuaderno están en la mesa. 15. Me enseñaron *her* fotografías.

COMPOSITION

1. Arthur's sister told Mr. White that he intended to fly to Peru in January. 2. Mr. White made a long trip through South America last year and he spent several weeks in that country. 3. One of the most interesting places he visited was Cuzco, the old capital of the Incas. 4. After looking at some photographs of the ancient ruins near Cuzco, Arthur wanted to see that part of the country. 5. One can make the trip by plane from Lima to Cuzco in two hours and a half. 6. However, Mr. White flew to Arequipa, a flight of three hours, and took the train which did not reach Cuzco until the following night. 7. A woman told Arthur that Peruvians are lazy and that they do not work hard. 8. It is true that they do not spend so much time thinking about money as North Americans. 9. Indeed they work, but people say that at the same time they know how to enjoy life more than we [do]. 10. Look at these photographs of the schools, business buildings, and factories which we can see in Peru today. 11. I believe that Cuzco is one of the most interesting cities in South America. 12. Do you agree with me? — Of course!

LECTURA VIII

Árboles y plantas

Ya sabemos que América ha dado [1] al mundo una gran variedad de árboles y de plantas de mucha importancia. Se cree que la planta que hoy día conocemos con el nombre de maíz, se originó en el sur de Méjico o en algún lugar de la América Central. En los tiempos antiguos de los mayas, como se llamaban los indios que habitaban esa región, había una planta silvestre [2] llamada *teocentli*. En la lengua de los mayas *teo* significaba divino y *centli*, maíz. Así es que la planta era para ellos una cosa divina, el maíz de los dioses. [3] Poco a poco los mayas y otras tribus indígenas aprendieron a cultivar el *teocentli*, que con el tiempo se convirtió [4] en lo que hoy llamamos maíz. El cultivo y el desarrollo [5] de esta planta tuvieron una gran influencia en la vida de esas tribus, puesto que [6] muchos hombres se quedaban a vivir cerca de los campos de cultivo para cuidar y cosechar [7] el grano. Así se establecieron pueblos permanentes que naturalmente necesitaron crear leyes [8] y formar una organización social, de lo cual [9] resultó la civilización indígena. En realidad puede decirse que el maíz fué la base de esta civilización; todavía hoy, el maíz es uno de los productos más importantes del mundo.

Siglos antes de la llegada de los españoles al Nuevo Mundo, ya se conocía otra planta indígena de las regiones tropicales de América, el cacao. No se sabe exactamente dónde se originó. Las palabras *chocolate* y *cocoa* designan en inglés el producto de las semillas [10] del cacao, cuyo nombre botánico significa alimento [11] de los dioses. La palabra *chocolate* viene de dos palabras: *xococ*, agrio, [12] y *atl*, agua.

Muchos años antes del descubrimiento de América los habitantes de Méjico y de la América Central ya usaban el chocolate. Los aztecas usaban las semillas de cacao para pagar el tributo a su emperador Moctezuma y como moneda en el comercio. Dice una leyenda que el chocolate era la única bebida [13] que tomaba Moctezuma y que todos los días tomaba por lo menos [14] cincuenta jícaras. [15] También el conquistador de Méjico, Hernán Cortés, y sus soldados tomaban chocolate. Fueron los españoles del Nuevo Mundo quienes [16] llevaron el chocolate a Europa. El chocolate es hoy uno de los alimentos predilectos de todo el mundo.

Otra planta también conocida antes de la llegada de los españoles es la yerba mate. Es parecida al naranjo

---

[1] **ha dado**, *has given*. [2] **silvestre**, *wild*. [3] **dioses**, *gods*. [4] **se convirtió**, *was converted*. [5] **desarrollo**, *development*. [6] **puesto que**, *since*. [7] **cuidar y cosechar**, *to care for and harvest*. [8] **crear leyes**, *to create laws*. [9] **de lo cual**, *from which*. [10] **semillas**, *seeds*. [11] **alimento**, *food*. [12] **agrio**, *sour*. [13] **bebida**, *drink*. [14] **por lo menos**, *at least*. [15] **jícaras**, *cups*. [16] **Fueron . . . quienes = Los españoles del Nuevo Mundo fueron quienes** (*the ones who*).

150

Coconut palms in Honduras

Sorting cocoa beans in Costa Rica

Pineapple plantation in Puerto Rico

y se cultiva en la Argentina, el Paraguay y el Brasil. Con ella se hace una bebida que a veces llaman el té paraguayo. Se prepara con agua caliente y se bebe por un pequeño tubo de metal o de madera [1] que se llama bombilla. La palabra *mate* se usa para referirse a la calabaza [2] en que se sirve; también como forma abreviada de *yerba mate*. Esta bebida es tan tradicional en esos países como el té en Inglaterra. Todas las clases sociales toman el *mate* además del café.

Ricardo Palma, famoso autor peruano, nos relata una leyenda muy interesante de otra planta. A principios del siglo diez y siete el nuevo virrey [3] don [4] Luis Fernández de Cabrera, conde de Chinchón, llegó al Perú. Su esposa, la condesa, era una mujer muy hermosa. Al poco tiempo [5] la condesa se puso [6] muy enferma de una fiebre alta que hoy día los médicos

llaman malaria. Nadie podía curarla y todos estaban muy tristes. Parecía que la señora iba a morir y todos decían que solamente un milagro [7] podía salvarla. Un día un indio anciano vino a ver al virrey y le dió un polvo con el que los incas curaban esa misma fiebre desde hacía varios siglos. [8] La condesa pronto quedó completamente bien y desde entonces el mundo tiene [9] una medicina importante. Por haber curado [10] a la condesa de Chinchón, se dió el nombre de « chinchona » a esta medicina que se hacía de la cáscara [11] de un árbol peruano. Hoy día se le llama [12] quinina.

En las regiones de los Andes se encuentra otra planta, la coca, que ha tenido [13] mal efecto en la vida de los indios. Para combatir el hambre, el frío y la fatiga, muchos de ellos todavía mascan hojas de coca, [14] que contienen cocaína. Las hojas de coca

---

[1] **madera,** *wood.* [2] **calabaza,** *gourd.* [3] **virrey,** *viceroy.* [4] **don,** a title not translated. [5] **Al poco tiempo,** *After a short time.* [6] **se puso,** *became.* [7] **milagro,** *miracle.* [8] **un polvo . . . siglos,** *a powder with which the Incas had been curing that same fever for several centuries.* [9] **tiene,** *has had.* [10] **Por haber curado,** *Because of having cured.* [11] **cáscara,** *bark.* [12] **se le llama,** *it is called.* [13] **ha tenido,** *has had.* [14] **mascan hojas de coca,** *chew coca leaves.*

Inspecting bananas in Guatemala

les sirven de estimulante, pero hacen mucho daño al[1] sistema nervioso. Se dice que si tienen bastantes hojas que mascar, los indios de los Andes pueden trabajar varios días sin comer y sin descansar.

No podemos mencionar todas las plantas que se originaron en las Américas, pero algunas de ellas son el plátano o banano, la vainilla, el chicle, cuya leche se usa para hacer goma de mascar;[2] la yuca, de que se saca la *tapioca*, que los pobres de varios países usan como alimento; y un gran número de frutas tropicales que no tienen nombre en inglés.

Y no debemos olvidar otros productos como el chile, el tomate, el camote, el tabaco, la calabaza,[3] el algodón[4] y la patata. La patata, que en muchas partes de la América Española llaman papa, se originó en los Andes. Los españoles la llevaron a España a principios del siglo diez y seis y ha llegado a ser[5] uno de los alimentos más importantes del mundo.

---

[1] **hacen mucho daño al,** *do much harm to the.*   [2] **goma de mascar,** *chewing gum.*   [3] **calabaza,** *pumpkin, squash.*   [4] **algodón,** *cotton.*   [5] **ha llegado a ser,** *it has become.*

Cigar factory in Honduras

3000 year-old cypress tree, Mexico
Ewing Galloway, N. Y.

QUESTIONS

1. ¿ Dónde se originó el maíz? 2. ¿ Cómo se llamaba la planta silvestre? 3. ¿ Qué indios vivían allí? 4. ¿ Qué era la planta para ellos? 5. ¿ Por qué se quedaron los indios cerca de los campos? 6. ¿ De qué fué la base el maíz?

7. ¿ Qué otra planta indígena se conocía en las regiones tropicales? 8. ¿ Cuáles son algunos productos modernos de las semillas del cacao? 9. ¿ Para qué usaban las semillas los aztecas? 10. ¿ Quién tomaba mucho chocolate? 11. ¿ Lo tomaban también los españoles?

12. ¿ Dónde se cultiva la yerba mate? 13. ¿ A qué árbol es parecida? 14. ¿ Con qué se prepara el mate? 15. ¿ Quiénes toman esta bebida?

16. ¿ Quién fué Ricardo Palma? 17. ¿ En qué siglo llegó al Perú don Luis Fernández de Cabrera? 18. ¿ Quién tenía una fiebre alta? 19. ¿ Qué le dió al virrey un indio anciano? 20. ¿ Qué nombre se dió a la medicina?

21. ¿ Qué hojas mascan hoy día los indios de los Andes? 22. ¿ Por qué las mascan? 23. ¿ Qué pueden hacer los indios si las mascan? 24. ¿ Cuáles son otras plantas de las Américas? 25. ¿ Para qué se usa la leche del chicle? 26. ¿ Cuáles son otros productos de las Américas? 27. ¿ Dónde se originó la patata? 28. ¿ Cuándo la llevaron a Europa los españoles?

WORD STUDY

a. Compare the meanings of: cultivar, cultivo; beber, bebida; médico, medicina; conde, condesa; importante, importancia.

b. Since adverbs are often formed by adding **–mente** *to the feminine singular of adjectives, give the corresponding adverb for:* natural, especial, exacto, solo, completo.

c. Give opposites for: nuevo, mucho, pequeño, mujer, después de, frío, buen.

d. Give the Spanish word for the native of each of the following areas (some have been used earlier): España, Francia, Italia, Portugal, Inglaterra, la América Española, la América del Norte, el Perú, el Paraguay, Méjico.

ROBERT WILLIAM HINDS

14

Irregular verbs having *u*-stem preterits

Verbs with changes in spelling in the preterit

Combinations of two personal object pronouns

Demonstrative pronouns   Uses of *encontrar* and *hallar*,

volver and *devolver*   The idiom *acabar de*

SPANISH USAGE

— Carolina, ¿ dónde estuviste entre las ocho y las nueve ?
— preguntó Marta a Carolina cuando se encontró con ella en la
calle. — Traté tres veces de llamarte para saber si podías ir de
compras conmigo.

5   — Nadie estaba en casa a esa hora. Mi mamá estaba en casa
de mi tía y cuando supe que la criada no podía venir a trabajar
hoy, tuve que ir al mercado a comprar pan, legumbres, carne y
otras cosas. No llegué a casa hasta las nueve y media. Para
venir al centro tomé el autobús de las diez y acabo de llegar. Tú,
10 ¿ a dónde vas ahora ?

— Tengo que estar en casa al mediodía; por eso tengo poco
tiempo y no puedo hacer mucho.

— ¿ Hallaste lo que buscabas ?

— Sí. Primero empecé con una blusa que me van a mandar
15 a casa. Luego busqué un sombrero y encontré uno muy bonito.
Después encontré un par de guantes preciosos que están muy de

moda. Me los probé y decidí comprarlos, pero no pude porque no tenía bastante dinero en la bolsa. Por eso tuve que dejarlos hasta otro día.

— Yo tengo un billete de diez dólares que mi papá me dió esta mañana. No lo necesito y puedo prestártelo si quieres. 5

— Muchas gracias, eres muy amable. Lo acepto con mucho gusto, y te lo devuelvo esta noche. Precisamente ésta es la tienda. ¿ Quieres entrar conmigo para ver los guantes ?

— Si no tardas mucho, sí te acompaño. A las once tengo una cita con Tomás, que acaba de volver de Chile. Vamos a almorzar 10 aquí en el centro.

(*Las muchachas se detuvieron frente al mostrador donde vendían los guantes. La empleada se los enseñó a Marta otra vez.*)

— ¿ Te gustan éstos ? — le preguntó Marta a Carolina, probándoselos. — A mí me gustan más que aquellos rojos que están 15 allí.

— Sí que son preciosos éstos. Son mucho más bonitos que ésos.

(*Marta pagó los guantes, la empleada se los entregó a Marta, y ésta los puso en su bolsa para llevárselos.*) 20

— Si vas a estar en casa esta noche, puedo traerte el dinero — dijo Marta cuando salieron de la tienda.

— No hay prisa. Muy bien puedo esperar hasta mañana. Hasta luego.

— Favor de saludar a Tomás de mi parte. Hasta la vista. 25

VOCABULARY

acabar to end, finish
aceptar to accept
almorzar (ue) to have (take) lunch
el billete bill, bank note
la blusa blouse
la bolsa purse, bag
la carne meat
la cita date, appointment
la criada maid
decidir to decide
detenerse (*like* **tener**) to stop
devolver (ue) to return, give back

empezar (ie) (a + *inf*.) to begin (to)
encontrar (ue) to find; *reflex.* find oneself, be, be found
entregar to hand (over), give
frente a *prep.* in front of
el guante glove
hallar to find; *reflex.* find oneself, be, be found
la legumbre vegetable
llevarse to take away, take with oneself

mandar to send, order
el mediodía noon
la moda style, fashion
pagar to pay, pay for
el pan bread
el par pair

precisamente precisely
prestar to lend
la prisa haste, hurry
probarse (ue) to try on
saludar to greet
tardar to delay, be long

acabar de + *inf.* to have just + *p.p.*
al mediodía at noon
billete de (diez) dólares (ten)-dollar bill
de mi parte for me, on my part
el autobús (de las diez) the (ten-o'clock) bus
encontrarse con to meet, run across
estar (muy) de moda to be (very) stylish, be (very) fashionable
favor de + *inf.* please + *verb*
gustar más (que) to like better (than), prefer (to)
por eso because of that, therefore, for that reason
sí (te acompaño) certainly *or* indeed (I'll accompany you)
te lo devuelvo I'll return it to you

QUESTIONS

1. ¿ Con quién se encontró Marta en la calle? 2. ¿ Qué le preguntó a Carolina? 3. ¿ Qué trató de hacer Marta aquella mañana? 4. ¿ Dónde está la madre de Carolina? 5. ¿ Quién no vino a trabajar aquel día? 6. ¿ Qué tuvo que hacer Carolina? 7. ¿ Qué compró en el mercado? 8. ¿ A qué hora llegó a casa? 9. ¿ Qué autobús tomó? 10. ¿ Qué compró Marta en la tienda? 11. ¿ Qué encontró después? 12. ¿ Estaban de moda los guantes? 13. ¿ Decidió comprarlos? 14. ¿ Por qué no pudo? 15. ¿ Cuánto dinero le prestó Carolina a Marta? 16. ¿ Cuándo puede devolvérselo Marta? 17. ¿ Entró Carolina en la tienda con Marta? 18. ¿ Dónde se detuvieron? 19. ¿ Le gustaron a Carolina los guantes? 20. ¿ Se los probó Marta otra vez? 21. ¿ Qué hizo ella después de pagarlos? 22. ¿ Quiere Carolina el dinero esa noche? 23. ¿ A quién va a ver Carolina? 24. ¿ Qué le dice Marta a Carolina?

GRAMMATICAL USAGE

A. IRREGULAR VERBS HAVING U–STEM PRETERITS

estar	poder	poner	saber	tener
		SINGULAR		
estuve	pude	puse	supe	tuve
estuviste	pudiste	pusiste	supiste	tuviste
estuvo	pudo	puso	supo	tuvo

PLURAL

estuvimos	pudimos	pusimos	supimos	tuvimos
estuvisteis	pudisteis	pusisteis	supisteis	tuvisteis
estuvieron	pudieron	pusieron	supieron	tuvieron

Note that these five verbs have **u**-stem preterits, and that the endings are the same as for the four verbs in Lesson 13 which have **i**-stems in the preterit. They are translated as follows: **estuve,** *I was;* **pude,** *I could, was able to;* **puse,** *I put, did put, I placed, did place;* **tuve,** *I had, did have.* **Tuve** also may mean *I got, received.* The preterit of **saber** is usually translated: **Cuando supe,** *When I learned, found out.*

B. VERBS WITH CHANGES IN SPELLING IN THE PRETERIT

buscar: **busqué,** buscaste, buscó, etc.
llegar: **llegué,** llegaste, llegó, etc.
empezar: **empecé,** empezaste, empezó, etc.

Review the sounds of the consonants **c, g,** and **z,** then note that in order to keep the sound of the final consonant of the stem of a Spanish verb, a change in spelling is often necessary. Before the ending –**e** in the first singular preterit, all verbs ending in –**car** change **c** to **qu;** those ending in –**gar** change **g** to **gu,** and those ending in –**zar** change **z** to **c.**

Note that **empezar** is also a stem-changing verb in the present tense: **empiezo, empiezas, empieza, empezamos, empezáis, empiezan. Comenzar** has the same changes.

C. COMBINATIONS OF TWO PERSONAL OBJECT PRONOUNS

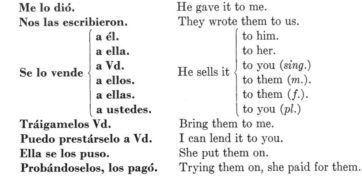

| **Me lo dió.** | He gave it to me. |
| **Nos las escribieron.** | They wrote them to us. |

Se lo vende
- a él. — to him.
- a ella. — to her.
- a Vd. — to you (*sing.*)
- a ellos. — to them (*m.*)
- a ellas. — to them (*f.*)
- a ustedes. — to you (*pl.*)

He sells it

Tráigamelos Vd.	Bring them to me.
Puedo prestárselo a Vd.	I can lend it to you.
Ella se los puso.	She put them on.
Probándoselos, los pagó.	Trying them on, she paid for them.

The indirect object pronoun precedes the direct when two pronouns are used as objects of the same verb. When both pronoun objects are in the third person, **se** replaces the indirect **le** or **les**. Thus **se lo** replaces **le lo, les lo; se la** replaces **le la, les la,** etc. Never use two pronouns together which begin with **l**. Since **se** in this combination may mean *to him, her, you, it,* or *them,* the prepositional forms will often be required in addition to **se** for clearness.

A reflexive pronoun precedes any other object pronoun. When two pronouns are added to an infinitive, an accent mark must be written over the final syllable of the verb. Also note that an accent mark is written on the next to the last syllable of a present participle when either one or two pronouns are added.

Práctica. Read in Spanish, noting the position of the object pronouns and the accented forms:

1. Me lo da. Va a dármelo. Está dándomelo. Démelo Vd. No me lo dé Vd.
2. Se lo vendo a él. Quiero vendérselo. Vendiéndoselo. Véndaselo Vd. No se lo venda Vd.
3. Se lo pone. Trata de ponérselo. Está poniéndoselo. Póngaselo Vd. No se lo ponga Vd.
4. No se los prestó a ellos. No pudo prestárselos. Prestándoselos. Présteselos Vd. No se los preste Vd.

D. DEMONSTRATIVE PRONOUNS

éste, ésta, éstos, éstas	this (one), these
ése, ésa, ésos, ésas	that (one), those
aquél, aquélla, aquéllos, aquéllas	that (one), those
esto, eso, aquello	this, that (neuter)

estos guantes y ésos these gloves and those (near you)
aquella blusa y ésta that blouse (yonder) and this one
¿ Qué es esto ? What is this ?
Eso es interesante. That is interesting.

The demonstrative pronouns are the same in form as the demonstrative adjectives, except for the written accent on the pronouns (see page 55). The use of the pronouns corresponds to that of the adjectives.

The three neuter pronouns are used when the antecedent is a statement, a general idea, or something which has not been identified. Since there are no neuter adjectives, an accent is not required on these three forms.

The demonstrative pronoun **éste** (**–a, –os, –as**) often translates *the latter* in Spanish:

> **La empleada se los entregó a Marta, y ésta los puso en su bolsa.**
> The clerk handed them to Martha, and the latter put them in her purse.

E. USES OF *ENCONTRAR* AND *HALLAR*, *VOLVER* AND *DEVOLVER*

> **Encontré uno muy bonito.** I found a very pretty one.
> **Encontramos a Juan en la calle.** We met John in the street.
> **Ella se encontró con Marta.** She met (ran across) Martha.
> **¿Hallaste lo que buscabas?** Did you find what you were looking for?

Both **encontrar** and **hallar** mean *to find*. **Encontrar** also means *to meet* (by chance), *encounter*, while **encontrarse con** means *to meet, run across, run into*.

> **Volvió a casa.** He returned home.
> **Le devolví a ella el dinero.** I returned the money to her.

Volver means *to return, come back*, while **devolver** means *to return, give back*, e.g., something borrowed.

F. THE IDIOM *ACABAR DE*

> **Acabo de llegar.** I have just arrived.
> **Acababan de traerlo.** They had just brought it.

The present and imperfect of **acabar de** plus an infinitive translate English *have (had) just* plus the English past participle.

EXERCISES

A. Give the English for:

1. están, estaban, estuvieron. 2. pongo, ponía, puse. 3. puede, podía, pudo. 4. tiene, tenía, tuvo. 5. busco, buscaba, busqué. 6. empiezo, empezaba, empecé. 7. encuentran, encontraban, encontraron. 8. pago, pagaba, pagué. 9. se prueba, se probaba, se probó. 10. somos, éramos, fuimos.

B. Read in Spanish, giving the correct Spanish forms for the words in italics and placing them in the proper position:

1. Traiga Vd. el coche para *him*.   2. Quiero ir al cine con *her*.   3. Ella no puede ir con *you (formal)*.   4. ¿ No puede Vd. volver a casa *with me* ?   5. Nunca salen sin *us*.   6. Estaba frente a *it (f.)*.   7. Ella compró una bolsa y mandó *it to me*.   8. Yo tenía un par de guantes y enseñé *them to her*.   9. Saben la verdad y quieren decir *it to us*.   10. Tengo el sombrero de Arturo y voy a devolver *it to him*.   11. Ella recibió una carta y estaba leyendo *it to them*.   12. *Her* sombrero está en la mesa; pruébese *it*.   13. Traiga *it to me* después de poner *it on*.   14. Le presté a Vd. el dinero, pero no devuelva *it to me* hasta mañana.   15. Al salir de *it (m.)*, me encontré con *them* en la calle.

C. Complete in Spanish, giving the proper form of the preterit or imperfect tense of the verbs in italics, when required:

1. Mi madre *got up* a las siete.   2. Ella *found out* que la criada no *could* venir.   3. Ella *said* que yo *had* que ayudarla.   4. Después de *taking* el desayuno, ella me *gave* dinero para ir al mercado.   5. Como *it was* sol, *I put on* el sombrero antes de *going out* a la calle.   6. Me *met* con Marta y *we chatted* un rato.   7. Su madre *was* enferma y ella también *had* que ir de compras.   8. Yo *looked for* legumbres y café y ella *found* carne y otras cosas.   9. Ella *did not have* bastante dinero y yo le *lent* cinco dólares.   10. *I arrived* a las diez y *I began* a limpiar la casa.   11. Como *it was* buen tiempo, *I did not want to* quedarme en casa.   12. Al mediodía Marta *came* para *return* el dinero.   13. Ella me *sent* una blusa que su hermana *made* para ella la semana pasada.   14. *I liked* la blusa y *decided* comprar una de la misma moda pero de otro color.

D. Complete the following:

1. Este billete y *that one* (near you).   2. Aquellas legumbres y *these*.   3. Esa carne y *this*.   4. Estas blusas y *those* (yonder).   5. Aquella criada y *this one*.   6. Mis guantes y *those* (near you).   7. Los guantes de Inés y *these*.   8. Nuestra casa y *that one* (yonder).   9. *This* es fácil.   10. No creo *that*.   11. Ana y Carmen acaban de salir; *the latter* es mi hermana.   12. ¿ Ve Vd. a Carlos y a Luis ? *The latter* es mi primo.

E. Give the Spanish for:

1. This hat is very stylish.   2. Lend me a five-dollar bill, please.   3. I'll return it to you at once.   4. He returned home at noon.   5. He ran across Charles in the store.   6. He has just left the house.   7. I had just seen the women. 8. We are thinking of them.   9. He often came to see me.   10. Indeed I paid for the vegetables and sent them home.   11. Charles likes these gloves.   12. I handed them to him.   13. Do you have a date with him tonight ?   14. Please greet him fo me (on my part).   15. I began (*both verbs*) to write the composition.

COMPOSITION

1. I ran across Martha in the street this morning. 2. Her mother was ill and she could not go to the market. 3. She asked me if I could go shopping with her. 4. The maid did not come to work today and I had to buy bread, meat, and vegetables. 5. Near the market I looked for something for my mother's birthday. 6. I could not find anything there and Martha went to another store with me. 7. The clerk showed us many beautiful things which they were selling at special prices. 8. After looking at them, I tried on a pair of white gloves. 9. They were very stylish and I decided to buy them. 10. As I did not have enough money in my purse, Martha lent it to me. 11. I returned it to her when I went to her house at noon. 12. My mother is not at home this afternoon and I cannot give them to her until tonight.

LECTURA IX

Fiestas

Los países de habla española celebran muchas fiestas. Unas son nacionales; otras son religiosas. Nosotros celebramos el aniversario de nuestra independencia el cuatro de julio; los mejicanos celebran el suyo [1] el diez y seis de septiembre. En Méjico esa fecha no representa una victoria, sino el principio de la larga lucha contra lo que muchos mejicanos consideraban el mal gobierno español en su país. Honran a Miguel de Hidalgo, un padre católico que el día quince de septiembre del año de 1810 pronunció las palabras que al día siguiente [2] iniciaron el movimiento revolucionario contra los españoles. Todas las repúblicas hispanoamericanas honran a sus héroes nacionales y celebran el aniversario de su independencia de la dominación española. Muchas veces estas fiestas duran dos o tres días.

En los Estados Unidos cuando llega el treinta y uno de octubre, los chicos se ponen máscaras y van por las calles dando bromas a [3] todo el mundo. Esto corresponde al día de Todos los Santos,[4] el primero de noviembre en los países españoles, pero allí no dan bromas a otras personas como en nuestro país. Méjico celebra la memoria de los niños muertos,[5] el primero de noviembre y la memoria de los adultos al día siguiente. En los pueblos muchas personas encienden velas [6] en las iglesias o junto a las tumbas, y a veces preparan platillos para los espíritus de los muertos. Naturalmente los vivos se los comen.[7] En las ciudades mucha gente visita los cementerios y adorna las tumbas con flores frescas o artificiales. En las calles se venden dulces y pasteles en forma de calaveras y esqueletos.[8]

---

[1] **el suyo,** *theirs.*   [2] **al día siguiente,** *on the following day.*   [3] **dando bromas a,** *playing tricks on.*   [4] **día de Todos los Santos,** *All Saints' day.*   [5] **muertos,** *dead.*   [6] **encienden velas,** *light candles.*   [7] **los vivos se los comen,** *the living eat them up.*   [8] **calaveras y esqueletos,** *skulls and skeletons.*

164

El mundo católico dedica cada día del año a un santo; a veces a varios santos. Cuando se bautiza a un niño,[1] éste recibe el nombre de un santo y cada año celebra ese día más bien que [2] el aniversario de su nacimiento. Es un día de gran alegría [3] en que hay regalos, tertulias y comidas.

En España hay muchas fiestas típicas que hoy día tienen elementos religiosos y festivos. Por ejemplo, la verbena, que se celebra la víspera [4] del día de algún santo patrón, es una feria semejante a los carnavales de nuestro país. Otra es la romería, que honra al santo patrón de algún pueblo y que consiste en una excursión a pie a la capilla [5] del santo que está fuera del pueblo. Después de las ceremonias religiosas en la capilla, hay una fiesta que se parece a [6] un *picnic*. Todos comen y cantan y bailan hasta la hora de volver al pueblo.

El día de San Antón es interesante porque este santo es el patrón de los burros, de las mulas y de los caballos. El diez y siete de enero adornan a los animales y los llevan a recibir la bendición [7] de San Antón de manos de un padre.

San Cristóbal,[8] el patrón de los viajeros, protege contra accidentes. Dicen que si uno ofrece una oración [9] al santo, no puede pasarle ningún mal[10] durante el resto del día. Muchas personas llevan imágenes o medallas de San Cristóbal en sus coches para pedirle protección. La fiesta de este

"Festival Procession" by Sorolla

[1] **se bautiza a un niño,** *a child is baptized.* [2] **más bien que,** *rather than.* [3] **alegría,** *joy.* [4] **víspera,** *eve.* [5] **capilla,** *chapel.* [6] **se parece a,** *resembles.* [7] **bendición,** *blessing.* [8] **Cristóbal,** *Christopher.* [9] **oración,** *prayer.* [10] **no puede pasarle ningún mal,** *no harm can happen to him.*

Festival of "La Merced", Barcelona

"Penitents in Holy Week in Seville" by Sorolla

santo es el diez de julio y ese día llevan los coches a recibir la bendición de San Cristóbal.

El veinte y ocho de diciembre, Día de los Inocentes,[1] es para los españoles lo que el primero de abril es para nosotros. Todos tratan de dar bromas a sus amigos y se divierten mucho.

Otras fiestas importantes son el Carnaval y la Pascua Florida.[2] El Miércoles de Ceniza [3] marca el fin del Carnaval y el principio de los cuarenta días de la Cuaresma.[4] En las fiestas de Carnaval casi todo el mundo se pone una máscara y un traje grotesco, sale a la calle y tira confeti y serpentinas. Todas las noches hay bailes, y por todas partes reina [5] la alegría.

Durante la Cuaresma no hay fiestas. Solamente se celebran las procesiones religiosas de la Semana Santa,

---

[1] **Día de los Inocentes** = *April Fool's Day*. (An **inocente** is a gullible person or one easily duped.) [2] **Pascua Florida**, *Easter*. [3] **Miércoles de Ceniza**, *Ash Wednesday*. [4] **Cuaresma**, *Lent*. [5] **reina**, *reigns*.

que empieza el Domingo de Ramos [1] y termina el Domingo de Resurrección.[2] En Sevilla se observa esta semana de [3] manera solemne y espléndida. Muchas sociedades religiosas forman procesiones que pasan por las calles llevando pasos [4] grandes en que van las imágenes de Cristo y de la Virgen. Las procesiones, que presentan la Pasión de Cristo en forma impresionante y hermosa, terminan el Viernes Santo, el día más triste de la Semana Santa. Pero con el Sábado de Gloria [5] vuelve la alegría. El Domingo de Resurrección se llama la Pascua Florida porque en todas las iglesias adornan de flores los altares. A las diez de la mañana del Sábado de Gloria tocan las campanas [6] de todas las iglesias. Igual que [7] en nuestro país, el Domingo de Resurrección la gente se pone la ropa más elegante y va a la iglesia. Por la tarde muchos van a la corrida de toros.

[1] **Domingo de Ramos,** *Palm Sunday.* [2] **Domingo de Resurrección,** *Easter Sunday.* [3] **de,** *in a.* [4] **pasos,** *floats.* (**Pasos** are the heavy platforms on which life-sized figures representing Christ, the Virgin, and other persons who figured in the Passion of Christ are carried through the streets of Seville during Holy Week by members of the churches and religious societies.) [5] **Sábado de Gloria,** *Holy Saturday.* [6] **campanas,** *bells.* [7] **Igual que,** *The same as.*

Guatemalan dancers

QUESTIONS

1. ¿ Cuándo celebramos el aniversario de nuestra independencia?
2. ¿ Cuándo lo celebran en Méjico? 3. ¿ A quién honran los mejicanos?
4. ¿ Quién fué Hidalgo?
5. ¿ En qué día se ponen máscaras los chicos de los Estados Unidos?
6. ¿ A qué corresponde esto en los países españoles? 7. ¿ Qué hacen muchas personas en los pueblos de Méjico? 8. ¿ Qué hace la gente de la ciudad? 9. ¿ Qué venden en las calles?
10. ¿ Qué recibe un niño español cuando se bautiza? 11. ¿ Qué celebra una persona cada año? 12. ¿ Qué hay en ese día? 13. ¿ Cuándo se celebra una verbena? 14. ¿ Qué honra la romería? 15. ¿ Qué hacen todos después de las ceremonias religiosas?
16. ¿ De qué es patrón San Antón? 17. ¿ Quién es el patrón de los viajeros? 18. ¿ Qué llevan muchas personas? 19. ¿ Cuándo es la fiesta de San Cristóbal? 20. ¿ Qué día es el veinte y ocho de diciembre? 21. ¿ Qué tratan de hacer todos?
22. ¿ Qué marca el Miércoles de Ceniza? 23. ¿ Qué hace casi todo el mundo en las fiestas de Carnaval? 24. ¿ Qué hay todas las noches? 25. ¿ Hay fiestas durante la Cuaresma? 26. ¿ Cuándo empieza la Semana Santa? 27. ¿ Cuándo termina? 28. ¿ Qué llevan en las procesiones en Sevilla? 29. ¿ Cuál es el día más triste de la Semana Santa? 30. ¿ Qué hace todo el mundo el Domingo de Resurrección?

WORD STUDY

a. Contrast the meanings of: viaje, viajar, viajero; protección, proteger; fiesta, festivo; nacer, nacimiento; baile, bailar.

b. Give the meanings of the following cognates and indicate the principle involved in recognizing them: aniversario, independencia, victoria, revolucionario, dominación, memoria, religioso, sociedad, celebrar, dedicar, representar, adornar.

c. Pronounce the following words aloud, then give the meaning of each: católico, fuerzas, movimiento, héroe, máscara, adulto, tumba, esqueleto, accidente, imagen, medalla, grotesco, solemne, espléndido.

d. In this Lectura find opposites for: los adultos, comprar, los vivos, algún, el fin, entrar, empezar.

15

Past participles   The present perfect and pluperfect
indicative tenses   The past participle used as an adjective
Other uses of *haber*   *Hace*, meaning "ago, since"

SPANISH USAGE

—¡Hola, Ricardo! ¿ Dónde has estado ? Pasé por tu casa
hace dos horas y no había nadie allí.

—Fuí a la playa, Vicente. Cuando hace calor y tengo
tiempo, me gusta ir a nadar en el mar.

5 —¿ Había mucha gente ?

—Sí, mucha. Parecía que todo el mundo había ido a nadar.
Nunca he visto tanta gente en la playa.

—¿ No te gusta nadar en un lago o en un río ?

—Pues, nunca he ido porque por aquí cerca no hay ni lagos
10 ni ríos. ¿ Y tú ?

—Ni yo tampoco. A veces voy a una piscina. Me gusta
más nadar en el mar, pero el martes pasado fuí y no pude nadar
porque hacía fresco y el agua estaba fría. Llevé un traje de baño
nuevo que compré precisamente para ese día y no nadé, y ninguna
15 de las otras personas tampoco. Me senté en la arena un rato a
tomar el sol.

— Esta tarde llevé a mi hermanito. Al principio tenía miedo y no se atrevía a entrar solo.

— ¿ No sabe nadar ?

— No muy bien, pero estoy enseñándole. Pasamos casi toda la tarde en el agua y ya ha aprendido bastante. Cuando salimos 5 del mar estaba cansado y tenía hambre. Hay que nadar todos los días para aprender rápidamente. No se aprende a nadar sentándose en la playa, ¿ verdad ?

— Tienes razón. ¿ Cuántos años tiene tu hermanito ?

— Ayer cumplió doce. Pero, ¿ qué has hecho tú esta tarde ? 10

— He estado trabajando en la oficina de mi padre hasta las tres porque su secretaria tuvo que irse a Nueva York. A las siete he de ir al cine con Juan y tengo que bañarme y cambiarme de ropa antes de cenar. Estoy tan cansado que verdaderamente no quiero salir esta noche, pero debo cumplir mi palabra. Hasta 15 luego.

— Hasta mañana.

VOCABULARY

la arena sand
atreverse (a + inf.) to dare (to)
bañarse to bathe, take a bath
el baño bath
cambiar to change, exchange
cerca adv. near, close, nearby
cumplir to fulfill, keep (one's word)
la gente people (requires sing. verb)
haber to have (auxiliary)
el hermanito little brother
el lago lake
el mar sea
el miedo fear
el mundo world
nadar to swim

ni neither, nor, (not) . . . or
ninguno, –a no, none, no one, (not) . . . any, anybody
la oficina office
la piscina swimming pool
la playa beach
el principio beginning
rápidamente rapidly
el río river
la ropa clothes, clothing
la secretaria secretary
solo, –a alone
tampoco neither, (not) . . . either
el traje suit
verdaderamente really, truly
Vicente Vincent

al principio at first, at the beginning
cambiarse de ropa to change clothes
cumplir doce (años) to reach one's twelfth birthday
ir a nadar to take a swim, go swimming
ni . . . ni neither . . . nor, (not) . . . either . . . or
ni (yo) tampoco nor (I) either

    por aquí around here
    tener miedo (de + *obj.*) to be afraid (of)
    toda la (tarde) all (afternoon), the whole (afternoon)
    todo el mundo everybody (*requires sing. verb*)
    tomar el sol to take a sun bath
    traje de baño bathing suit

QUESTIONS

1. ¿ Quiénes están hablando? 2. ¿ Qué le pregunta Vicente a Ricardo? 3. ¿ Por dónde pasó Vicente hace dos horas? 4. ¿ Dónde ha estado Ricardo? 5. ¿ Había mucha gente en la playa? 6. ¿ Dónde se puede nadar? 7. ¿ A dónde va Vicente a veces? 8. ¿ Qué se pone uno para nadar? 9. ¿ Por qué no pudo nadar Vicente? 10. ¿ Cómo estaba el agua? 11. ¿ Dónde se sentó? 12. ¿ Por qué se sentó allí? 13. ¿ Fué solo Ricardo? 14. ¿ Tenía miedo su hermanito? 15. ¿ Se atrevía a entrar solo? 16. ¿ Sabe nadar? 17. ¿ Cómo estaba el hermanito cuando salieron del mar? 18. ¿ Cuántos años tiene? 19. ¿ Qué ha hecho Vicente? 20. ¿ A dónde se ha ido la secretaria de su padre? 21. ¿ Qué va a hacer Vicente a las siete? 22. ¿ Qué tiene que hacer antes de cenar? 23. ¿ Por qué no quiere ir al cine?

(Personal questions) 24. ¿ Sabe Vd. nadar? 25. ¿ En qué meses se puede nadar aquí? 26. ¿ Va Vd. a nadar cuando hace frío? 27. ¿ Dónde se puede nadar? 28. ¿ A dónde va Vd. a nadar? 29. ¿ Hay lagos cerca de aquí? 30. ¿ Le gusta a Vd. tomar el sol?

GRAMMATICAL USAGE

A. THE PAST PARTICIPLES

hablar:	hablado	*spoken*
comer:	comido	*eaten*
vivir:	vivido	*lived*

Past participles are regularly formed by adding –**ado** to the stem of –**ar** verbs and –**ido** to the stem of –**er** and –**ir** verbs.

If the stem ends in a strong vowel, the regular ending –**ido** requires an accent: **creer, creído,** *believed;* **leer, leído,** *read;* **traer, traído,** *brought.* The following verbs which you have learned have irregular past participles:

abrir:	**abierto**	opened		**poner:**	**puesto**	put, placed
escribir:	**escrito**	written		**ver:**	**visto**	seen
decir:	**dicho**	said		**volver:**	**vuelto**	returned
hacer:	**hecho**	done, made		**devolver:**	**devuelto**	given back
ir:	**ido**	gone				

B. THE PRESENT PERFECT AND PLUPERFECT INDICA.

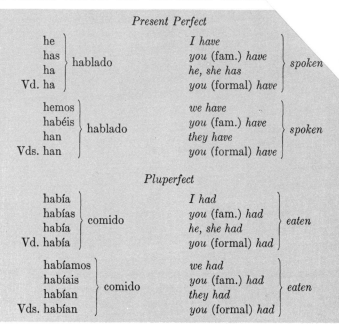

Present Perfect

he			*I have*		
has	} hablado		*you* (fam.) *have*	} *spoken*	
ha			*he, she has*		
Vd. ha			*you* (formal) *have*		

hemos			*we have*		
habéis	} hablado		*you* (fam.) *have*	} *spoken*	
han			*they have*		
Vds. han			*you* (formal) *have*		

Pluperfect

había			*I had*		
habías	} comido		*you* (fam.) *had*	} *eaten*	
había			*he, she had*		
Vd. había			*you* (formal) *had*		

habíamos			*we had*		
habíais	} comido		*you* (fam.) *had*	} *eaten*	
habían			*they had*		
Vds. habían			*you* (formal) *had*		

La hemos escrito. We have written it.
No me lo he puesto. I have not put it on.
¿ No lo había hecho Vd. ? Hadn't (Had you not) done it ?

The auxiliary verb **haber** is used with the past participle to form the compound or perfect tenses. The present of **haber** plus the past participle forms the present perfect tense and the imperfect of **haber** plus the past participle forms the pluperfect tense.

Note the following points: (1) Following forms of **haber** the past participle always ends in **–o;** (2) The form of **haber** and the past participle are never separated; (3) Negative words precede the form of **haber;** (4) Pronoun objects precede the form of **haber** or come between the negative and the form of **haber.**

Práctica. Pronounce in Spanish, then give the English for:

1. he abierto; había abierto. 2. hemos puesto; habíamos puesto. 3. ha escrito; había escrito. 4. han hecho; habían hecho. 5. Vd. ha visto; Vd. había visto. 6. Vds. han dicho; Vds. habían dicho. 7. has vuelto; habías vuelto. 8. habéis ido; habíais ido. 9. no he creído; no hemos devuelto. 10. no lo he leído; no me he bañado.

C. THE PAST PARTICIPLE USED AS AN ADJECTIVE

Las ventanas estaban abiertas. The windows were open.
La puerta está cerrada. The door is closed.
Se encontraba cansado. He was (found himself) tired.

Past participles may be used as adjectives, in which case they agree like other adjectives. Certain reflexive verbs like **encontrarse, hallarse, verse** are often substituted for **estar** with past participles. In such cases they normally retain something of their literal meanings.

Do not confuse this use of **estar** with a past participle, used to describe a state or condition which is the result of a previous action, with the reflexive substitute for the passive, page 67, which is used when action is involved: **Se cerró la puerta a las cinco,** *The door was closed at five o'clock.*

D. OTHER USES OF *HABER*

1. **He de ir al cine.** I am (supposed) to go to the movie.
   Han de volver hoy. They are to (must) return today.
   Habían de terminar temprano. They were to finish early.

Haber de plus an infinitive expresses commitment or mild obligation and means *to be to, be supposed to.* The obligation is not so strong as that expressed by **tener que: Tengo que bañarme,** *I have to (must) take a bath.* For a moral obligation or duty, **deber** is used: **Debo cumplir mi palabra,** *I must keep my word.*

Recall that the third person singular of **haber** is used impersonally; *i.e.*, without a definite personal subject: **hay** (used for **ha**), *there is, there are;* **había,** *there was, there were.*

2. **Hay que nadar a menudo.** It is necessary to swim often.
   Hay que estudiar mucho. One must study hard.

Hay que plus an infinitive means *it is necessary to* or the indefinite subject *one, we, you,* etc., *must.* The imperfect **había que** is less common: **Había que hablar despacio,** *It was necessary to talk slowly.*

Práctica. Read in Spanish, then give the English for:

1. Tengo que trabajar esta tarde. 2. Tienen que cambiarse de ropa. 3. ¿Han de venir mañana? 4. Hemos de hablar con él ahora. 5. ¿Habían de pasar por aquí? 6. Hay que aprender a hablar bien. 7. Hay que empezar a

leer despacio. 8. Había que pronunciarlas muchas veces. 9. Debo escribir una carta a mi madre. 10. Debemos esperar a mi hermanito.

E. *HACE*, MEANING "AGO, SINCE"

Lo compré hace dos semanas *or* **Hace dos semanas que lo compré.**
I bought it two weeks ago *or* It is two weeks since I bought it.

When **hace** is used with an expression of time in a sentence which is in the past tense, it regularly means *ago*, or *since*. If the **hace**-clause comes first in the sentence, **que** usually (not always) introduces the main clause, but **que** is omitted if **hace** and the time expression follow the verb.

EXERCISES

A. Give the present and the past participles of:

tomar	escribir	ir	leer	poder	creer
comer	decir	estar	venir	traer	volver
vivir	poner	hacer	ver	pensar	abrir

B. Change the following sentences to the preterit, to the present perfect, and finally, to the pluperfect:

1. La veo. 2. ¿Qué hace Vd.? 3. Las escribimos. 4. Lo ponen en la arena. 5. Vds. se lo dicen. 6. No la abres.

C. Give the Spanish for:

1. I buy, bought, was buying, have bought, had bought. 2. We say, said, were saying, have said, had said. 3. She returns, returned, was returning, has returned, had returned. 4. You (*formal*) come, came, used to come, have come, had come. 5. They go, went, were going, have gone, had gone.

D. Read in Spanish, translating the words in italics:

1. Luis *is to* venir mañana. 2. Él no *has to* salir en seguida. 3. Él y yo *are to* visitar al señor Gómez. 4. Hoy *there are* mucha gente en la playa. 5. Todo el mundo *has gone* allá. 6. ¿ *Have you seen* a mi hermanito? 7. *There were* varios muchachos que *did not know how* nadar bien. 8. Al principio *they were* miedo del agua, pero después *they entered*. 9. *It was* frío y pasaron mucho tiempo *seated* en la arena. 10. Cuando *they were* cansados, *they returned* a casa. 11. *One must* nadar a menudo para aprender rápidamente. 12. *One* puede ir a

la playa en autobús.   13. ¿ Cuántos años *is* su hermano ?   14. *I am* veinte años.
15. Quiero *take a bath* ahora.   16. A veces *we take a sun bath* en el verano.
17. *We have* visto la película.   18. ¿ *Have you* un traje nuevo ?   19. Llegué *an
hour ago*.   20. *Her parents* fueron a Nueva York *two months ago*.   21. Mi
secretaria ha *written* estas cartas.   22. Están *written* en español.   23. Las
tiendas no están *open* esta tarde.   24. *They are opened* a las nueve de la mañana.
25. *It is said* que no vinieron *either*.   26. Nunca ha estado *either* en Méjico *or*
en Cuba.   27. *I like* nadar en el mar.   28. El traje de baño es para *me*, no
para *him*.

COMPOSITION

1. Where has Vincent been all afternoon ?   2. I tried to call him two hours
ago and no one answered.   3. He has taken his sister to the beach.   4. She
doesn't know how to swim well and he is teaching her.   5. She told me yesterday
that she had bought a new bathing suit.   6. She is afraid of the water and
doesn't dare to enter alone.   7. Has she gone to the new swimming pool in the
park?   8. No, nor I either.   It was opened only a week ago.   9. She likes to
remain seated on the sand in order to take a sun bath.   10. When Mary and I
went to the beach on Sunday the water was cold.   11. She was very tired and
I was hungry.   12. How old is Mary? — I believe that she was seventeen
(reached her seventeenth birthday) last week.   13. I have to take a bath and
change clothes now.   14. At eight o'clock I am to take Mary to the airport and
I must not arrive late.

**Toy shops in La Plaza
Mayor in Madrid**

LECTURA X

La Navidad [1]

¡Feliz Navidad! ¡Felices Pascuas! En el mundo español se saludan todos [2] así el día 25 de diciembre.

En Méjico las fiestas de Navidad empiezan la noche del 16 de diciembre y no terminan hasta la Nochebuena. [3] Todas las noches celebran las « posadas », que representan los nueve días que pasaron José y María en su viaje a Belén. [4] En los pueblos y en ciertas colonias de las ciudades los amigos se reúnen y forman una procesión. Van de puerta en puerta [5] llevando las figuritas [6] de José, María, el niño Jesús, los pastores, [7] las mulas, las vacas y las ovejas. Una persona lleva la estrella [8] de Belén; las otras van detrás cantando. Llaman a cada puerta, pero una voz siempre contesta que la posada [9] está llena. Por fin [10] se abre una puerta y el dueño de la casa les da permiso para pasar la noche en el establo. Cuando la procesión llega a la novena puerta, alguien la abre y todos entran y colocan las figuritas en un altar que representa el nacimiento [11] del niño Jesús.

En cada « posada », después de preparar el nacimiento, los niños rompen la piñata. Ésta es una olla de barro [12] adornada con papeles de muchos colores y llena de frutas, dulces, nueces [13] y juguetes [14] de toda clase. Se cuelga [15] en el patio o en la casa y los niños forman un círculo debajo de ella. Con los ojos vendados, [16] uno de los niños trata tres veces de romper la piñata con un palo. [17] Si no la rompe, otro niño trata de hacerlo. Por fin cuando se rompe la piñata, los niños corren a recoger todo lo que cae. Cuando hay varias piñatas, a veces una de ellas está llena de agua o de harina. [18] También en otros países hispanoamericanos, especialmente en la América Central, hay piñatas.

---

[1] **Navidad,** *Christmas.*   [2] **se saludan todos,** *all greet each other.*   [3] **Nochebuena,** *Christmas Eve.*   [4] **Belén,** *Bethlehem.*   [5] **de puerta en puerta,** *from door to door.*   [6] **figuritas,** *small figures.*   [7] **pastores,** *shepherds.*   [8] **estrella,** *star.*   [9] **posada,** *inn.*   [10] **Por fin,** *Finally.*   [11] **nacimiento,** *birth, manger scene.*   [12] **olla de barro,** *clay jar.*   [13] **nueces,** *nuts.*   [14] **juguetes,** *toys.*   [15] **Se cuelga,** *It is hung.*   [16] **vendados,** *bandaged.*   [17] **palo,** *stick.*   [18] **harina,** *flour.*

"La Piñata", Mexico

En general no tienen árboles de Navidad en el mundo español. Los niños no cuelgan sus medias[1] en las chimeneas, en primer lugar,[2] porque no las hay,[3] y en segundo,[4] porque su tradición es distinta. Los niños creen que si han sido buenos, los Reyes Magos[5] les traen regalos, no el día de la Navidad sino el seis de enero, día de la Epifanía. La Epifanía conmemora la visita de los tres reyes de Oriente, Gaspar, Melchor y Baltasar, que siguieron[6] el camino que les indicó la estrella de Belén para ir a adorar al niño Jesús y para llevarle ofrendas de oro, mirra e incienso. Los niños creen que los Reyes Magos van a Belén cada año y que, al pasar por las calles por la noche, les dejan sus regalos. Así es que la víspera del seis de enero ponen sus zapatos en el balcón y, a veces, un poco de paja[7] para los camellos. La verdad es que hoy día algunas familias han adoptado la costumbre de poner árboles de Navidad, así como la de enviar tarjetas de felicitación.

En España y en los países hispanoamericanos casi todas las familias ponen nacimientos, costumbre que también tienen muchas familias norteamericanas. La víspera de la Navidad, es decir la Nochebuena, se celebra una misa[8] a la medianoche. Se le

llama misa del gallo.[9] Después de asistir a[10] la misa, todos van a casa a cenar. Durante las fiestas de Navidad acostumbran cantar villancicos[11] como estos dos:

> La Nochebuena se viene,
> la Nochebuena se va,
> y nosotros nos iremos[12]
> y no volveremos más.[13]

> Esta noche no dormimos,
> que es santa Nochebuena,
> y tenemos que llevarle
> a María la enhorabuena.[14]

El día de Navidad es muy general hacer regalos a todas las personas que durante el año le prestan a uno algún servicio, como el portero, el sereno,[15] etcétera.

La víspera del Año Nuevo se celebra en todos los países del mundo de acuerdo con[16] las costumbres de cada uno. En España hay una costumbre muy extraña. Unos minutos antes de la medianoche todos toman doce uvas en la mano. A cada campanada del reloj[17] comen una uva para tener buena suerte[18] durante el año nuevo. Al sonar la última campanada, todos aplauden y gritan con entusiasmo: « ¡ Feliz Año Nuevo ! » o « ¡ Próspero Año Nuevo ! » o « ¡ Feliz y Próspero Año Nuevo ! »

---

[1] **medias,** *stockings.*   [2] **en primer lugar,** *in the first place.*   [3] **no las hay,** *there aren't any.*   [4] **en segundo = en segundo lugar.**   [5] **Reyes Magos,** *Wise Men (Kings).*   [6] **siguieron,** *followed.*   [7] **paja,** *straw.*   [8] **misa,** *Mass.*   [9] **Se le . . . gallo,** *It is called Midnight Mass (lit. Mass of the cock).*   [10] **asistir a,** *attending.*   [11] **villancicos,** *carols.*   [12] **nos iremos,** *we shall go away.*   [13] **no volveremos más,** *we shall not return again.*   [14] **la enhorabuena,** *congratulations.*   [15] **sereno,** *nightwatchman.*   [16] **de acuerdo con,** *in accordance with.*   [17] **cada campanada del reloj,** *each stroke of the clock.*   [18] **suerte,** *luck.*

QUESTIONS

1. ¿ Cómo se dice *Merry Christmas* en español? 2. ¿ Cuándo empiezan las fiestas de Navidad en Méjico? 3. ¿ Cuándo terminan? 4. ¿ Qué representan las posadas? 5. ¿ Qué forma la gente por la noche? 6. ¿ A dónde va la procesión? 7. ¿ Qué llevan? 8. ¿ Qué contesta una voz cuando llaman a las puertas? 9. ¿ Qué pasa por fin? 10. ¿ Dónde colocan las figuritas? 11. ¿ Qué representa el altar?

12. ¿ Qué hacen los niños en cada posada? 13. ¿ Qué es la piñata? 14. ¿ De qué está llena? 15. ¿ Dónde se cuelga la piñata? 16. ¿ Qué hacen los niños cuando se rompe la piñata?

17. ¿ Dónde cuelgan sus medias los niños norteamericanos? 18. ¿ Por qué no lo hacen los niños españoles? 19. ¿ Quiénes les traen los regalos a los niños españoles? 20. ¿ En qué día los traen? 21. ¿ Cómo se llama el seis de enero? 22. ¿ Qué conmemora la Epifanía? 23. ¿ Qué creen los niños españoles? 24. ¿ Dónde ponen sus zapatos? 25. ¿ Qué costumbre han adoptado muchas familias españolas?

26. ¿ Cómo se llama la víspera de la Navidad? 27. ¿ Qué se celebra esa noche? 28. ¿ Qué hacen después de asistir a la misa? 29. ¿ Qué cantan durante las fiestas de Navidad?

30. ¿ A quién hacen regalos el día de Navidad? 31. ¿ Qué costumbre extraña hay en España? 32. ¿ Qué gritan?

WORD STUDY

a. Find words related to: portero, campana, costumbre, jugar, visitar.

b. Give opposites of: triste, terminar, antes de, viejo, último, poco.

c. Note the words with deceptive meanings: pastor, *shepherd;* asistir a, *to attend;* distinto, *different.*

d. Pronounce the following words aloud, noting their English meanings: establo, *stable;* círculo, *circle;* chimenea, *chimney, fireplace;* Epifanía, *Epiphany;* conmemora, *(it) commemorates;* indicar, *indicate;* camello, *camel;* extraño, *strange;* entusiasmo, *enthusiasm.*

Los estudiantes pueden cantar las dos canciones de Navidad que aparecen en la página siguiente y que son muy populares: « Silent Night » y « Come All Ye Faithful. »

NOCHE DE PAZ, NOCHE DE AMOR

Noche de paz, noche de amor;
Todo duerme en derredor
Entre los astros que esparcen su luz
Bella, anunciando al Niño Jesús,
Brilla la estrella de paz
Brilla la estrella de paz.

Noche de paz, noche de amor;
Oye humilde el fiel pastor
Coros celestes que anuncian salud
Gracias y glorias en gran plenitud
Por nuestro buen Redentor
Por nuestro buen Redentor.

Noche de paz, noche de amor;
Ved que bello resplandor
Luce en el rostro del Niño Jesús
En el pesebre, del mundo la luz,
Astro de eterno fulgor
Astro de eterno fulgor.

VENID, FIELES TODOS

Venid, fieles todos
A Belén marchemos
De gozo triunfantes
Henchidos de amor;
Al rey de los cielos
Todos adoremos;
Vengamos, adoremos,
Vengamos, adoremos,
Vengamos, adoremos
A nuestro Señor.

Cantad, todos ángeles,
Cantad en regocijo;
Cantad, moradores
Del cielo alto,
Cantad gloria al Dios,
Todos de vosotros;
Vengamos, adoremos,
Vengamos, adoremos,
Vengamos, adoremos
A nuestro Señor.

REVIEW LESSON III

A. Give the first person singular of the present, preterit, and imperfect indicative, and the present and past participles of:

ser	hacer	ir	volver	empezar	estar
dar	decir	ver	buscar	recordar	traer
venir	poder	poner	llegar	cerrar	tener

B. Supply the definite article wherever required:

1. Nos gusta —— música. 2. Llegué —— semana pasada. 3. Gozan de —— vida allí. 4. Fué a comprar —— carne y —— legumbres. 5. Me gusta —— verano. 6. Hoy es —— jueves. 7. Quieren partir —— sábado. 8. Van a —— iglesia —— domingo. 9. Es —— muchacha más bonita que conozco. 10. —— jóvenes no pudieron venir. 11. Compró una casa de —— piedra. 12. Se puso —— guantes. 13. Se lavaron —— cara. 14. —— señores Espinosa las trajeron ayer. 15. Están escritas en —— inglés. 16. —— español es una lengua interesante. 17. Buenas tardes, —— señorita López. 18. —— agua está fría.

C. Translate the English word correctly in each of the following groups:

1. (took) Ella —— el libro en la mano. Lo —— a Marta. Luego ellas —— un paseo. 2. (found) Yo —— un billete de cinco dólares en la calle. No —— el traje que buscaba. 3. (was, it was) El reloj que —— sobre el mostrador —— precioso. —— calor en la tienda. Yo —— mucha sed. El agua no —— muy caliente. 4. (have) Nosotros no —— visto la revista. ¿ La —— Vd.? Yo —— que salir ahora. 5. (returned) Ella —— anoche. No me —— el dinero que le había prestado. 6. (know) ¿ —— Vds. a mi amigo Felipe? —No, pero yo —— donde vive. ¿ —— la música mexicana ?

D. Give the English for each of the following sentences, noting particularly the use of **se** in each one:

1. No se ha levantado todavía. 2. Se quedó en casa todo el día. 3. Aquí se habla español. 4. Se cree que acaban de partir. 5. ¿ Dónde se venden los guantes? 6. Se hallan en aquel mostrador. 7. ¿ Le prestó a Vd. el dinero o se lo dió? 8. Pienso devolvérselo a él la semana que viene. 9. Estaba cansado cuando se encontró conmigo. 10. Se dice que no se atrevió a nadar en el mar.

181

E. Give the correct meaning of the pronoun objects in italics and place them correctly in each group:

1. (*them to us*) Trajeron. Traiga Vd. Va a traer. 2. (*it to me*) No dé Vd. Ha dado. Está dando. 3. (*it, f., to them*) Devuelven. No han devuelto. Pueden devolver. 4. (*them*) Ella se prueba. Estaba probándose. Se había probado. 5. (*her*) Conozco bien. Fuí al cine con ———. Lleve Vd. el billete.

F. Supply the preterit or imperfect of the verb in italics, as required:

1. Esta mañana mi hermano *got up* a las ocho. 2. *He used to get up* más temprano. 3. *We were* sentados a la mesa y *we were eating* cuando *he entered* en el comedor. 4. *He had* que comer rápidamente. 5. *It was* las ocho y media cuando *he left* de casa. 6. *It was* frío pero *he did not put on* el sombrero. 7. *He ran* a la Calle Doce donde *he took* el autobús. 8. *I arrived* a la tienda a las diez y *I began to* charlar con él. 9. *There were* mucha gente allí y todos *were* muy ocupados. 10. *I looked for* un traje pero no *could* hallar ninguno. 11. *It was raining* cuando *I got out* del autobús. 12. *I was* cansado cuando *I returned* a casa al mediodía.

G. Give the Spanish for:

1. some day. 2. the first building. 3. the first boys. 4. a good road. 5. the third month. 6. often. 7. at the same time. 8. everybody. 9. a bathing suit. 10. a year ago. 11. for example. 12. everywhere. 13. a fall day. 14. at first. 15. the ten-o'clock plane. 16. I am thinking of him. 17. They are afraid. 18. How old is your sister? 19. She was born on May 1, 1941. 20. Indeed she is pretty. 21. You are right. 22. The latter (*f.*) is taller than your brother. 23. John is chatting with her. 24. I like these purses better than those. 25. That lake is prettier than this one.

CONVERSACIÓN III

En un restaurante español

Carlos y su amigo Felipe pasan por una calle de Madrid, buscando un restaurante. Son las dos de la tarde, hora en que todos los españoles toman el almuerzo. Entran en un restaurante donde hay muchas personas y ven una mesa libre cerca de la ventana.

5 CAMARERO. — ¿ Qué van a tomar, señores ?

CARLOS. — Queremos ver la lista, por favor.

(*El camarero trae la lista y mientras los dos jóvenes la examinan, trae vasos de agua, pan, mantequilla, platos, tenedores, cucharas, cuchillos y servilletas.*)

FELIPE. — Primero voy a tomar sopa. Después biftec con patatas 5 fritas y una ensalada.

CAMARERO. — ¿ No desea Vd. huevos después de la sopa, como muchos españoles? Aquí hacemos tortillas muy buenas; son de huevos, no como las mejicanas. También tenemos huevos fritos, revueltos o pasados por agua. 10

FELIPE. — Hoy no quiero huevos, gracias.

CARLOS. — Yo voy a tomar una tortilla en vez de sopa. No sé si tomar carne o pescado.

CAMARERO. — Tenemos muchas clases de pescado en España, también de pollo y carne. El arroz con pollo es un plato español muy típico 15 y muy bueno.

CARLOS. — Pues, voy a tomar pescado, patatas fritas y una ensalada de legumbres.

CAMARERO. — ¿ Desean Vds. algún postre?

CARLOS. — Sí, después de la comida. ¿ Qué hay? 20

CAMARERO. — Aquí en España generalmente tomamos frutas, queso o flan, pero en este restaurante también tenemos pasteles y helado.

CARLOS. — Para mí, flan y una taza de café con leche y azúcar.

FELIPE. — Y para mí, frutas y una taza de café solo.

(*El camarero sale y los dos jóvenes charlan y miran a todas las personas* 25 *que entran en el café. Terminan el almuerzo, pagan la cuenta y le dan una propina al camarero.*)

CARLOS. — Se come muy bien aquí, ¿ verdad?

FELIPE. — ¡ Cómo no! Si quieres, podemos cenar aquí esta noche.

CARLOS. — Está bien. ¿ Por qué no venimos a tomar arroz con 30 pollo esta noche? Si cenamos a las nueve y media o a las diez, podemos ir al teatro después.

FELIPE. — Es una buena idea. ¿ Quieres ir a descansar un rato ahora?

CARLOS. — Con mucho gusto. Vamos. 35

VOCABULARY

el arroz rice
el biftec steak
la comida meal, food, dinner
la cuchara spoon

el cuchillo knife
la cuenta bill
la ensalada salad
examinar to examine

el flan custard
  frito, –a fried
las frutas fruit(s)
el huevo egg
  libre free
la lista menu
la mantequilla butter
  mientras *conj.* while
la patata potato
el pescado fish
el plato plate, dish
el pollo chicken

el postre dessert
la propina tip
el queso cheese
el restaurante restaurant
  revuelto, –a scrambled
el señor gentleman
la servilleta napkin
la sopa soup
el teatro theater
el tenedor fork
la tortilla omelet

en vez de instead of
huevos pasados por agua soft-boiled eggs
se come bien aquí the food is good here (*lit.* one eats well here)
vamos let's go

Práctica.   Topics for further oral practice, using words already given, are:

1. Students may describe the things which normally make up the table service.

2. Groups of students may order a Spanish meal, one serving as waiter (waitress) and others as customers.

16

SPANISH USAGE

Un sábado por la tarde Carlos White estaba sentado en el
Hotel Buena Vista en Madrid cuando su amigo Juan Molina se
acercó y le saludó.

— Dispense Vd., señor White. ¿ Qué estaba Vd. leyendo ?

— Un artículo de deportes. ¿ Sabe Vd. si habrá corrida de 5
toros mañana por la tarde ?

— Creo que sí, pero para estar seguro compraré un periódico,
y así sabremos en seguida. (*Lo compra y vuelve pronto.*) Sí, habrá
una en la nueva plaza de toros, a las cuatro en punto. ¿ Piensa
Vd. ir ? 10

185

— Sí, con unos amigos norteamericanos que ya habrán llegado a la capital. Estoy seguro de que me llamarán por teléfono mañana por la mañana. Tienen muchas ganas de ver una corrida y les escribí hace dos semanas que compraría billetes para ellos.
5 ¿ Quiere Vd. acompañarnos ?

— Tendría mucho gusto en hacerlo, pero Pablo Martínez y yo saldremos al mediodía para hacer una excursión a las montañas. Hace varios días que me invitó. Vd. tendrá mucho interés en otros deportes, ¿ no es verdad ?

10 — Sí, soy muy aficionado a todos. Cuando estaba en la universidad, jugaba al fútbol y al béisbol, pero ahora juego solamente al tenis y al golf. El básquetbol resultó demasiado rápido para mí y no lo jugué. Dicen que el *jai alai,* o la pelota, es muy interesante. Se juega mucho aquí en Madrid, ¿ verdad ?

15 — Sí que juegan mucho y bien. Es uno de los juegos más rápidos del mundo y aquí tenemos algunos jugadores vascos que son muy buenos. ¿ Le gustaría a Vd. ir conmigo a ver un partido esta noche ?

— Con mucho gusto. Sería un gran [1] placer.

20 — Pues, ¿ qué hora será·? No tengo reloj.

— Serán las siete y cuarto. (*Mira su reloj.*) Sí, son las siete y veinte.

— Muy bien. Vendré por Vd. a las nueve y antes de ir al frontón podremos comer en un restaurante vasco que está cerca.
25 De allí tomaremos un taxi porque habrá mucha gente en los autobuses. Los taxis cuestan poco en Madrid, como Vd. ya sabrá. Le veo a las nueve, ¿ eh ? [2]

— Muy bien. Estaré listo.

VOCABULARY

acercarse (**a** + *obj.*) to approach
aficionado, –a (**a**) fond (of)
el artículo article
el básquetbol basketball
el béisbol baseball
el billete ticket

la corrida (**de toros**) bullfight
el deporte sport
dispensar to excuse, forgive
¿ eh ? right? eh? won't I? etc.
la excursión (*pl.* **excursiones**) excursion, trip

---

[1] **Grande** becomes **gran** before either a masculine or feminine singular noun and means *great*. It has its full form before plural nouns. [2] In conversation **¿ eh ?** is often used similarly to **¿ (no es) verdad ?** See Lesson 3.

el frontón (handball) court
el fútbol football
la gana desire
el golf golf
gran (*used before sing. noun*) great
el interés interest
el juego game
el jugador player
jugar (ue) (a + obj.) ¹ to play (a game)
listo, −a ready
el partido match, game
la pelota handball, ball

el placer pleasure
la plaza de toros bull ring
el punto point
rápido, −a rapid, fast
el restaurante restaurant
resultar to result, be, turn out (to be)
seguro, −a sure, certain, safe
el taxi taxi
el tenis tennis
el toro bull
la universidad university
vasco, −a Basque

dispense Vd. excuse me
en punto sharp (*time*)
estar seguro (de que) to be sure (that)
mañana por la mañana (tarde) tomorrow morning (afternoon)
ser aficionado, −a (a) to be fond (of)
tener muchas ganas de to be very eager to (desirous of)
tener (mucho) gusto en to be (very) glad to
venir por to come for

QUESTIONS

1. ¿Dónde está sentado Carlos? 2. ¿Quién se acerca? 3. ¿Qué estaba leyendo? 4. ¿Qué quiere saber? 5. ¿Qué compra Juan? 6. ¿Habrá corrida de toros? 7. ¿A qué hora empiezan las corridas de toros? 8. ¿Quiénes habrán llegado ya a la capital? 9. ¿Qué comprará Carlos? 10. ¿Qué van a hacer Juan y Pablo el domingo? 11. ¿Es muy aficionado Carlos a los deportes? 12. ¿Jugaba Carlos al básquetbol? 13. ¿Es rápido el juego de la pelota? 14. ¿Le gustaría a Carlos ver un partido? 15. ¿Qué hora es? 16. ¿A qué hora vendrá Juan por él? 17. ¿Dónde piensan comer? 18. ¿Comerán después de ir al frontón? 19. ¿Irán al frontón en autobús? 20. ¿Cuestan mucho los taxis en Madrid?

(Personal questions) 21. ¿Juega Vd. al tenis? 22. ¿Juega Vd. al golf? 23. ¿Al béisbol? 24. ¿Es Vd. aficionado al básquetbol? 25. ¿Qué otros deportes tenemos? 26. ¿Ha visto Vd. un partido de *jai alai?* 27. ¿Tiene Vd. ganas de ver un partido? 28. ¿Ha visto Vd. una corrida de toros? 29. ¿Tenemos corridas de toros en los Estados Unidos? 30. ¿Ha visto Vd. películas de corridas de toros? 31. ¿Le gustaría a Vd. ver una corrida? 32. ¿Hace Vd. excursiones durante el verano?

¹ In everyday conversation **jugar** is often used without **a** and the article: **jugar fútbol.**

GRAMMATICAL USAGE

A. THE FUTURE TENSE

FUTURE ENDINGS		hablar	
–é	–emos	hablaré	hablaremos
–ás	–éis	hablarás	hablaréis
–á	–án	hablará	hablarán

The future indicative tense is regularly formed by adding the endings of the present indicative of **haber** to the full infinitive form. There is only one set of future endings for all verbs in Spanish.

Observe that three of the endings begin with **e** and three with **a,** and that all of the endings except the first person plural have a written accent.

B. THE CONDITIONAL TENSE

CONDITIONAL ENDINGS		comer	
–ía	–íamos	comería	comeríamos
–ías	–íais	comerías	comeríais
–ía	–ían	comería	comerían

The conditional indicative tense is formed by adding the imperfect endings of **haber** to the infinitive. As in the case of the future, there is only one set of endings for all verbs in Spanish. All six forms are accented.

C. VERBS IRREGULAR IN THE FUTURE AND CONDITIONAL

Infinitive	Future	Conditional
1. **haber**	**habré,** –ás, –á, etc.	**habría,** –ías, –ía, etc.
poder	**podré,** –ás, –á, etc.	**podría,** –ías, –ía, etc.
querer	**querré,** –ás, –á, etc.	**querría,** –ías, –ía, etc.
saber	**sabré,** –ás, –á, etc.	**sabría,** –ías, –ía, etc.
2. **poner**	**pondré,** etc.	**pondría,** etc.
salir	**saldré,** etc.	**saldría,** etc.
tener	**tendré,** etc.	**tendría,** etc.
venir	**vendré,** etc.	**vendría,** etc.
3. **decir**	**diré,** etc.	**diría,** etc.
hacer	**haré,** etc.	**haría,** etc.

The future and conditional tenses have the same stem and the endings are the same as for the regular verbs. The irregularity is in the infinitive stem used. In group (1) the final vowel of the infinitive has been dropped; in (2) the final vowel has been dropped and the glide **d** introduced to facilitate the pronunciation of the consonant groups **lr** and **nr**; in (3) the Old Spanish stem **dir, har** (**far**) has been retained. Only two other verbs are irregular in these tenses.

Práctica. Pronounce and give the English for:

tomaré	saldrás	dirás	haríamos
vivirán	tendréis	querrá	dirían
aprenderá	podré	habrá	saldrías
podrá	vendrán	comería	tendríais
sabremos	haremos	sabrían	podrían

D. USE OF THE FUTURE AND CONDITIONAL

1. **Dice que vendrá.** He says that he will come.
   Dijo que vendría. He said that he would come.
   Sabemos que lo hará. We know that he will do it.
   Sabíamos que lo haría. We knew that he would do it.
   Me gustaría ir con Vd. I should like to go with you.

The meaning of the future tense is *shall* or *will* in English, and it is regularly used to express future actions or conditions. Up to this point substitutions have been used for the future, as is commonly done in English: *e.g.*, **voy a hacerlo,** *I am going to do it;* **si viene mañana,** *if he comes tomorrow;* **he de venir,** *I am to come;* **le veo a Vd. a las nueve,** *I'll see you at nine o'clock.*

When *will* means *be willing to*, it is translated by the present tense of **querer: ¿Quiere Vd. ir conmigo?** *Will you go with me?* In the negative it may mean *unwilling to:* **No quieren ir,** *They are unwilling to go.*

The conditional tense is translated by *should* or *would*. When *should* means *ought to* (moral obligation) it is expressed by the verb **deber: Debo escribirles,** *I should (ought to, must) write to them.* Remember that *would* is sometimes used to represent a repeated past action in English, in which case it is translated by the imperfect indicative in Spanish (Lesson 11): **Me levantaba temprano,** *I would (used to) get up early.*

The future and conditional tenses are used after **si** only when it means *whether*, never in a condition when it means *if:* **No sé (sabía)**

si vendrán (vendrían), *I do not know (did not know) whether they will (would) come.*

The impersonal form **habrá** means *there will be;* the conditional **habría** means *there would be.*

E. THE FUTURE AND CONDITIONAL PERFECTS

	Future Perfect		*Conditional Perfect*
habré		habría	
habrás } hablado		habrías } hablado	
habrá		habría	
habremos		habríamos	
habréis } hablado		habríais } hablado	
habrán		habrían	

These tenses are regularly used as in English, and translated as *shall* or *will have spoken,* and *should* or *would have spoken,* respectively.

F. THE FUTURE AND CONDITIONAL FOR PROBABILITY OR CONJECTURE

Estará en casa. He is probably (must be) at home.
¿ Qué hora será ? I wonder what time it is. (What time can it be ?)
Serían las dos. It was probably (must have been) two o'clock.
Habrá llegado. He has probably (must have) arrived.

The future tense is used in Spanish to indicate probability, supposition, or conjecture concerning an action or state in the <u>present</u>, while the conditional indicates the same idea with respect to the <u>past</u>. Also the future perfect, and occasionally the conditional perfect, may indicate probability in the past.

G. FORMS OF *JUGAR,* "TO PLAY (A GAME)"

Present Indicative Tense

SINGULAR	PLURAL
juego	jugamos
juegas	jugáis
juega	**juegan**

Jugar is the only verb in Spanish in which **u** changes to **ue** when the stem is stressed. The first singular preterit is **jugué.**

EXERCISES

A. Begin each of the following expressions with **Dice que** and change the infinitive to the correct future form. Repeat, beginning with **Dijo que** and change the infinitive to the conditional tense:

1. jugar a la pelota. 2. no ir a la corrida de toros. 3. costar poco ir en taxi. 4. no tener tiempo para ir. 5. sentarse en esta silla. 6. salir a las ocho. 7. ponerlo aquí. 8. haber escrito la carta.

B. Give all the forms in the future and conditional:

1. Me lavaré las manos. 2. Les diré la verdad. 3. La habré abierto.

C. Give the preterit, imperfect, future, conditional, present perfect, and future perfect of the following sentences, using the subject indicated:

1. Sé la verdad. 2. Vemos a los muchachos. 3. Cierra la ventana. 4. Se lo dicen a ellos. 5. Vds. pueden leerlo. 6. Tú lo haces bien.

D. Give the English for the following sentences which illustrate uses of the future and conditional tenses for conjecture or probability:

1. Pablo no está aquí. ¿Dónde estará? 2. Alguien llama a la puerta. Será Carlos. 3. ¿Qué hora es? — Serán las cinco. 4. Serían las cuatro cuando volvió. 5. ¿Quién llamó? — Sería Isabel. 6. Ya habrán vuelto a casa. 7. ¿A dónde habrá ido su hermana? 8. Creo que habrá mucha gente en la calle.

E. Read in Spanish, supplying the proper form of the verb in italics:

1. Yo lo *shall do* con mucho gusto. 2. Ellos no *will be* ocupados. 3. ¿ *Will they be able* jugar con nosotros? 4. *It would be* fácil hacerlo. 5. Me escribieron que *they would come* temprano. 6. ¿ *Will you take* esta carta a Juan? 7. Si *he comes* antes de las diez, se la daré. 8. *He must be (probably is)* en la universidad. 9. Creo que *it is about (must be)* las cuatro. 10. *It probably was* las dos cuando salió. 11. No sabemos *whether he will return* a casa para comer. 12. Yo *must* escribir una carta a María ahora. 13. ¿ *Would you like to* leer el periódico? 14. Si Vd. lo *bring*, lo leeré. 15. *It would be* un placer ver a su amigo.

COMPOSITION

1. Excuse me. What time is it? — It must be eight o'clock. 2. Are you fond of sports? — Of course! 3. I didn't know that they played football in

Spain. 4. Handball, an old [1] game of the Basques, is one of the fastest games in the world. 5. I should like to see a game (match), but I don't know whether I shall be able to go tonight. 6. Have you seen a bullfight? — I always see one when I have the opportunity. 7. I shall buy the tickets if you can go with me tomorrow afternoon. 8. I shall be very glad to accompany you. It will be a great pleasure. 9. Would you like to take a taxi or a bus to go to the bull ring? 10. We must take a taxi because there will be many people in the buses. 11. I shall come for you at two o'clock and we shall be able to take lunch first. 12. Do you know that bullfights always begin at four o'clock sharp?

[1] Place the adjective before the noun. For explanation, see fn. 3, page 132.

Aqueduct of Segovia, Spain

LECTURA XI

La España antigua

Se dice, y con razón, que España es un país de contrastes. En ella encontramos, al lado de edificios modernos, ruinas que datan del período romano. Junto a barrios antiguos, de calles cortas y estrechas, construidas hace siglos, encontramos barrios modernos, de calles largas y anchas, con edificios modernos. Hay también ciudades que se conservan como estaban en siglos pasados.

La historia de España es muy antigua. Dice que los primeros pobladores de la península fueron los iberos,[1] pero no se sabe ni su origen ni la época exacta en que entraron en la península. En Asturias, que está en el norte de España, se conservan las cuevas[2] de Altamira donde hay dibujos de animales pintados hace unos veinte o treinta mil años. Los fenicios,[3] considerados como los primeros comerciantes del mundo, llegaron a la península hacia el siglo XI antes de Jesucristo[4] y fundaron la ciudad de Cádiz. Hubo[5] otros invasores: los celtas,[6] en el norte, principalmente en Galicia; los griegos,[7] que se establecieron en la costa del Mar Mediterráneo; y los cartagineses[8] que dominaron la península desde el siglo VI hasta el III antes de Jesucristo. Los romanos estuvieron en España unos seis siglos. Durante esa época la península llegó a ser una de las provincias más importantes del imperio romano. En España dejaron su lengua, sus costumbres, su religión, sus leyes y sus ideas sobre el gobierno; se construyeron[9] teatros, acueductos, caminos, puentes[10] y otras obras públicas.

Buen ejemplo de la obra de los romanos es el acueducto de Segovia, que está en uso todavía. Está construido de piedras grandes sin argamasa[11] de ninguna clase. Otra obra de ellos es el teatro de Sagunto que está al norte de la ciudad de Valencia.

Roman theater, Mérida, Spain

---

[1] **iberos,** *Iberians.*   [2] **cuevas,** *caves.*   [3] **fenicios,** *Phoenicians.*   [4] **antes de Jesucristo,** B.C.   [5] **Hubo,** *There were.*   [6] **celtas,** *Celts.*   [7] **griegos,** *Greeks.*   [8] **cartagineses,** *Carthaginians.*   [9] **se construyeron,** *were built.*   [10] **puentes,** *bridges.*   [11] **argamasa,** *mortar.*

193

llamó así por la gran cantidad de castillos que se construyeron para defenderse de los moros; y llegó a ser, con ,el tiempo, el reino principal del país. En el siglo XI empezaron a usar la lengua que más tarde había de ser el castellano que, en realidad, era un dialecto del latín. Y pronto comenzaron a cantar en la nueva lengua la vida guerrera [6] de la época. En ese siglo vivió el Cid, el gran héroe nacional de España, cuya tumba está en la catedral de Burgos, una de las mejores de Europa.

A la caída [1] del imperio romano, ocuparon la península los visigodos [2] y otras tribus bárbaras. Los últimos invasores fueron los moros [3] que entraron en España en 711 y vivieron allí hasta 1492. Córdoba fué el centro de la civilización de los moros, considerada en el siglo X como la más avanzada de Europa. No lejos de Córdoba está Granada, que fué la última capital de los moros. Allí se encuentra la famosa Alhambra, con sus magníficos patios, sus bellos jardines y sus alegres fuentes. Al abandonar a [4] España, los moros dejaron en ella influencias decisivas en la lengua, la literatura, la arquitectura, el arte, la música, el comercio y la agricultura.

Durante la guerra de reconquista, que duró casi ocho siglos, surgieron los reinos [5] de León, Navarra, Aragón, Galicia y Castilla. Este último se

Para ver la más grande de todas las catedrales góticas de Europa hay que ir a Sevilla. La Giralda, antigua torre construida por los moros, tiene fama de ser la más hermosa del mundo. Hay un refrán [7] español que dice: « Quien [8] no ha visto a Sevilla, no ha visto maravilla ». Hay otro que dice: « Quien no ha visto a Granada, no ha visto nada ».

El matrimonio de Fernando de Aragón con Isabel de Castilla, en 1469, dió a España su primera unidad política, y poco después los Reyes Católicos empezaron la conquista de Granada para realizar la unidad espiritual. Así es que el año de 1492 representa para los españoles el fin de la guerra contra los moros y el principio de una época de gran gloria y poderío. [9] En el siglo XVI España llegó a ser la nación más poderosa del mundo.

---

[1] **A la caída,** *On the fall.* [2] **visigodos,** *Visigoths.* [3] **moros,** *Moors.* [4] The personal **a** is often used before unmodified place names. [5] **surgieron los reinos,** *appeared the kingdoms.* [6] **guerrera,** *warlike.* [7] **refrán,** *proverb.* [8] **Quien,** *He (The one) who.* [9] **poderío,** *power, dominion.*

194

The Giralda tower, Seville, Spain

tenta días de viaje, llegó a una pequeña isla el doce de octubre de 1492. Tomó posesión de ella en nombre de los Reyes Católicos, y la llamó San Salvador.[4] Los países de habla española todavía celebran la llegada de Colón y llaman a esta fecha el Día de la Raza. En los Estados Unidos se llama *Columbus Day*.

Después, Colón exploró otras islas y antes de volver a España estableció el primer pueblo español del Nuevo Mundo el 25 de diciembre, razón por la cual [5] dió a este pueblo el nombre de Navidad. Como Colón creía que había llegado a la India, dió el nombre de « indios » a los habitantes de las islas.

Los frailes,[6] los obreros [7] y los agricultores, en general todos los que acompañaron a Colón en su segundo viaje, continuaron la exploración e iniciaron la colonización y la nueva civilización del Nuevo Mundo. En ese segundo viaje los españoles trajeron semillas, árboles frutales y varios animales domésticos.

El Nuevo Mundo ha dado el nombre del gran descubridor a un país, Colombia, y a dos ciudades de Panamá, Cristóbal y Colón. En los Estados Unidos hay ciudades y pueblos que llevan el nombre de *Columbia* o *Columbus*. El mundo debe mucho a Cristóbal Colón. Este hombre fuerte, enérgico y valiente, sentó un buen ejemplo para los hombres que vinieron a América durante los años siguientes.

Conseguida [1] la unidad religiosa y política, los Reyes Católicos comenzaron a interesarse en la expansión del país y por fin decidieron ayudar a un pobre explorador italiano, Cristóbal Colón.[2] Colón salió de España con tres naves [3] pequeñas, la Pinta, la Santa María y la Niña; después de unos se-

[1] **Conseguida,** *After having attained.*   [2] **Colón,** *Columbus.*   [3] **naves,** *boats.*
[4] **San Salvador,** *Saint (Holy) Savior.*   [5] **razón por la cual,** *the reason for which.*
[6] **frailes,** *friars.*   [7] **obreros,** *workmen.*

196

The King and Queen bid farewell to Columbus

QUESTIONS

1. ¿ De qué período datan algunas ruinas en España ? 2. ¿ Quiénes fueron los primeros pobladores de la península ? 3. ¿ Qué se conserva en Asturias ? 4. ¿ Quiénes fueron los fenicios ? 5. ¿ Cuándo llegaron a la península ? 6. ¿ Qué ciudad fundaron ? 7. ¿ Quiénes fueron otros invasores ? 8. ¿ Cuántos siglos estuvieron en España los romanos ?

9. ¿ Qué dejaron allí? 10. ¿ Qué construyeron? 11. ¿ Cuáles son dos ejemplos de la obra de los romanos?

12. ¿ Quiénes ocuparon la península después de los romanos? 13. ¿ Quiénes fueron los últimos invasores? 14. ¿ En qué año entraron? 15. ¿ Hasta cuándo vivieron allí? 16. ¿ Por qué fué importante Córdoba? 17. ¿ Cuál fué la última capital de los moros? 18. ¿ Qué se encuentra allí?

19. ¿ Cuántos siglos duró la reconquista? 20. ¿ De dónde vino el nombre de Castilla? 21. ¿ Quién fué el Cid? 22. ¿ Dónde está su tumba? 23. ¿ Cuál es la catedral gótica más grande de Europa? 24. ¿ Qué es la Giralda? 25. ¿ Qué refrán hay sobre Sevilla? 26. ¿ Sobre Granada?

27. ¿ Qué dió a España su primera unidad política? 28. ¿ Qué llegó a ser España en el siglo XVI? 29. ¿ A quién decidieron ayudar Fernando e Isabel? 30. ¿ Cuáles fueron las tres naves de Colón? 31. ¿ En qué día llegó a una pequeña isla? 32. ¿ Cómo llamaron la isla? 33. ¿ Cómo llaman hoy día el doce de octubre?

34. ¿ Cuándo fundó Colón el primer pueblo del Nuevo Mundo? 35. ¿ Qué nombre dió a los habitantes de las islas? 36. ¿ Quiénes acompañaron a Colón en su segundo viaje? 37. ¿ Qué trajeron estos españoles a América? 38. ¿ Qué país lleva el nombre de Colón?

WORD STUDY

a. Give opposites of: largo, estrecho, antiguo, cerca de, triste, el fin, primero, terminar.

b. Compare the meanings of: comercio, comerciante; obra, obrero; guerra, guerrero; poderío, poderoso (*powerful*); explorar, exploración, explorador; nombre, nombrar; agricultor, agricultura.

c. Adverbs are often formed by using **con** plus a noun: con razón, *rightly.*

d. Pronounce the following words aloud, then observe the English meaning: pintura, *painting;* invasor, *invader;* establecer, *establish;* época, *epoch, period;* imperio, *empire;* gobierno, *government;* acueducto, *aqueduct;* teatro, *theater;* avanzada, *advanced;* reconquista, *reconquest;* cantidad, *quantity;* héroe, *hero;* maravilla, *marvel;* espiritual, *spiritual;* matrimonio, *matrimony, marriage;* unidad, *unity;* descubridor, *discoverer;* enérgico, *energetic.*

NOTES ON WORD ORDER

In the grammar lessons we have followed the general principle that limiting adjectives (articles, numerals, demonstratives, possessives, a few indefinites, and the like) <u>precede</u> the noun, and that descriptive adjectives which single out or distinguish a noun from another of the same class (adjectives of color, size, shape, nationality, and the like) <u>follow</u> the noun.

Descriptive adjectives may also precede the noun when they express a quality that is generally known or not essential to the recognition of the noun. In such cases there is no desire to single out or to differentiate:

los altos Pirineos   **algunos de los famosos exploradores**
las hermosas flores   **la Giralda, antigua torre . . .**

Whenever an adjective is changed from its normal position, the speaker or writer gives a subjective or personal interpretation of the noun. Therefore, position of adjectives may vary according to subject matter, style, and individual feeling or opinion. You have observed that **bueno** and **malo** usually precede the noun, although they may follow to distinguish characteristics of the noun. Other common adjectives like **hermoso, bonito, pequeño,** and the like, may precede or follow the noun. The following sentence from this Lectura offers a good example of adjectives which express qualities which are generally thought of in connection with the nouns in this particular situation:

la famosa Alhambra, con sus magníficos patios, sus bellos jardines y sus alegres fuentes . . .

In footnote 3, page 132, we called attention to the fact that a descriptive adjective often precedes the noun if the noun is followed by another adjective or prepositional phrase as modifier:

las antiguas misiones españolas   **Palma, famoso autor peruano**

In the Lecturas which follow observe similar cases of adjective position.

17

Stem-changing verbs   **Irregular comparison of adjectives and adverbs**   **The absolute superlative**   **Summary of comparison of equality**   **Possessive adjectives that follow the noun**

SPANISH USAGE

    — Buenas tardes, Isabel.   Me alegro mucho de verte.

    — Muy buenas, Juanita.   ¿ Qué tienes ?   ¿ Por qué no has ido a la oficina hoy ?

    — No me siento bien y pedí permiso para no ir.   Tengo un
5 resfriado y me duele la cabeza, pero no tanto como ayer.

    — ¡ Querida mía, lo siento mucho !   ¿ Por qué no te acuestas ?

    — Ayer pasé la mayor parte del día en la cama y esta mañana me levanté tarde.   Después de almorzar, dormí la siesta y ahora me siento un poco mejor.

— ¿ Dormiste mucho ?

— No dormí más que media hora. Mi hermanito y unos amigos suyos, un niño y una niña que son vecinos nuestros, estaban haciendo tanto ruido debajo de la ventana que no pude dormir bien. Pero es mejor. Si duermo mucho por la tarde, no puedo 5 dormirme por la noche. A propósito, ¿ has visto a Bárbara hoy ?

— Al mediodía la vi en el centro con Elena Martín, una prima suya. Las acompañé a la tienda de Ocampo Hermanos a buscar un regalo para el cumpleaños de una tía suya, pero no encontraron nada allí. Ya no tienen tantas cosas como antes. En una joyería 10 miraron varias cosas que les enseñaron. De pronto vieron una pulsera de reloj que les gustó muchísimo y la compraron. Es hermosísima.

— ¿ Qué te dijo Bárbara del viaje que hizo a Nueva York ?

— Se divirtió muchísimo, y quiere volver lo más pronto 15 posible. Conoció a Roberto Molina, el hermano mayor del novio de Carmen, y se enamoró de él. Bárbara dice que es bastante guapo y muy simpático. No es ni rico ni pobre, y tiene un puesto muy bueno. El viernes por la noche fueron al teatro a ver una comedia, y el sábado cenaron y bailaron en uno de los mejores 20 hoteles de la ciudad. Ahora Bárbara está muy contenta.

— ¡ Dios mío ! ¿ Se ha enamorado tan de pronto ? Pero me alegro mucho. ¿ No crees que vendrá a verme esta noche ? Tengo muchas ganas de verla.

— Tengo que llamarla por teléfono dentro de cinco minutos 25 y se lo [1] diré.

— Pero, ¿ ya te vas ?

— Sí, ya es tarde. ¡ Adiós !

— Te veré mañana.

VOCABULARY

antes *adv.* before, formerly	**contento, –a** happy, pleased, glad
la cabeza head	**debajo de** *prep.* under, below, beneath
la cama bed	
la comedia play, comedy	**dentro de** *prep.* within, in

---

[1] If no direct object is expressed with such verbs as **decir, pedir, preguntar,** the neuter pronoun **lo** must be used: **se lo diré,** *I'll tell her (it).*

Dios God

divertir (ie) to divert, amuse; *reflex.* have a good time, amuse oneself

doler (ue) to ache, pain

dormir (ue) to sleep; *reflex.* fall asleep, go to sleep

Elena Helen

enamorarse (de + *obj.*) to fall in love (with)

guapo, –a handsome

el hotel hotel

la joyería jewelry shop

Juanita Jane

el minuto minute

la niña little girl

el niño little boy; *pl.* children

el novio sweetheart, fiancé

pedir (i) to ask, ask for, request

pobre poor

posible possible

el propósito purpose, inclination

el puesto job, position, place

querido, –a dear

el regalo gift

el resfriado cold (*disease*)

rico, –a rich

el ruido noise

sentir (ie) to feel, regret, be sorry

la siesta nap

el teatro theater

el vecino neighbor

a propósito by the way

de pronto suddenly, quickly

¡ Dios mío ! Heavens!

dormir la siesta to take a nap

lo siento (mucho) I am (very) sorry.

me duele la cabeza I have a headache, my head aches (*lit.*, the head aches to me)

muy buenas good afternoon (*used in reply to* **buenas tardes** *or* **buenas noches**)

pulsera de reloj watch band

¿ qué tienes (tiene Vd.) ? what's the matter with you?

sentirse bien to feel well

ya no no longer

QUESTIONS

1. ¿ Quiénes están hablando? 2. ¿ Qué tiene Juanita? 3. ¿ Qué hizo ella después de almorzar? 4. ¿ Se siente mejor? 5. ¿ Durmió mucho? 6. ¿ Pòr qué no durmió más? 7. ¿ Dónde vió Isabel a Bárbara? 8. ¿ Quién es Elena Martín? 9. ¿ A dónde fueron primero? 10. ¿ Qué vieron en la joyería? 11. ¿ Compraron la pulsera de reloj? 12. ¿ Cómo es? 13. ¿ A dónde había ido Bárbara? 14. ¿ A quién conoció allí? 15. ¿ Cómo es Roberto? 16. ¿ A dónde fueron el viernes por la noche? 17. ¿ Qué hicieron el sábado? 18. ¿ Está contenta Bárbara?

(Personal questions) 19. ¿ Se siente Vd. bien hoy? 20. ¿ Tiene Vd. un resfriado? 21. ¿ Duerme Vd. la siesta todas las tardes? 22. ¿ Duerme Vd. la siesta los domingos? 23. ¿ A dónde vamos para comprar una pulsera de reloj? 24. ¿ A dónde vamos para ver una comedia? 25. ¿ Se divierte Vd. mucho en los bailes?

GRAMMATICAL USAGE

A. STEM–CHANGING VERBS

CLASS II		CLASS III
sentir, *to feel*	dormir, *to sleep*	pedir, *to ask (for)*

Present Indicative

siento	duermo	pido
sientes	duermes	pides
siente	duerme	pide
sentimos	dormimos	pedimos
sentís	dormís	pedís
sienten	duermen	piden

Preterit

sentí	dormí	pedí
sentiste	dormiste	pediste
sintió	durmió	pidió
sentimos	dormimos	pedimos
sentisteis	dormisteis	pedisteis
sintieron	durmieron	pidieron

Present Participles

sintiendo	durmiendo	pidiendo

When the stem of certain –ir verbs is accented, e becomes ie and o becomes ue, like Class I verbs, which end in –ar and –er (Lesson 8). In addition, the verbs of Class II change e to i and o to u in the third person singular and plural of the preterit and in the present participle. These verbs are designated: sentir (ie), dormir (ue).

Class III verbs, also of the third conjugation, change the stem vowel in the same forms as Class II verbs; however, the change is always e to i (never to ie). Such verbs are designated: pedir (i).

Recall the verb preguntar which means *to ask a question*. Pedir means *to ask for, request someone to do something, ask a favor*.

B. IRREGULAR COMPARISON OF ADJECTIVES AND ADVERBS

1. In Lesson 7 we discussed the regular comparison of adjectives. The comparative of adverbs is also regularly formed by placing más or menos before the adverb. The article is not used in the superlative,

except that the neuter form **lo** is used when an expression of possibility follows:

> **Habla más rápidamente que nunca.** He talks more rapidly than ever.
> **Quiere volver lo más pronto posible.** She wants to return as soon as possible (the soonest possible).

2. Six adjectives and four adverbs, some of which have already been used, are compared irregularly:

ADJECTIVES

bueno good	(el) **mejor**	(the) better, best
malo bad	(el) **peor**	(the) worse, worst
grande large	{ (el) **más grande**	(the) larger, largest
	{ (el) **mayor**	(the) greater, older, greatest, oldest
pequeño small	{ (el) **más pequeño**	(the) smaller, smallest
	{ (el) **menor**	(the) smaller, younger, smallest, youngest
mucho(s) much (many)	**más**	more, most
poco(s) little (few)	**menos**	less, fewer

Grande and **pequeño** have regular forms which refer to size, while the irregular forms **mayor** and **menor** usually refer to persons and mean *older* and *younger*, respectively. **Mejor** and **peor** precede the noun, since **bueno** and **malo** regularly precede it.

Remember that *most (of)*, *the greater part of*, is translated:

> **la mayor parte del día,** *most of the day.*

Also remember that **grande** becomes **gran** before a masculine or feminine singular noun and means *great*. The full form is used before plural nouns: **un gran hombre,** *a great man;* **una gran mujer,** *a great woman;* **unos grandes jugadores,** *some great players.*

ADVERBS

bien well	**mejor** better, best
mal badly	**peor** worse, worst
mucho much	**más** more, most
poco little	**menos** less, least

Práctica. Read in Spanish, then give the English for:

1. un buen hotel, un mejor hotel, el mejor hotel de la ciudad. 2. mi hermana pequeña, mi hermana menor, la menor de mis hermanas. 3. un teatro grande, un

teatro más grande, el más grande de los tres teatros. 4. un mal partido, un peor partido, el peor partido del año. 5. una gran comedia, una mejor comedia, la mejor comedia de todas. 6. mucho ruido, más ruido, poco ruido, menos ruido. 7. bailan mal, bailan peor, nunca bailan mejor. 8. hablamos mucho, hablan menos, hablo lo menos posible.

C. THE ABSOLUTE SUPERLATIVE

> **Es muy hermosa (hermosísima).** It is very pretty.
> **Ella se divirtió muchísimo.** She had a very good time.

A high degree of quality, without any element of comparison, is expressed by the use of **muy** before the adjective or adverb, or by adding the ending **–ísimo** (**–a, –os, –as**) to the adjective. When **–ísimo** is added, a final vowel is dropped. The **–ísimo** form, which is more emphatic, is very common in Spanish. **Muchísimo** (never **muy mucho**) is used for the adjective or adverb *very much (many)*.

D. SUMMARY OF COMPARISON OF EQUALITY

> **Tengo tanto dinero como él.** I have as much money as he.
> **No tienen tantas cosas como antes.** They don't have so many things as before.
> **Pablo es tan guapo como José.** Paul is as handsome as Joe.
> **No hablo tan rápidamente como ella.** I don't talk so fast as she.

Tanto (**–a, –os, –as**) + a noun + **como** means *as (so) much (many) . . . as;* **tan** + an adjective or adverb + **como** means *as (so) . . . as.*

Tanto, which may be used as an adjective, pronoun, or adverb, may stand alone: **No tengo tantos,** *I don't have so many;* **No trabaja tanto,** *He doesn't work so much.*

E. POSSESSIVE ADJECTIVES THAT FOLLOW THE NOUN

SINGULAR		PLURAL
mío, mía	my, of mine	míos, mías
tuyo, tuya	your (*fam.*), of yours	tuyos, tuyas
suyo, suya	his, her, your (*formal*), of his, of hers, of yours	suyos, suyas
nuestro, nuestra	our, of ours	nuestros, nuestras
vuestro, vuestra	your (*fam. pl.*), of yours	vuestros, vuestras
suyo, suya	their, your (*formal pl.*), of theirs, of yours	suyos, suyas

(1) **un amigo mío** a friend of mine
aquella casa nuestra that house of ours
Luis y unos amigos suyos Louis and some friends of his
dos hermanos suyos two brothers of his (hers, yours, theirs)

(2) **querida (amiga) mía** my dear (friend)

(3) **¡ Dios mío !** heavens!

In Lesson 4 you had the short forms of possessive adjectives, which always precede the noun. There is also a set of long forms which <u>follow</u> the noun, agreeing with it in gender and number. The long forms are most commonly used: (1) to translate *of mine, of his, of yours,* etc.; (2) in direct address; and (3) in certain set phrases.

Since **suyo** (–a, –os, –as) has several meanings, the forms **de él, de ella,** etc., may be substituted to make the meaning clear: **dos hermanos suyos = dos hermanos de él (de ella, de ellos, de Vd., de Vds.),** *two brothers of his (hers, theirs, yours).* Do <u>not</u> use a prepositional form for any other long possessive adjectives than **suyo, –a, –os, –as.**

Práctica. Read in Spanish, then give the English meaning for:

1. un vecino mío, dos vecinos míos, un vecino nuestro. 2. un traje de Carlos, este traje suyo, esos trajes suyos. 3. el vestido de Elena, ese vestido suyo, varios vestidos suyos. 4. una amiga nuestra, algunas amigas nuestras, algunas amigas mías. 5. Juanita y un hermano suyo, Juanita y una hermana suya. 6. Felipe y un tío suyo, Elena y un tío suyo, los dos y un tío suyo. 7. Juan y dos primos suyos, María y dos primos suyos. 8. ese regalo tuyo, esos regalos tuyos, esos regalos vuestros.

EXERCISES

A. Give the English for:

siente	pidieron	pidiendo	me divierto	almorcé
duermen	durmió	durmiendo	se divirtió	duele
pide	sintieron	sintiendo	divirtiéndose	me enamoré

B. Give the Spanish for:

1. I sleep. 2. they sleep. 3. he slept. 4. I feel. 5. he feels. 6. they felt. 7. she is having a good time. 8. they had a good time. 9. he asks for. 10. I asked for. 11. they asked for. 12. feeling. 13. sleeping. 14. asking for. 15. having a good time. 16. it aches. 17. I had lunch. 18. he fell in love.

C. Read in Spanish, supplying Spanish words for those in italics:

1. María tiene *as many* amigos *as* Juanita. 2. Bárbara es casi *as* alta *as* ella. 3. Roberto es *taller* que su hermano *younger*. 4. Su hermana *older* es *very pretty*. 5. Eduardo es *as* guapo *as* Vicente. 6. Carolina compró *as many* cosas *as* yo. 7. *Most of* sus amigas van a la universidad. 8. Se dice que es la *best* universidad *in the* estado. 9. Recibe *as many* cartas *as* su hermana. 10. Aquel edificio es el *tallest in the* ciudad. 11. Sería *better* no hablar *so much*. 12. Ella tiene *many* sombreros; yo no tengo *so many*. 13. Este camino es *bad;* el otro es *worse*. 14. Los novios de las muchachas son *very handsome*. 15. Viven en *the largest houses* de esta calle. 16. La *greater* parte de los alumnos no son ricos. 17. Carmen escribe *more than* cinco cartas todos los domingos. 18. Tengo *fewer* amigos que ella. 19. Este niño es *older* que la niña *tallest* que Vd. ve allí. 20. Muchos edificios son *very large* (express two ways).

D. Give the Spanish for:

1. this watch of mine. 2. these books of mine. 3. this car of ours. 4. those neighbors of ours. 5. our father and two sisters of his. 6. Helen and two aunts of hers. 7. my brother and a friend of his. 8. my parents and some friends of theirs. 9. you (*formal*) and a friend of yours. 10. you (*fam. sing.*) and a (girl) friend of yours. 11. an uncle of hers (*two ways*). 12. my dear friends.

13. By the way. 14. I am very sorry. 15. What's the matter with her? 16. They don't feel well. 17. I have a headache. 18. He took a nap. 19. Excuse me. 20. I am very glad to know you. 21. Return tomorrow afternoon. 22. I am sure that he will come. 23. She is probably at home. 24. Give her the watch band.

COMPOSITION

1. How do you feel today? — My head aches and I have a cold. 2. I am very sorry. Why don't you go to sleep now? 3. If I sleep during the day, I cannot go to sleep in the evening. 4. Do you know whether Barbara has returned from her trip to New York? 5. I talked with her an hour ago when I ran across her in the theater. 6. It seems that she fell in love with Mary's younger brother. 7. He intends to visit her next month when he has his vacation. 8. Even though he isn't very handsome, she says that he is very pleasant. 9. He has a job in one of the best stores in the city. 10. Barbara is so happy now that she talks about him most of the time. 11. They had a very good time dancing in one of the best hotels Saturday night. 12. Ask her whether she can come (pass) by here tomorrow afternoon. 13. I am sure that she wants to chat with you a while. 14. Are you going already? — Yes, it is late. I'll see you tomorrow.

LECTURA XII

Dos descubridores: Balboa y de Soto

En los primeros años del siglo XVI los españoles descubrieron, exploraron y conquistaron una gran parte del Nuevo Mundo. Muchos españoles venían a La Española, hoy Santo Domingo, o a Cuba en busca de oro y como no lo hallaban, algunos se dedicaban a la agricultura y otros se marchaban a la Tierra Firme.[1]

Monument to Balboa, Panama

Un día del año de 1510 Martín Fernández de Enciso navegaba[2] lejos de La Española hacia la Tierra Firme. De repente saltó[3] de uno de los barriles de provisiones un hombre a quien no le habían permitido formar parte de la expedición por cierta cuestión de deudas.[4] Era éste un pobre hidalgo[5] de España, llamado Vasco Núñez de Balboa, que había pasado unos diez años en la colonia. Le acompañaba su perro[6] Leoncico, que más tarde había de ayudarle mucho en las luchas contra los indios salvajes.

Enciso tenía intención de abandonar a Balboa en una isla desierta, pero éste protestó, añadiendo[7] que conocía bien las tierras adonde iban. Al saber esto, Enciso le permitió continuar con la expedición. Balboa guió a Enciso hasta el Golfo de Darién en la costa del istmo de Panamá.

Andando el tiempo,[8] Balboa ganó para sí una gran popularidad, y por medio de[9] una rebelión llegó a ser jefe de la colonia. Un día que los españoles se repartían[10] oro en casa de un indio, éste les dijo que si habían venido para hacerse ricos, él conocía una región donde podrían satisfacer sus deseos. Dijo que al otro lado de las montañas había un mar extenso, el Mar del Sur, en que una nación poderosa navegaba

---

[1] **Tierra Firme,** *Mainland.*   [2] **navegaba,** *was sailing.*   [3] **De repente saltó,** *Suddenly there jumped.*   [4] **deudas,** *debts.*   [5] **hidalgo,** *nobleman.*   [6] **perro,** *dog.*   [7] **añadiendo,** *adding.*   [8] **Andando el tiempo,** *As time passed.*   [9] **por medio de,** *by means of.*   [10] **que . . . se repartían,** *when . . . were dividing (among themselves).*

barcos grandes. Ésta fué la primera noticia que los españoles tuvieron del Océano Pacífico y del imperio de los incas.

En el mes de septiembre de 1513 Balboa salió con 150 hombres a buscar el Mar del Sur. La distancia era corta, pero los españoles tuvieron que pasar por una región tropical de mucha vegetación donde vivían indios salvajes. Por eso tardaron diez y nueve días en llegar a la cumbre [1] de las montañas, desde donde Balboa vió por primera vez [2] el gran océano. Se puso de rodillas [3] y dió gracias a Dios por haberle concedido [4] el privilegio de descubrirlo. En seguida sus hombres hicieron una cruz de madera, grabaron [5] en ella el nombre del rey de España, y la colocaron allí en la montaña con los brazos extendidos hacia los dos océanos. Luego Balboa continuó hasta la costa donde, el 29 de septiembre, entró en el agua y en nombre del rey Fernando tomó posesión del Pacífico, de todas sus costas y sus islas. Hay que añadir que entre los españoles que acompañaron a Balboa se encontraba Francisco Pizarro, futuro conquistador del imperio inca.

---

[1] **tardaron . . . cumbre,** *it took them nineteen days to reach the summit.* [2] **por primera vez,** *for the first time.* [3] **Se puso de rodillas,** *He knelt.* [4] **por haberle concedido,** *for having granted him.* [5] **grabaron,** *they carved (cut).*

El Adelantado IUAN PONCE Des=
cubridor de la Florida .

y el rey don Fernando, convencido de
que Balboa era un hombre malo y no
muy inteligente, nombró a Pedro Arias
Dávila, conocido por Pedrarias Dávila,
gobernador de la colonia. Pedrarias,
hombre cruel, envidioso y codicioso,[2]
llegó a Panamá en el año de
1514 y poco después ordenó la ejecución de Balboa, acusándole de traidor.
Todo el mundo sabe que se cometió
una gran injusticia, pues Balboa era
un hombre justo, agradable y simpático que contaba con la confianza [3] de
sus soldados. La república de Panamá
ha honrado al descubridor dando su
nombre a una ciudad y a la moneda
del país, que se llama el balboa.

Hernando de Soto, otro descubridor simpático y honrado,[4] se distinguió primero en la conquista del
Perú. Siendo ya rico y famoso, volvió
a España en 1536 y solicitó el título de
gobernador de Cuba y de la Florida.
Esta última fué descubierta [5] por
Ponce de León el día de la Pascua
Florida del año de 1512, cuando andaba en busca de la Fuente de la
Juventud.

En 1538, con unos seiscientos
hombres y diez barcos, de Soto partió
de España en compañía de su bella
esposa. Dejó el gobierno de Cuba en
manos de su esposa y se dirigió a la
Florida, donde esperaba hallar otra
tierra tan rica como el Perú. En el
mes de mayo del año siguiente llegó
a la bahía del Espíritu Santo, llamada
ahora Tampa Bay.

Balboa volvió a la colonia, creyendo que empezaba para él una gran
carrera como representante del gobierno español, pero no contó con la
envidia [1] de sus enemigos. Éstos
lanzaron acusaciones falsas contra él,

---

[1] **envidia,** envy.   [2] **codicioso,** covetous, greedy.   [3] **contaba con la confianza,**
counted on (had) the confidence.   [4] **honrado,** honest, honorable.   [5] **descubierta,**
discovered.

La expedición se encontró con Juan Ortiz, un español que había acompañado a Narváez unos once años antes, y que por lo tanto [1] sabía las lenguas de los indios con quienes había vivido. Ortiz no había visto oro, ni perlas, ni otras joyas, pero había oído hablar de [2] unas tierras un poco más lejanas que eran tan ricas que los habitantes llevaban sombreros de oro. Durante dos años Hernando de Soto exploró los bosques hacia el norte y hacia el oeste sin hallar las riquezas que buscaba. Tuvo que luchar contra la hostilidad de los indios y el desaliento [3] de sus soldados, contra los insectos y el hambre. La marcha le llevó por los terrenos [4] que ahora forman los estados de la Florida, Georgia, las Carolinas, Alabama y Misisipí. Por último, en la primavera del año de 1541 descubrió el río Misisipí, que cruzaron en unos pequeños barcos que ellos mismos construyeron. Sólo quedaron unos trescientos soldados de los seiscientos que iniciaron el viaje.

Durante el año siguiente dirigieron su exploración hacia el oeste, pasando por los estados de Misurí, Arkansas y Oklahoma. Por fin, de Soto enfermó y murió el 21 de mayo del año de 1542, a la edad de cuarenta y cinco años. Para ocultar a [5] los indios la muerte del valiente héroe, sus compañeros envolvieron su cadáver en una manta,[6] lo llevaron al río y lo arrojaron en él, para que sus aguas guardaran [7] el secreto de su muerte.

[1] **por lo tanto,** *therefore.* [2] **había oído hablar de,** *had heard of.* [3] **desaliento,** *discouragement.* [4] **terrenos,** *lands.* [5] **ocultar a,** *to hide from.* [6] **manta,** *blanket.* [7] **para que sus aguas guardaran,** *in order that its waters might guard (keep).*

De Soto discovered the Mississippi

HERNANDO DE SOTO
[From the 1728 edition of Herrera]

QUESTIONS

1. ¿ Qué hicieron los españoles en el siglo XVI ? 2. ¿ Para qué venían muchos españoles ? 3. ¿ A qué se dedicaban algunos ? 4. ¿ Hacia dónde navegaba Enciso un día ? 5. ¿ Quién saltó de uno de los barriles ? 6. ¿ Qué le acompañaba ? 7. ¿ A qué golfo llegaron ?

8. ¿ Qué llegó a ser Balboa ? 9. ¿ Qué les dijo a los españoles un día un indio ? 10. ¿ Cómo se llamaba este mar ? 11. ¿ Cuántos días tardaron en llegar a la cumbre de las montañas ? 12. ¿ Qué hizo Balboa al ver el océano ? 13. ¿ Qué hicieron sus hombres ? 14. ¿ En qué día tomó Balboa posesión del Pacífico ? 15. ¿ Qué hicieron sus enemigos después ? 16. ¿ Quién ordenó la ejecución de Balboa ? 17. ¿ Cómo era Balboa ? 18. ¿ Cómo le ha honrado Panamá ?

19. ¿ Quién fué otro descubridor honrado ? 20. ¿ Dónde se distinguió primero ? 21. ¿ Qué título solicitó ? 22. ¿ Quién descubrió la Florida ? 23. ¿ Qué buscaba él ? 24. ¿ Qué esperaba hallar de Soto en la Florida ?

25. ¿ Con quién se encontró la expedición ? 26. ¿ Qué sabía Ortiz ?
27. ¿ De qué había oído hablar ? 28. ¿ Durante cuántos años exploró de
Soto los bosques ? 29. ¿ Por dónde le llevó la marcha ? 30. ¿ Cuándo
descubrió el río Misisipí ? 31. ¿ Cuántos soldados quedaron ?
32. ¿ Cuándo murió de Soto ? 33. ¿ Cuántos años tenía ? 34. ¿ Qué
hicieron sus compañeros con su cadáver ?

WORD STUDY

a. *Give infinitives related to the following nouns:* descubridor, exploración, conquista, busca, permiso, nombre, compañero, acusación,
lucha, cruz.

b. *Compare the meanings of the following:* envidia, *envy, and* envidioso, *envious;* gobierno, *government, and* gobernador, *governor;*
rico, *rich, and* riquezas, *riches, wealth;* joven, *young, and* juventud,
youth; lejos (*adv.*), *far, and* lejano (*adj.*), *distant;* enfermo, *sick, and*
enfermar, *to get sick;* morir, *to die, and* muerte, *death.*

c. *Pronounce the following words, noting the English meaning of each:*
barril, *barrel;* cuestión, *question;* salvaje, *savage, wild;* guiar, *guide;*
desierto, *deserted;* satisfacer, *satisfy;* privilegio, *privilege;* carrera,
career; ejecución, *execution;* traidor, *traitor;* cometer, *commit;* bahía,
bay; espíritu, *spirit;* perla, *pearl;* iniciar, *initiate, start.*

NOTES ON WORD ORDER

Certain adjectives have different meanings, depending on whether
they precede or follow the noun. In general, they have their literal
meanings when they follow and figurative meanings when they precede
the noun:

él mismo he himself
ellos mismos they themselves
las colonias pobres the poor districts

un país grande a large country
su hermano mayor his older brother
un coche nuevo a new (brand-new)
  car

el mismo nombre the same name
al mismo tiempo at the same time
un pobre hidalgo a poor (unfortu-
  nate) nobleman
una gran injusticia a great injustice
la mayor parte the greater part
el Nuevo Mundo the New (another)
  World

ROBERT WILLIAM HINDS

18

The present subjunctive of regular verbs

The present subjunctive of irregular and stem-changing verbs

Theory of the subjunctive mood

The subjunctive in noun clauses

SPANISH USAGE

Dorotea Gómez acaba de pasar sus vacaciones en la Habana. En el vuelo a los Estados Unidos conoció a Carlos Molina, un joven argentino, que piensa estudiar cuatro meses en la misma universidad que ella. Una noche pasan por la casa de Ana y
5 Roberto White. Cuando tocan el timbre, Roberto abre la puerta. Al ver a Dorotea, exclama:

— ¡ Cuánto me alegro de verla, Dorotea ! ¡ No sabía que estaba Vd. de vuelta ! ¿ Se divirtió mucho en Cuba ?

214

— Sí, mucho, pero un momento, Roberto. Quiero presentarle mi amigo,[1] Carlos Molina.

— Mucho gusto en conocerle, Carlos.

— El gusto es mío. Es un gran placer estar aquí en su país — contesta Carlos.   5

— Muchas gracias. Pues, pasen Vds. Esta noche Ana y yo estamos celebrando nuestro aniversario con un baile en la sala de recreo y quiero que Vds. conozcan a nuestros invitados.

— Gracias, Roberto, pero no debemos quedarnos. Pasaremos por aquí otra vez. Habrá otras oportunidades y no queremos 10 molestarlos — contesta Dorotea.

— ¡ Dios mío, Dorotea, una buena amiga como Vd. no debe decir tal cosa ! Les ruego que pasen ahora mismo. También Ana tendrá mucho gusto en verlos.

(*Por fin entran los dos y Roberto los presenta a todos. Después* 15 *de charlar unos minutos, ponen el fonógrafo y tocan varios discos de música popular.*)

— Carlos — dice Ana después de un rato — quiero que me enseñe a bailar el tango. Ninguno de los otros muchachos sabe bailarlo. (*Entonces otras muchachas le piden lo mismo a Carlos.*) 20

— Se lo enseñaré con mucho gusto. Si no conocen la rumba cubana, también Dorotea y yo podemos enseñársela. Queremos que Vds. conozcan mejor nuestros bailes.

— Ana, dígale a Roberto que ponga algunos discos latinoamericanos — dice Isabel. — Y pídale que lo haga ahora mismo, 25 por favor. Vds. tienen una colección magnífica. Yo prefiero que todos aprendamos [2] primero el tango, y después podemos bailar la rumba, ¿ eh ?

(*Todos se divierten mucho aprendiendo los pasos nuevos. A las once y media Roberto apaga el fonógrafo y Ana les sirve refrescos.* 30 *A la medianoche todos los invitados se despiden de ellos.*)

— Hemos pasado una noche muy agradable — dicen todos al despedirse.

— Muchas gracias. Vuelvan pronto y bailaremos más — contestan Ana y Roberto.   35

---

[1] To avoid confusion with the indirect object **le,** *to you,* the personal **a** is omitted before the direct object **mi amigo.**   [2] Even though the subject pronoun **nosotros,** in apposition to **todos,** may be omitted, the verb agrees with **nosotros.**

VOCABULARY

el **aniversario** anniversary
apagar to turn off
argentino, –a Argentine
celebrar to hold, celebrate
la **colección** (*pl.* **colecciones**) collection
¡ **cuánto** + *verb!* how!
cubano, –a Cuban
despedirse (**de** + *obj.*) (**i**) to say good-bye (to), take leave (of)
el **disco** record (*phonograph*)
exclamar to exclaim
el **fin** end
el **fonógrafo** phonograph, record player
la **Habana** Havana
el **invitado** guest
latinoamericano, –a Latin American

mío, –a *pron. and adj.* mine
pasar to come in
el **paso** step
poner to turn on, put on
popular popular
preferir (**ie**) to prefer
presentar to present, introduce
rogar (**ue**) to ask, beg
la **rumba** rumba
la **sala de recreo** recreation room
servir (**i**) to serve
tal such (a) (*used without article*)
el **tango** tango
el **timbre** doorbell
tocar to ring (*bell*)
la **vuelta** return, change (*money*)

a la medianoche at midnight
ahora mismo right now, right away
¡ **cuánto me alegro (de) . . . !** how glad I am (to) . . . !
el (la) mismo (–a) . . . que the same . . . as
estar de vuelta to be back
lo mismo the same thing
mucho gusto en conocerle (I am) very pleased (glad) to know you
pasar una noche muy agradable to spend a very pleasant evening
por fin finally, at last

QUESTIONS

1. ¿ Dónde ha pasado Dorotea sus vacaciones? 2. ¿ A quién conoció en el vuelo a los Estados Unidos? 3. ¿ Qué piensa hacer Carlos? 4. ¿ Por dónde pasan Carlos y Dorotea una noche? 5. ¿ Qué hacen al llegar a la puerta? 6. ¿ Qué dice Roberto al ver a Dorotea? 7. ¿ Qué dice Roberto cuando Dorotea le presenta su amigo Carlos? 8. ¿ Qué contesta Carlos? 9. ¿ Qué celebran Ana y Roberto? 10. ¿ Por qué no entran Carlos y Dorotea en seguida? 11. ¿ Qué hacen después de unos minutos? 12. ¿ Qué dice Ana a Carlos después de un rato? 13. ¿ Qué otro baile pueden enseñarles Dorotea y Carlos? 14. ¿ Se divierten todos? 15. ¿ Qué hace Roberto a las once y media? 16. ¿ Qué hace Ana? 17. ¿ Cuándo se despiden todos? 18. ¿ Qué dicen al despedirse?

GRAMMATICAL USAGE

A. THE PRESENT SUBJUNCTIVE OF REGULAR VERBS

hablar		comer		vivir	
SING.	PLURAL	SING.	PLURAL	SING.	PLURAL
hable	hablemos	coma	comamos	viva	vivamos
hables	habléis	comas	comáis	vivas	viváis
hable	hablen	coma	coman	viva	vivan

In the present subjunctive tense the endings of –ar verbs begin with –e, while those of –er and –ir verbs begin with –a. In earlier lessons we have used the third person singular and plural forms of the present subjunctive in commands (see Lesson 9). There is no regular translation for the subjunctive (see section C); however, in drill exercises the conventional translation for the present subjunctive will be: (que) yo hable, (that) I may speak; (que) comamos, (that) we may eat.

B. THE PRESENT SUBJUNCTIVE OF IRREGULAR AND STEM–CHANGING VERBS

Infinitive	1st. Sing. Pres. Ind.	Present Subjunctive
conocer	conozco	conozca, conozcas, conozca, etc.
decir	digo	diga, digas, diga, etc.
hacer	hago	haga, etc.
poner	pongo	ponga, etc.
salir	salgo	salga, etc.
tener	tengo	tenga, etc.
traer	traigo	traiga, etc.
venir	vengo	venga, etc.
ver	veo	vea, etc.

As we have found in Lesson 9, in order to form the present subjunctive of all verbs in Spanish, except the six given below, drop the ending –o of the first person singular present indicative and add to this stem the subjunctive endings for the corresponding conjugation.

dar		estar		haber	
SING.	PLURAL	SING.	PLURAL	SING.	PLURAL
dé	demos	esté	estemos	haya	hayamos
des	deis	estés	estéis	hayas	hayáis
dé	den	esté	estén	haya	hayan

	ir		saber		ser
SING.	PLURAL	SING.	PLURAL	SING.	PLURAL
vaya	vayamos	sepa	sepamos	sea	seamos
vayas	vayáis	sepas	sepáis	seas	seáis
vaya	vayan	sepa	sepan	sea	sean

Stem-changing verbs of Class I (ending in –ar and –er) have the same changes in the present subjunctive as in the present indicative; that is, throughout the singular and in the third person plural. This is also true of **poder** and **querer.**

pensar: **piense, pienses, piense,** pensemos, penséis, **piensen**
volver: **vuelva, vuelvas, vuelva,** volvamos, volváis, **vuelvan**

poder: **pueda, puedas, pueda,** podamos, podáis, **puedan**
querer: **quiera, quieras, quiera,** queramos, queráis, **quieran**

Stem-changing verbs of Class II and Class III (both of which end in –ir) have the same four changes in the present subjunctive which they have in the present indicative (throughout the singular and in the third person plural, see Lesson 17). In addition, Class II verbs change e to i and o to u in the first and second persons plural, and Class III verbs change e to i in these two forms also:

	CLASS II				CLASS III	
	sentir		dormir		pedir	
SING.	PLURAL	SING.	PLURAL	SING.	PLURAL
sienta	sintamos	duerma	durmamos	pida	pidamos
sientas	sintáis	duermas	durmáis	pidas	pidáis
sienta	sientan	duerma	duerman	pida	pidan

C. THEORY OF THE SUBJUNCTIVE MOOD

The indicative mood which has been used up to this point, except in main clauses to express formal commands (Lesson 9), expresses facts.

Spanish uses the subjunctive mood much more than English, particularly in dependent clauses. If the clause is used as a subject or direct object of the verb, it is a noun clause; *e.g.,* in the sentence *I doubt that*

he knows it, the words *that he knows it* make up a noun clause used as the
direct object of the verb *I doubt.* The subjunctive mood is generally
found in noun clauses that depend on verbs which express *uncertainty*
or an *opinion,* an *attitude,* a *wish,* or a *feeling* of the speaker concerning
the action of the dependent clause:

> **No creo que estén aquí.** I do not believe that they are (will be)
> here.
> **Espero que lo hagan.** I hope that they may (will) do it.
> **Queremos que vengan.** We wish that they come, We want them
> to come.

Some of these uses are discussed further in Section D, others will be
taken up later, but note that the subjunctive has various translations in
English: (1) like the English present tense (*that they come*); (2) like the
future (*that they will be here*); (3) with the word *may* (*that they may do it*)
which carries the idea of something uncertain or not yet accomplished,
and (4) by the infinitive (last example). In drill a common translation
for the present subjunctive will be: *that he may speak,* **que hable.**
Since most noun clauses in Spanish are introduced by **que** it is well to
use **que** with the verb in drilling on the individual forms.

D. THE SUBJUNCTIVE IN NOUN CLAUSES

> **Quiero ir.** I want to go. (*No change of subject*)
> **Quieren que yo vaya.** They want me to go (They wish that I go).
> (*Subjects different*)
> **Prefiere hacerlo.** He prefers to do it. (*No change of subject*)
> **Prefiere que ella lo haga.** He prefers that she do it. (*Subjects
> different*)
> **Pídale** [1] **Vd. que salga.** Ask him to leave. (*Subjects different*)
> **Dígale Vd. que me lo dé.** Tell him to give it to me. (*Subjects
> different*)
> **Les dirá que vuelvan.** He will tell them to return. (*Subjects
> different*)

In Spanish the subjunctive is regularly used in a noun clause when
the main verb expresses such ideas of the speaker as those of *wish,*

[1] With some verbs, *e.g.,* **decir, pedir,** and others which require the indirect object
of a person, the subject of the infinitive in English is expressed as the indirect object
of the main verb and understood as the subject of the subjunctive verb in the dependent clause. When you have a sentence like *Ask him to leave,* think of it literally,
Ask of (to) him that he leave.

request, command, necessity, permission, approval, advice, cause, suggestion, and the like, as well as their negatives.

Remember that in English an infinitive is most commonly used after such verbs, but in Spanish a clause must be used if the subject of the dependent clause is <u>different</u> from that of the main verb. When there is no change of subject, or no subject expressed for the English infinitive, the infinitive is also used in Spanish (first and third examples).

The present subjunctive is used for both present and future time in a dependent clause. And since the first and third persons singular of the present subjunctive are the same, the subject pronouns must be used more than in some tenses.

Decir is followed by the subjunctive only when it is used as a command (last two examples). Otherwise the indicative is used: **Dice que volverán,** *He says that they will return.*

EXERCISES

A. Give the English for the following, using the conventional translation of the subjunctive suggested for drill (*e.g.,* **que hable,** *that he may speak*):

1. Digo, diga Vd., que él diga.   2. Vengo, vengan Vds., que ellos vengan.
3. Traigo, traiga Vd., que ella traiga.   4. Lo hago, hágalo Vd., que él lo haga.
5. Vuelvo, vuelva Vd., que yo vuelva.   6. Piden, pidan Vds., que pidamos.

B. Express each of the following as a singular command, then repeat, using a subjunctive clause after **Quiero que Vd.:**

1. ir a casa.   2. salir del cuarto.   3. estar allí a las cinco.   4. servir los refrescos.   5. darme el periódico.   6. ponerse el sombrero.   7. sentarse aquí.
8. divertirse mucho.   9. despedirse de ellos ahora.   10. no traerme el disco.

C. Complete with the correct form of the verb and translate:

1. Yo quiero (ir, vaya) a aquella tienda.   2. Prefieren (entrar, entren) en esta tienda.   3. Quieren que yo (decir, diga) la verdad.   4. No deseo que ella (poner, ponga) el disco.   5. Dígale Vd. que (venir, venga) temprano.   6. Pídales Vd. que (hacerlo, lo hagan).   7. Le pediremos a Carlos que (enseñárnoslo, nos lo enseñe).   8. Ella prefiere que yo (servir, sirva) el café.   9. No quieren que nosotros (dormir, durmamos) hasta tarde mañana.   10. Quiere que nosotros (divertirnos, nos divirtamos) esta noche.   11. No le pida Vd. a ella que (despedirse, se despida) de ellas todavía.   12. Queremos (conocer, conozcamos) a su amigo.

D. Write in Spanish:

1. He wants to return. 2. He wants John to return (wishes that John return). 3. We want to meet her. 4. He wants us to meet her (wishes that we meet her). 5. They prefer to write the letter. 6. They prefer that I write it. 7. Ask them to get up (Ask of them that they get up). 8. Tell him that we are going to eat (*statement of fact*). 9. Tell him to come down (Tell to him that he come down). 10. I shall ask Ann to teach it to them (I shall ask of Ann that she teach it to them).

COMPOSITION

1. Charles and Dorothy approach the house and ring the doorbell. 2. Upon opening the door, Robert asks them to come in. 3. He tells them that he and his wife are celebrating their anniversary with a dance in their recreation room. 4. He wants them to meet their guests. 5. The two do not want to bother them, but Robert insists that [1] they enter the house. 6. They play several records of popular music, then Robert puts on some Latin American records. 7. One of the girls wants Charles to teach her the tango. 8. Later another girl asks him to dance the rumba with her. 9. After dancing two or three hours, Charles tells Ann to serve refreshments. 10. At midnight all take leave of Charles and (of) his wife. 11. We have spent a very pleasant evening, say all the guests. 12. Charles asks them to return soon.

[1] Use **insistir en que** plus the subjunctive in the dependent clause.

Cortés conquers the Aztecs in Mexico

LECTURA XIII

Dos conquistadores: Cortés y Pizarro

A la edad de diez y nueve años, un joven español, llamado Hernán Cortés, abandonó su país para dirigirse al Nuevo Mundo. Fué primero a La Española y después a Cuba. Allí oyó muchas veces fantásticas noticias acerca de un lugar maravilloso que estaba al otro lado del mar y que es la región que hoy día se conoce como México.[1] Entusiasmado por lo que había oído, resolvió visitar esas tierras al oeste en busca de oro, de fama y de prestigio. Entonces tenía treinta y cuatro años.

En el viaje de Cuba a México, Cortés pasó por una isla donde conoció a Jerónimo de Aguilar, un español que los indios habían capturado ocho años antes. El cacique,[2] dueño de Aguilar, le vendió a Cortés porque éste pensó que Aguilar podría servirle de intérprete. Más tarde, en la costa de Yucatán, Cortés conoció a una joven indígena que le acompañó en sus expediciones. Como ella hablaba las lenguas de los aztecas y de los mayas, su compañía le ayudó mucho a Cortés en sus tratos [3] con los indios.

---

[1] The Mexican spelling is used in this selection.   [2] **cacique,** *Indian chief.*
[3] **tratos,** *dealings.*

Con unos 500 soldados, doce naves, diez y seis caballos y unas cuantas armas de fuego,[1] llegó la expedición a la costa de México el mes de abril de 1519. Allí fundó Cortés la ciudad de Veracruz y quemó[2] todas sus naves, menos una que mandó a España para anunciar la posesión de la nueva colonia. Poco a poco Cortés y sus soldados invadieron el territorio de los aztecas, contando con la ayuda de algunas tribus indígenas que después de vencidas,[3] se convirtieron en aliados suyos. Al acercarse a Tenochtitlán, capital de los aztecas, el emperador Moctezuma salió a recibir la expedición con ricos regalos. Los españoles inmediatamente se establecieron en la ciudad sin haber conquistado[4] a los aztecas.

Un día que Moctezuma fué a visitar a los españoles, éstos le hicieron prisionero y desde entonces verdaderamente dominaron la ciudad, pues Moctezuma daba a su pueblo las órdenes que los españoles querían. Poco a poco el pueblo se dió cuenta de[5] la verdadera situación y toda la ciudad se levantó contra los españoles. Hubo una batalla horrible. Los españoles mandaron salir a Moctezuma a la terraza para hablar con el pueblo, pero como ya se sabía que el emperador era sólo un instrumento de los españoles, le arrojaron una piedra a la cabeza, causándole la muerte.[6] Los españoles se dieron cuenta del peligro

Hernán Cortés

y salieron de la ciudad la noche del 30 de junio de 1520. Al tratar de escapar, muchos de ellos perdieron la vida. Aquella noche se conoce en la historia como « la Noche Triste », porque dicen que Cortés se sentó debajo de un árbol y lloró la pérdida[7] de sus soldados, de sus caballos y de sus armas. Al año siguiente, en 1521, Cortés pudo tomar posesión de Tenochtitlán.

---

[1] **unas cuantas armas de fuego,** *a few firearms.*   [2] **quemó,** *he burned.*   [3] **después de vencidas,** *after they were overcome.*   [4] **sin haber conquistado,** *without having conquered.*   [5] **se dió cuenta de,** *realized.*   [6] **causándole la muerte,** *causing his death.*   [7] **lloró la pérdida,** *wept the loss.*

The Aztec calendar

Cortés fué un hombre extraordinario en todos sus actos. Ningún conquistador le superó en juicio,[1] valor, táctica, generosidad y sinceridad religiosa. Después de la conquista empezó a establecer en la Nueva España, esto es en México, las instituciones que existían en España en esa época. Esta visión demuestra su verdadero genio.

La ciudad de Tenochtitlán se fundó en 1325, según una leyenda azteca. Dice ésta que por órdenes de los dioses, los aztecas viajaron muchos años por los valles de la meseta central buscando un lugar para establecerse. Un día llegaron a un lago grande donde había muchas islas. En una de las islas había una peña;[2] encima de la peña había un nopal,[3] y en el nopal estaba una águila a punto de devorar una serpiente. El dios principal les dijo que ése era el lugar donde debían[4] establecerse. Allí fundaron su ciudad que después llamaron México, en honor de Mexitli, dios de la guerra. El águila en el nopal con una serpiente en el pico es el emblema nacional de la República Mexicana. Este emblema forma parte de la bandera mexicana.

[1] **le superó en juicio,** *surpassed him in judgment.*   [2] **peña,** *rock.*   [3] **nopal,** *prickly pear tree, cactus.*   [4] **debían,** *they should.*

Francisco Pizarro

Pero, volviendo a los españoles, después del descubrimiento del Océano Pacífico, empezaron a llevar sus exploraciones hacia el sur. Los indios hablaban de tierras ricas y de un imperio poderoso en una región llamada Birú, de donde se deriva el nombre del Perú. Francisco Pizarro, acompañado de otro pobre soldado, Diego de Almagro, y del fraile Hernando de Luque, decidió emprender [1] la conquista del imperio inca en el año de 1524. Fracasó [2] esta primera expedición y otra, emprendida dos años después, fracasó también. Después de sufrir hambre, tempestades y ataques de los indígenas Pizarro y sus compañeros tuvieron que volver a Panamá. Entonces Pizarro decidió ir a España donde el rey Carlos V le nombró gobernador de las provincias del Perú.

En enero de 1531 salió Pizarro por tercera vez para las tierras de los incas, llevando treinta y siete caballos y unos 180 soldados, cuatro de ellos hermanos suyos.

Al llegar al norte del Perú, cruzaron montañas, ríos y desiertos en su marcha hacia Cajamarca, donde los esperaba Atahualpa, emperador de los incas. En el camino se unieron a [3] Pizarro unos 130 hombres, entre ellos Hernando de Soto.

Como consecuencia de una guerra civil, el imperio de los incas estaba desunido. Atahualpa, que acababa de derrotar [4] a su hermano Huáscar, creía que los incas podrían conquistar fácilmente a los españoles. En no-

[1] **emprender,** *undertake.*   [2] **Fracasó,** *Failed.*   [3] **se unieron a,** *joined.*   [4] **acababa de derrotar,** *had just defeated.*

viembre Pizarro ocupó la ciudad de Cajamarca, que los incas habían abandonado. Luego envió a su hermano, Hernando, y a Hernando de Soto a saludar a Atahualpa y a decirle que el representante de otro gran rey le invitaba a visitarle. El inca, que estaba a poca distancia de la ciudad con más de 30,000 hombres, les contestó con gran dignidad que lo haría al día siguiente.

Pizarro escondió hombres, caballos y cañones en los edificios que daban a [1] la plaza. Atahualpa entró en la plaza en una litera ricamente adornada, y le recibió Vicente de Valverde, un padre dominicano, que llevaba en la mano una Biblia y un crucifijo. El padre le dió al inca la Biblia y por medio de un intérprete le explicó que debía aceptar la religión cristiana y reconocer el poderío del rey de España. Sin comprender nada, Atahualpa arrojó la Biblia al suelo, contestando que él era más poderoso que ningún otro rey.

[1] **daban a,** *faced.*

uins of Machu Picchu, Peru *Pan American Grace Airways*

Los españoles atacaron inmediatamente, matando a muchos indios y capturando a Atahualpa. Éste, esperando obtener su libertad, ofreció llenar de oro el cuarto donde le tenían prisionero. Los incas llenaron el cuarto, que tenía veinte y dos pies de largo por diez y siete de ancho,[1] hasta una altura de nueve pies. Pero Atahualpa no obtuvo la libertad que le habían prometido. Cuando repartieron el tesoro, los españoles lanzaron acusaciones falsas contra él y le condenaron a muerte En seguida continuaron la conquista del imperio inca y marcharon al Cuzco, rica capital del imperio. Más tarde Pizarro se dirigió al valle del Rímac para fundar una nueva colonia, destinada a ser la capital del territorio conquistado. El seis de enero de 1535, en honor de la fiesta de la Epifanía, fundó la Ciudad de los Reyes, después llamada Lima.

Al poco tiempo surgieron discordias y envidias entre Pizarro y Almagro y estalló[2] la guerra civil. Almagro fué capturado y condenado a muerte por Hernando Pizarro. En el año de 1541 el hijo de Almagro, acompañado de unos amigos suyos, entró en el palacio de Francisco Pizarro y entre todos le dieron la muerte.[3] Hoy día se pueden ver los restos del conquistador en la catedral de Lima.

QUESTIONS

1. ¿ Cuántos años tenía Cortés cuando fué al Nuevo Mundo?
2. ¿ A dónde fué primero? 3. ¿ Qué resolvió hacer varios años después?
4. ¿ A quiénes conoció en el viaje? 5. ¿ Qué hablaba la joven indígena?
6. ¿ En qué año llegó la expedición a la costa de México? 7. ¿ Qué fundó Cortés? 8. ¿ Quemó todas sus naves? 9. ¿ Qué territorio invadieron los españoles? 10. ¿ Quién era el emperador de los aztecas?
11. ¿ Cómo se llamaba la capital? 12. ¿ Qué pasó un día que Moctezuma fué a visitar a los españoles? 13. Describa Vd. la muerte de Moctezuma. 14. ¿ Cómo se llama la noche del 30 de junio de 1520?
15. ¿ Por qué se llama así? 16. ¿ Qué hizo Cortés después de la conquista de los aztecas?
17. Cuente Vd. (*Tell*) la leyenda de Tenochtitlán. 18. ¿ Cuál es el emblema de la República Mexicana?
19. ¿ Quién decidió emprender la conquista del Perú? 20. ¿ Cuántas expediciones hizo? 21. ¿ En qué año salió por tercera vez? 22. ¿ Quién era el emperador de los incas? 23. ¿ Dónde esperaba él a los españoles?
24. ¿ Cuántos hombres le acompañaban? 25. Cuente Vd. lo que pasó cuando Atahualpa entró en la plaza de Cajamarca. 26. ¿ Qué

[1] **tenía . . . de ancho,** *was twenty-two feet long by seventeen wide.*   [2] **estalló,** *burst forth.*   [3] **le dieron la muerte,** *they killed him.*

ofreció hacer Atahualpa cuando le tenían prisionero? 27. ¿ Qué hicieron los españoles? 28. ¿ A dónde marcharon después? 29. ¿ Cuándo fundó Pizarro la ciudad de Lima? 30. ¿ Dónde se pueden ver los restos de Francisco Pizarro hoy día?

WORD STUDY

a. Compare the meanings of: ayuda (*noun*), ayudar; conquista (*noun*), conquistar, conquistador; pérdida, perder; imperio, emperador; viaje, viajar; lleno, llenar.

b. Give the English meaning of the following infinitives: abandonar, resolver, visitar, capturar, anunciar, invadir, convertir, dominar, escapar, existir, devorar, aceptar, reconocer, atacar, obtener.

c. Pronounce the following words aloud, then note the English meaning: maravilloso, *marvelous;* prestigio, *prestige;* intérprete, *interpreter;* batalla, *battle;* táctica, *tactics;* águila, *eagle;* serpiente, *serpent;* ataque, *attack;* tempestad, *tempest, storm;* consecuencia, *consequence;* Biblia, *Bible;* prisionero, *prisoner;* discordia, *discord;* condenar, *condemn.*

ROBERT WILLIAM HINDS

19

The present perfect subjunctive tense

The present subjunctive of verbs with changes in spelling

The subjunctive in noun clauses (continued)   More commands

SPANISH USAGE

— ¡ Cuánto me alegro de que hayas venido al centro esta mañana ! — exclama José cuando se encuentra con su amigo Jaime.   ¿ Puedes acompañarme a hacer unas compras ?   Papá quiere que yo busque unas cosas para mi cumpleaños: un par de
5 zapatos, una camisa, una corbata, calcetines . . .

— ¡ Todo eso a un tiempo !   ¡ Qué suerte tienes, José !   Yo quiero un traje nuevo, pero mi papá dice que no es preciso que lo compre ahora.   Te acompaño con mucho gusto, pero es urgente que yo llegue a casa a las once y antes tengo que echar estas cartas
10 al correo.   Vamos primero a la casa de correos porque está cerca, y luego podemos hacer las compras.

(*Jaime compra sellos, los pone a los sobres y luego echa las cartas al correo.   En la calle se detienen de vez en cuando para mirar lo que hay en los escaparates.*)

15   — Entremos en esta tienda — dice José.   — Voy a pedir que me enseñen algunos zapatos como aquéllos.   Vamos a entrar por la puerta que está a la derecha.

— ¡ Es extraño que haya tanta gente aquí a esta hora!
— exclama José cuando entran en la zapatería. — Temo que
tengamos que esperar un rato. Sentémonos aquí a la izquierda.
Que no tarden mucho en venir.

— ¿ En qué puedo servirles, señores ? — pregunta por fin un 5
dependiente.

— Haga Vd. el favor de enseñarme un par de zapatos — dice
José.

— Tenemos varios estilos. A ver, ¿ qué número usa Vd. ?
Pues, creo que le sentará bien el número nueve. Quítese Vd. el 10
zapato y pruébese éste, por favor.

— Éste no me sienta bien; es estrecho. Espero que tenga
otros más anchos.

— No tengo otros en este estilo. ¿ Quiere Vd. probarse éstos ?
Son de la misma calidad y estoy seguro de que le gustarán. 15

— Son bonitos y me gustan más que ésos. Y me sientan bien.
¿ Qué precio tienen ?

— Quince dólares el par. Dudo que encuentre Vd. otros
mejores a ese precio.

— Puede ser que tenga Vd. razón, pero es lástima que sean 20
tan caros. Pues, me quedo con ellos. Envuélvalos, por favor.
Aquí tiene un billete de veinte dólares.

(*El dependiente le da cinco dólares de vuelta y le entrega el
paquete.*)

— Bueno, Jaime, ahora vamos a aquella tienda. No creo 25
que tengamos que esperar mucho tiempo allí. (*Mira su reloj.*)
Pero, si tienes que tomar el autobús ahora, es mejor que te vayas.
Siento mucho que no puedas acompañarme allá.

— Lo siento mucho también, pero tengo que irme. Adiós y
que te diviertas. 30

VOCABULARY

ancho, –a wide, broad
el calcetín (*pl.* **calcetines**) sock
la calidad quality
la camisa shirt
la corbata necktie
el correo mail
el dependiente clerk

derecho, –a right
dudar to doubt
echar to throw (into), put (in)
envolver (**ue**) to wrap (up)
el escaparate show window
estrecho, –a narrow, tight
extraño, –a strange

izquierdo, –a left
Jaime James, Jim
el número size (*of shoes*)
el paquete package
preciso, –a necessary
quitar to remove, take off; *reflex.*
    to take off (oneself)
el sello stamp (*postage*)

el señor gentleman
el sobre envelope
la suerte luck
temer to fear
urgente urgent
la zapatería shoe store
el zapato shoe

a la derecha (izquierda) to (on) the right (left)
a un tiempo at one (the same) time
casa de correos post office
echar al correo to mail
¿ en qué puedo servirle(s) ? what can I do for you ?
me quedo con (ellos) I'll take (them)
poner el sello a to stamp
puede ser que it may be that
(quince dólares) el par (fifteen dollars) a pair
sentar (ie) bien (a uno) to fit (one)
tardar (mucho) en + *inf.* to be (very) long in, delay (much) in + *pres. part.*
tener (mucha) suerte to be (very) lucky

QUESTIONS

1. ¿ Dónde está José ? 2. ¿ Con quién se encuentra ? 3. ¿ Qué va a buscar José ? 4. ¿ Qué quiere Jaime ? 5. ¿ A qué hora es urgente que él llegue a casa ? 6. ¿ A dónde van primero los dos ? 7. ¿ Qué compra Jaime ? 8. ¿ Qué hace entonces ? 9. ¿ Qué miran en la calle ? 10. ¿ Hay mucha gente en la zapatería ? 11. ¿ Qué pregunta por fin el dependiente ? 12. ¿ Qué contesta José ? 13. ¿ Le sienta bien a José el primer zapato que se prueba ? 14. ¿ Qué precio tienen los zapatos ? 15. ¿ Cuánto dinero le da José al dependiente ? 16. ¿ Cuánto dinero le da de vuelta a José ? 17. ¿ Qué le entrega a José ? 18. ¿ Qué pasa después ?

GRAMMATICAL USAGE

A. THE PRESENT PERFECT SUBJUNCTIVE TENSE

haya			hayamos		
hayas	}	hablado, comido, vivido	hayáis	}	hablado, comido, vivido
haya			hayan		

Me alegro de que hayas venido. I am glad that you have come.
Espero que lo haya hecho. I hope that he has (may have) done it.

The present perfect subjunctive tense is formed by the present subjunctive of **haber** with the past participle. After verbs in the main clause which require the subjunctive in the dependent clause, Spanish requires the present perfect subjunctive to translate *have* or *has* with the past participle. The word *may* is sometimes a part of the English translation and the conventional translation in drill exercises will be: (**que**) **haya hablado,** (*that*) *I may have spoken.*

B. THE PRESENT SUBJUNCTIVE OF VERBS WITH CHANGES IN SPELLING

buscar: **busque, busques, busque, busquemos, busquéis, busquen**
llegar: **llegue, llegues, llegue, lleguemos, lleguéis, lleguen**
empezar: **empiece, empieces, empiece, empecemos, empecéis, empiecen**

Just as in the case of the first person singular of the preterit, in all six forms of the present subjunctive all verbs which end in –**car** change **c** to **qu,** those in –**gar** change **g** to **gu,** and those in –**zar** change **z** to **c.** This change is made before the vowel **e** to keep the pronunciation of **c, g,** and **z** the same as in the infinitive. Note that **empezar** also has the stem change of **e** to **ie.**

Other –**car** verbs which you have had are: **acercarse, sacar, tocar;** other –**gar** verbs are: **apagar, entregar, jugar, pagar;** other –**zar** verbs are: **almorzar (ue), comenzar (ie), gozar.**

C. THE SUBJUNCTIVE IN NOUN CLAUSES (CONTINUED)

1. **Me alegro de estar aquí.** I am glad to be here. (*Same subjects*)
   Me alegro (alegraré) de que vayan. I am (shall be) glad that they are going.
   Es lástima que sean tan caros. It is a pity that they are so expensive.
   Siento que no puedas acompañarme. I'm sorry (that) you can't accompany me.
   Temo que tengamos que esperar. I fear (that) we shall have to wait.
   Esperamos que no lleguen tarde. We hope they will not arrive late.

The subjunctive is used in noun clauses after verbs which express emotion or feeling, such as *joy, sorrow, fear, hope, pity, surprise,* and the like, as well as their negatives, provided that the subject differs from that of the main verb. Compare the first example in which there is no change in subject with those which follow. Remember that **que** regularly introduces a noun clause in Spanish, even though *that* is sometimes omitted in English.

Some common expressions of emotion are:

alegrarse	to be glad (that)	**sentir**	to regret, be sorry
(de que)		**temer**	to fear
es lástima	it is a pity	**tener miedo**	to be afraid (that)
esperar	to hope	**(de que)**	

2. **Creo que le sentará bien.** I believe it will fit you. *(Certainty implied)*
   No creo que tengamos que esperar. I don't believe we will have to wait.
   Dudamos que lo sepa. We doubt that he knows it.
   No estoy seguro de que vuelvan. I am not sure that they will return.

The subjunctive is regularly used after expressions of *doubt, uncertainty,* or *belief in the negative.* Note that **creer** implies certainty and requires the indicative, while **no creer** implies uncertainty and requires the subjunctive. Likewise, **estar seguro de que** is followed by the indicative (or infinitive if there is no change in subject), while **no estar seguro de que** requires the subjunctive.

The verb **negar** (**ie**), *to deny,* also requires the subjunctive, but this verb is not used in the dialogues: **Niega que sea verdad,** *He denies that it is true.*

3. **Es fácil aprenderlo.** It is easy to learn it.
   Es urgente que yo llegue a casa. It is urgent that I arrive home (for me to arrive home).
   Es extraño que haya tanta gente aquí. It is strange that there are so many people here.
   Es cierto (verdad) que lo sabe. It is certain (true) that he knows it.
   No es cierto que empiecen. It is not certain that they will begin.

The subjunctive is used after impersonal expressions (which usually begin with *it is*) of *possibility, necessity, probability, uncertainty, strangeness, pity,* and the like, provided that the verb of the dependent clause has a subject expressed. Impersonal expressions of certainty, such as **es cierto** and **es verdad,** require the indicative in the dependent clause; when these expressions are negative they imply uncertainty and require the subjunctive (last example).

The infinitive may be used after most of these expressions if the subject of the dependent verb is a personal pronoun, not a noun:

   Me (Les) es preciso ir allá. It is necessary for me (them) to go there.
   BUT: **Es mejor que Juan se vaya.** It is better for John to go away.

These impersonal expressions really fall under groups 1 and 2 of this section, and section D in Lesson 18, but they are listed separately for convenience and clarity.

Some common impersonal expressions which you have had are:

es difícil	it is difficult	**es mejor**	it is better
es extraño	it is strange	**es necesario**	it is necessary
es fácil	it is easy	**es posible**	it is possible
es importante	it is important	**es preciso**	it is necessary
es imposible	it is impossible	**es urgente**	it is urgent
es lástima	it is a pity	**puede ser que**	it may be that

D. MORE COMMANDS

1. **Entremos en esta tienda.** Let's (Let us) enter this store.
   Abrámosla.
   Vamos a abrirla. } Let's open it.
   No lo dejemos allí. Let's not leave it there.

Up to this point we have used the third person singular and plural to express direct formal commands. The first person plural of the present subjunctive also is used to express commands equal to *let's* or *let us* plus a verb. **Vamos a** plus an infinitive, in addition to meaning *we are going to*, may be used for *let's* or *let us* plus a verb if the intention is to perform the action at once.

Remember that object pronouns are attached to positive commands and to infinitives, but they precede the verb in negative commands.

> **Vamos a casa ahora.** Let's go home now.
> **No vayamos allá todavía.** Let's not go there yet.

Note that **vamos** is used for the positive *let's go* or *let us go*. The subjunctive **vayamos** must be used in the negative for *let's not go*. **No vamos a casa** can only mean *We are not going home.*

For *let's see*, **a ver** is often used without **vamos.**

> **Vámonos.** Let's be going, Let's go.
> **Sentémonos aquí. (Vamos a sentarnos aquí.)** Let's sit down here.
> **No nos levantemos.** Let's not get up.

When the reflexive pronoun **nos** is added to this command form, the final –**s** is dropped from the verb. Remember that the reflexive pronoun must agree with the subject.

2. **Que lo traiga Juan.** Have John (May John) bring it.
Que no tarden en venir. May they not be long in coming.
Que te diviertas. May you (I want you to, I hope you) have a good time.

Que, equivalent to the English *have, let, may, I wish* or *I hope*, introduces indirect commands in the second and third persons. In such cases object pronouns precede the verb, and if a subject is expressed, it usually follows the verb. This construction is really a clause dependent upon a verb of *wishing, hoping, permitting*, and the like, with the main verb understood but not expressed.

Let, meaning *to allow* or *permit*, will be discussed later.

EXERCISES

A. Make the following commands negative:

1. Démelo Vd. 2. Tráiganoslos Vd. 3. Búsquenlo Vds. 4. Envuélvalo Vd. 5. Entrégueselo Vd. a ella. 6. Jueguen Vds. con ellos. 7. Tóquelo Vd. ahora mismo. 8. Sentémonos. 9. Siéntese Vd. 10. Quitémonos el sombrero. 11. Cerrémosla. 12. Diviértanse Vds. 13. Póngaselo Vd. 14. Pongámoslo aquí. 15. Vámonos allá.

B. Give the English for:

1. Que venga Roberto. 2. Que me traiga ella la revista. 3. Que estén contentos. 4. Que seas bueno. 5. Que se diviertan Vds. 6. Cerrémosla. 7. No lo busquemos. 8. No lo empecemos todavía. 9. Vamos a sentarnos (*two meanings*). 10. Vamos a ponernos el sombrero (*two meanings*). 11. Divirtámonos. 12. No nos vayamos.

C. Give the Spanish for:

1. Let's open them (*two ways*). 2. Let's get up (*two ways*). 3. May he return the necktie. 4. Let's not look for shirts today. 5. Let's not give it to him. 6. Let's go to the movie. 7. Let's see. 8. Have him ring the doorbell. 9. Have Jane bring me the magazine. 10. Have her bring it to me.

D. Read in Spanish, using the correct verb form in each of the following expressions after **No creo que él,** then after **Se alegran de que nosotros:**

1. buscar una casa nueva.
2. empezar a leerlo.
3. sentirse bien.
4. sentarse aquí.
5. poder envolverlo.
6. haber visto a José.

E. Complete the following:

1. Siento que *he is not here, they have not done it, that is not possible.* 2. Es necesario que María *buy a stamp, put it on*[1] *the envelope, mail the letters.* 3. Dudamos que *he will return on time, will run across Jim, may be lucky.* 4. Dígales Vd. *to begin to read, to serve refreshments, to wrap them up.*

F. Read in Spanish, substituting Spanish forms for the English in italics:

1. aquel paquete y *this one.* 2. esta corbata y *those.* 3. estos sobres y *that one.* 4. este país y *those.* 5. No creo *that.* 6. *This* es muy interesante. 7. Luis y Bárbara vienen; *the latter* es mi prima. 8. ¿ Ve Vd. a Tomás y a su amigo ? *The latter* es peruano.

COMPOSITION

1. I am glad that you have been able to go shopping with me. 2. It is possible that I shall have to return home before noon. 3. Mother [2] has asked me to mail these letters at once. 4. After leaving the post office, let's look at the things in the show windows. 5. Let's enter this store which is on the right. 6. I want them to show me some shoes, some socks, and a necktie. 7. This necktie is very pretty; I like it better than that one. 8. What is the price of this one ? I'll take it. 9. The clerk wraps it up and hands him the package and the change. 10. Finally, Joe asks the clerk to look for another larger suit. 11. It is a pity that suits are so expensive nowadays. 12. He is not sure that he can pay so much; therefore, he doesn't buy it.

[1] Use **a**.   [2] Use **Mamá.**

LECTURA XIV

Exploradores y misioneros

Durante la primera mitad del siglo XVI los españoles exploraron el territorio de los Estados Unidos que comprende [1] desde la Florida hasta California. El primer europeo que atravesó [2] el continente fué Cabeza de Vaca. Después de explorar el interior de la Florida con Pánfilo de Narváez en 1528, navegó por las costas del Golfo de Méjico hasta llegar a la región que hoy se conoce como Texas. Una terrible tempestad destruyó su barco, quedando sólo cuatro españoles.

Vivieron éstos varios años como esclavos de los indios, pero con el tiempo los indios llegaron a estimar mucho a Cabeza de Vaca como curandero. [3] Poco a poco, caminando de pueblo en pueblo hacia el oeste, cubrió largas distancias y llegó a la costa del Pacífico, en el norte de Méjico en 1536.

Por desgracia, [4] los españoles creían que todo el Nuevo Mundo era tan rico como la Nueva España, y los indios, sabiendo que nada interesaba a los españoles tanto como el oro,

---

[1] **comprende,** *comprises, includes (the area).*   [2] **atravesó,** *crossed.*   [3] **curandero,** *medicine man.*   [4] **Por desgracia,** *Unfortunately.*

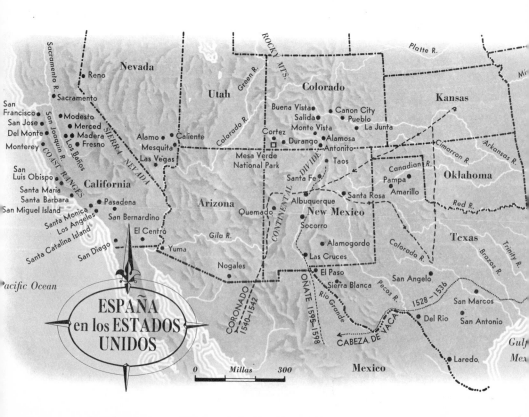

hablaban de pueblos adornados de oro y de piedras preciosas. La más conocida de estas leyendas es la de las Siete Ciudades de Cíbola, situadas al norte de Méjico, en donde las casas estaban cubiertas de puro oro. Cuando llegó a Méjico Cabeza de Vaca, renació una vez más el interés en esta leyenda. Fray Marcos de Niza decidió ir en busca de estas ciudades para convertirlas a la fe católica. Después de caminar muchos días por lo que ahora son los estados de Nuevo Méjico y Arizona, un día vió a lo lejos [1] lo que él creyó que eran las Siete Ciudades. Volvió a Méjico a contar su descubrimiento y, naturalmente, cada vez que el relato se repetía, la probable riqueza crecía más y más.

Por fin se organizó una expedición que había de ser una de las más notables de todas. En busca de las Siete Ciudades de Cíbola, salió de Méjico en 1540 Francisco Vásquez de Coronado. Siguió [2] hasta donde ahora están los estados de Texas y Kansas, pero en vez de las fabulosas ciudades de oro y de piedras preciosas, encontró tristes pueblos de adobe. Unos soldados de esta expedición fueron los primeros europeos que vieron el Gran Cañón del Río Colorado. A los dos años [3] Coronado volvió a Méjico, triste y desilusionado.

La ciudad más antigua de los Estados Unidos fué fundada en la Florida el seis de septiembre de 1565 por Menéndez de Avilés. Éste construyó primero una fortaleza cerca del lugar donde ahora está San Agustín, el primer establecimiento permanente construido en nuestro país por los europeos.

El primer pueblo español en el valle del Río Grande fué fundado por Juan de Oñate en 1598, pero los españoles lo abandonaron; once años más tarde establecieron la ciudad de Santa Fe. En seguida, construyeron una iglesia, que es una de las más antiguas del país.

Entre otros muchos [4] nombres bien conocidos está el de Juan Rodríguez Cabrillo, un portugués que estaba al servicio del gobierno español, y que en 1542 descubrió la Alta California.

[1] **a lo lejos,** *in the distance.* [2] **Siguió,** *He continued.* [3] **A los dos años,** *After two years.* [4] Adjectives of quantity and numerals preferably come after **otros, -as.**

Los españoles vinieron a América no sólo para buscar riquezas, sino también para convertir a los indios a la fe cristiana. Por eso los misioneros acompañaron a los exploradores por todas partes. Entre estos frailes se destaca[1] el padre Bartolomé de las Casas, el apóstol de los indios. Acompañó a Colón a América y se estableció primero en La Española. Hombre de corazón noble y bondadoso, dedicó toda su vida a defender a los indígenas contra las injusticias de la esclavitud y contra su explotación por los españoles. En 1510 fué ordenado sacerdote[2] y al poco tiempo se reunió con los dominicanos que habían venido a América el mismo año. Predicó[3] por todas partes de la Nueva España, defendiendo a los indios con la pluma y la palabra.[4]

Los franciscanos también vinieron al Nuevo Mundo con los conquistadores y los exploradores, y durante más de dos siglos habían de acompañarlos por los dos continentes. La orden franciscana convirtió al cristianismo a miles de indios. Los franciscanos aprendieron las lenguas de los indios y les enseñaron artes y oficios[5] útiles y nuevos métodos para el cultivo de plantas y legumbres. Fundaron pueblos, iglesias, misiones, escuelas y universidades.

[1] **se destaca,** *stands out.*   [2] **sacerdote,** *priest.*   [3] **Predicó,** *He preached·*
[4] **con la pluma y la palabra,** *writing and talking.*   [5] **oficios,** *crafts, trades.*

Father Bartolomé de las Casas

Father Junípero Serra

San Gabriel Mission, California

Los frailes fundaron muchas misiones en Texas, Nuevo México, Arizona y California. El que ha viajado por San Antonio ha visto sin duda el Álamo, que fué misión en los tiempos coloniales. O si uno ha estado en Tucson, Arizona, ha visto la famosa misión de San Xavier del Bac, fundada por el célebre padre jesuita, Eusebio Kino. El hermoso edificio que vemos allí hoy día se terminó a fines del [1] siglo XVIII.

Después que los jesuitas fueron expulsados de España y de sus colonias en 1769, muchas misiones que ellos habían construido pasaron a manos de los franciscanos. Fray Junípero Serra, que había venido a América desde la isla de Mallorca en el siglo XVIII para dedicarse a una vida penosa [2] y llena de peligros, fué nombrado presidente de las misiones de la Baja California y de todas las que habían de establecerse en la Alta California. Durante muchos años dió clases en las escuelas franciscanas de la Nueva España, pero por fin, en 1769, partió de Méjico con don Gaspar de Portolá para establecer misiones en la Alta California. Empezando con la misión de San Diego, fundada en ese mismo año, el padre Junípero Serra estableció varias otras, entre ellas San Gabriel, San Luis Obispo y San Juan Capistrano. En 1823 había veinte y una misiones entre San Diego y San Francisco. A lo largo del Camino Real [3] todavía se ven los monumentos que conmemoran la gloria de la obra civilizadora de los españoles.

Carmel Mission, California

[1] **a fines del,** *towards the end of the.*   [2] **penosa,** *laborious.*   [3] **A lo largo del Camino Real,** *Along the King's Highway.*

QUESTIONS

1. ¿ Qué territorio exploraron los españoles durante el siglo XVI?
2. ¿ Quién fué el primer europeo que atravesó el continente?   3. ¿ Por dónde navegó?   4. ¿ Cuántos españoles quedaron después de la tempestad?   5. ¿ Dónde y cómo vivieron varios años?   6. ¿ A dónde llegó por fin Cabeza de Vaca?

7. ¿ Qué creían los españoles acerca del Nuevo Mundo?   8. ¿ De qué hablaban los indios?   9. ¿ Cuál es la más conocida de las leyendas?
10. ¿ De qué estaban cubiertas las casas?   11. ¿ Quién decidió ir en busca de estas ciudades?   12. ¿ Por dónde caminó?   13. ¿ Halló las Siete Ciudades?   14. ¿ Quién salió de Méjico en 1540?   15. ¿ Qué encontró él?   16. ¿ Cuándo volvió a Méjico?

17. ¿ Cuál es la ciudad más antigua de los Estados Unidos?   18. ¿ Qué fundó Juan de Oñate?   19. ¿ Qué descubrió Cabrillo?

20. ¿ Quiénes acompañaron a los españoles a América?   21. ¿ Quién fué el apóstol de los indios?   22. ¿ Cómo era él?   23. ¿ A qué dedicó toda su vida?   24. ¿ Con qué orden religiosa se reunió?   25. ¿ Qué otra orden vino al Nuevo Mundo?   26. ¿ Qué aprendieron los franciscanos?
27. ¿ Qué les enseñaron a los indios?   28. ¿ Qué fundaron?   29. ¿ Dónde fundaron misiones los frailes?   30. ¿ Qué fué el Álamo?   31. ¿ Qué misión fundó el padre Eusebio Kino?

32. ¿ Cuándo vino a América Fray Junípero Serra?   33. ¿ De qué fué nombrado presidente?   34. ¿ A dónde fué en 1769?   35. ¿ Qué misión fundó ese mismo año?   36. ¿ Cuáles son otras misiones que fundó?   37. ¿ Cuántas misiones había entre San Diego y San Francisco?

WORD STUDY

a. *Compare the meanings of the following:* esclavo, *slave, and* esclavitud, *slavery;* misión, *mission, and* misionero, *missionary;* cubrir, *to cover, and* descubrir, *discover* (lit., *uncover*); nacer, *to be born, and* renacer, *to be born again, spring up again;* cristiano, *Christian, and* cristianismo, *Christianity.*

b. *Find nouns in this Lectura related to:* explorar, descubrir, interesar, caminar, buscar, establecer, conquistar.

c. *Pronounce the following words aloud, then note the English meaning:* destruir, *to destroy;* estimar, *to esteem;* fabuloso, *fabulous;* fortaleza, *fort, fortress;* cañón, *canyon;* explotación, *exploitation;* método, *method;* expulsar, *to expel;* jesuita, *Jesuit;* conmemorar, *to commemorate.*

ROBERT WILLIAM HINDS

20

Adjective clauses and relative pronouns

The subjunctive in adjective clauses

Hacer in time clauses   Forms of *valer*

SPANISH USAGE

Cuando Carlos entra en la oficina del señor Carter, éste le dice:

— Carlos, acabo de recibir una carta por correo aéreo del gerente de una casa comercial de Méjico que tiene sucursales en todas partes del país. El mes pasado murió un agente de la casa ⁵ y necesitan un joven que entienda algo de agricultura y de maquinaria agrícola y que pueda trabajar como agente de la casa. Vivirá en la capital la mayor parte del año, pero naturalmente en determinadas épocas del año tendrá que visitar a los dueños de las haciendas grandes para venderles maquinaria. ¿ Conoce Vd. ¹⁰ a alguien que pueda yo recomendar ?

— ¿ Quieren una persona que hable español ?

— ¡ Por supuesto ! Prefieren un joven que sepa algo de las costumbres del país y que haya tenido experiencia en una casa comercial de los Estados Unidos. Ya ve Vd. que sí vale la pena ¹⁵ estudiar una lengua extranjera.

— Pues, puedo recomendar a Ricardo Smith, que ha pasado un verano en Méjico. Hace tres o cuatro años que trabaja en la casa de Blanco y Compañía. No conozco a nadie que sea tan trabajador como él.

5 — ¿ Cuánto tiempo hace que habla español?

— Creo que lo habla desde hace ocho o diez años. Empezó a estudiarlo cuando estaba en la universidad y desde entonces ha aprovechado todas las oportunidades posibles para usarlo. Su padre, que trabajó en Cuba antes de su muerte, también lo
10 hablaba muy bien desde hacía muchos años. Hace varios meses que Ricardo busca un puesto que le dé oportunidad de vivir en la América Española. Vd. ha visto a la hermana de Ricardo, la que es secretaria del señor Gómez.

— Sí que la recuerdo y el señor Gómez me dijo una vez que
15 es la mejor secretaria que ha tenido. El gerente, quien me ha escrito, desea que el nuevo empleado empiece a trabajar el primero de mayo, lo cual me sorprende un poco.

— No estoy seguro de que Ricardo pueda irse tan pronto, pero repito que no podrán hallar a nadie mejor. ¿ Quiere Vd. que
20 yo le llame por teléfono para saber si puede venir a su oficina mañana? O, si Vd. quiere, puede hablar con el señor Jones, con quien ha vivido Ricardo.

— Llámele en seguida, por favor. Valdrá más que venga a verme esta tarde si es posible. Si quiere el puesto, pondré un
25 telegrama al gerente o le telefonearé, dándole todos los informes.

— Voy a telefonearle a Ricardo ahora mismo y espero que obtenga el puesto.

VOCABULARY

aéreo, –a air
el agente agent
agrícola (m. and f.) agricultural, farm
la agricultura agriculture
aprovechar to take advantage of
la casa firm, house
determinado, –a definite
el dueño owner

el empleado employee
la época period, epoch
la experiencia experience
el gerente manager
la hacienda ranch, hacienda
los informes information, data
la maquinaria machinery
morir (ue)[1] to die
la muerte death

[1] The past participle of morir is muerto.

naturalmente naturally
obtener (*like* **tener**) to obtain, get
la pena trouble, sorrow
recomendar (**ie**) to recommend
repetir (**i**) to repeat
sorprender to surprise

la sucursal branch (*business*)
telefonear to telephone
el telegrama (*note gender*) telegram
trabajador, –ora [1] industrious
valer to be worth

poner un telegrama to send a telegram
por correo aéreo by air mail
¡ por supuesto ! of course!
una vez once
valer la pena to be worth while (worth the trouble)
valer más to be better

QUESTIONS

1. ¿ Qué acaba de recibir el señor Carter? 2. ¿ Qué pasó el mes pasado? 3. ¿ Qué necesitan? 4. ¿ Dónde vivirá el nuevo agente la mayor parte del año? 5. ¿ Quieren una persona que hable español? 6. ¿ Qué prefieren también? 7. ¿ A quién puede recomendar Carlos? 8. ¿ Dónde ha pasado Ricardo un verano? 9. ¿ Cuántos años hace que trabaja en la casa de Blanco y Compañía? 10. ¿ Dónde quiere buscar un puesto? 11. ¿ Qué es la hermana de Ricardo? 12. ¿ Cuándo desean que empiece a trabajar el nuevo empleado? 13. ¿ Con quién ha vivido Ricardo? 14. ¿ Cuándo quiere el señor Carter que Ricardo venga a su oficina? 15. ¿ Qué hará si Ricardo quiere el puesto?

GRAMMATICAL USAGE

A. ADJECTIVE CLAUSES AND RELATIVE PRONOUNS

An adjective clause modifies a noun or pronoun and is introduced by a relative pronoun, usually **que**. In the sentence *I know a boy who can do it*, the clause *who can do it* modifies the noun *boy*. *Who* is a relative pronoun and *boy* is the antecedent of the clause.

1. **Que,** *that, which, who, whom:*

    (*a*) **el agente que me escribió** the agent who wrote to me
    (*b*) **el puesto que tiene** the job (that) he has
        la joven que conocí the young woman (whom) I met
    (*c*) **la casa de que hablaban** the firm of which they were talking

[1] Adjectives which end in **–án, –ón, –or** (except such comparative-superlatives as **mejor, peor, mayor, menor,** and a few others) add **–a** to form the feminine: **trabajador, trabajadora.**

Que is the commonest of all the relative pronouns. Introducing a clause, **que** may be: (*a*) the subject, or (*b*) the object of the verb in the clause, referring to persons or things (in this case the relative may be omitted in English, but not in Spanish). As the object of a preposition (*c*), **que** refers to things only.

2. **Quien** (*pl.* **quienes**), *who, whom:*

   (*a*) **Vd. puede hablar con el señor Jones, con quien vive Ricardo.**
   You can talk with Mr. Jones, with whom Richard lives.
   (*b*) **El gerente, quien (que) me ha escrito, desea . . .**
   The manager, who has written me, desires . . .
   (*c*) **Son los hombres que (a quienes) vi en la oficina.**
   They are the men (whom) I saw in the office.

Quien (*pl.* **quienes**), which refers only to persons, is used: (*a*) mainly after prepositions, and (*b*) sometimes instead of **que** to introduce a parenthetical clause not necessary to the meaning of the sentence. The personal **a** is required (*c*) when **quien(es)** is the direct object of the verb. **Que** may replace **a quienes** in the last example and in conversation it is more commonly used.

3. **El cual** and **el que,** *that, which, who, whom:*

   (*a*) **La hermana de Ricardo, la que (la cual) es secretaria del señor Gómez, . . .**
   Richard's sister, who is Mr. Gómez's secretary, . . .
   (*b*) **Los edificios cerca de los cuales (los que) dejamos el coche . . .**
   The buildings near which we left the car . . .

The longer forms of the relative pronouns, **el cual (la cual, los cuales, las cuales)** and **el que (la que, los que, las que)**, are used: (*a*) to make clear which one of two possible antecedents the clause modifies, and to refer to the first of two antecedents of the same gender (*e.g.*, if we were to say *Richard's brother, who* . . . it would be **El hermano de Ricardo, el que** *or* **el cual . . .**); and (*b*) after prepositions other than **a, con, de,** and **en** in referring to things. Be sure that the long relative agrees with its antecedent. The long relatives are used much more in literary style (see the Lecturas) than in everyday conversation.

Tiene que empezar el primero de mayo, lo cual (lo que) me sorprende.
He must begin the first of May, which (fact) surprises me.

The neuter form **lo cual** or **lo que,** *which (fact),* is used to sum up a preceding idea or statement.

B. THE SUBJUNCTIVE IN ADJECTIVE CLAUSES

Es el gerente de una casa que tiene muchas sucursales en el país.

He is the manager of a firm that has many branches in the country. (*A certain firm*)

Necesitan un joven que trabaje como agente de la casa.

They need a young man who will work as agent of the firm. (*Any young man*)

¿ Quieren una persona que hable español ?

Do they want a person who speaks Spanish ? (*Not a definite person*)

¿ Conoce Vd. a alguien que pueda yo recomendar ?

Do you know anyone (whom) I can recommend ? (*Indefinite antecedent*)

No conozco a nadie que sea tan trabajador como él.

I do not know anyone who is so industrious as he. (*Negative antecedent*)

When the antecedent of an adjective clause is indefinite or negative and refers to no particular person or thing, the verb in the dependent clause is in the subjunctive. If the antecedent is known (first example), the indicative is used.

The personal **a** is omitted in the second example since the noun does not refer to a specific person. However, the pronouns **alguien, nadie, alguno** and **ninguno** (when referring to a person), and **quien,** require the personal **a** when used as direct objects.

C. *HACER* IN TIME CLAUSES

Hace tres años que trabaja *or* **Trabaja desde hace tres años.**

He has been working three years (*lit.*, It makes three years that he works).

¿ Cuánto tiempo hace que habla español ?

How long has he been speaking (*lit.*, How long does it make that he speaks) Spanish ?

Hace varios meses que busca un puesto.

He has been looking for a job for several months.

In Spanish, **hace** followed by a length of time plus **que** and the present tense, or a present tense plus **desde hace** plus a period of time, is used to express an action that started in the past and that is still going on. When **desde hace** is used, the word order in Spanish is the same as in English. The present perfect tense is used in English in this construction.

Hacía muchos años que lo hablaba *or* **Lo hablaba desde hacía muchos años.**

He had been talking it for many years (*lit.*, It made many years that he talked it).

Hacía . . . que plus the imperfect tense, or the imperfect tense plus **desde hacía** plus a period of time, indicates what had been going on for a certain length of time and was still continuing when something else happened. The pluperfect tense is used in English.

Recall that **hace** in time expressions plus a past tense means *ago* or *since* (see Lesson 15): **Hace dos horas que llegué** *or* **Llegué hace dos horas,** *I arrived two hours ago* or *It is two hours since I arrived.*

Práctica. Read in Spanish, then give the English for:

1. Hace dos horas que estudio el español. 2. Hace dos semanas que está aquí. 3. Hace muchos años que trabajan en Cuba. 4. Vive en Nueva York desde hace cinco meses. 5. ¿ Cuánto tiempo hace que Vd. tiene este puesto ? 6. ¿ Cuánto tiempo hace que duermen los niños ? 7. Hacía una hora que él leía cuando yo entré. 8. Vivía allí desde hacía dos años cuando murió. 9. Me telefonearon hace varios minutos. 10. Hace tres días que recibí el telegrama.

D. IRREGULAR FORMS OF *VALER,* "TO BE WORTH"

PRES. IND.   **valgo,** vales, vale, valemos, valéis, valen
PRES. SUBJ. **valga, valgas, valga, valgamos, valgáis, valgan**
FUTURE   **valdré, valdrás,** etc.   CONDITIONAL   **valdría, valdrías,** etc.

The other forms are regular. The impersonal **vale (valdrá,** etc.) **más,** *it is (will be,* etc.) *better* is followed by the subjunctive when the dependent clause has a subject: **Valdrá más que venga hoy,** *It will be better for him to come today.*

EXERCISES

A. Give orally in Spanish:

1. he sleeps, that he may sleep. 2. I ask for, that I may ask for. 3. they look for, that they may look for. 4. he begins, that he may begin. 5. they wrap up, that they may wrap up. 6. we recommend, that we may recommend. 7. he sits down, that he may sit down. 8. we arrive, that we may arrive. 9. Let's go. 10. Let's see. 11. Let's sit down (*two ways*). 12. Let's write it (*two ways*). 13. Let's not look at it. 14. Have them do it. 15. May you have a good time.

B. Read in Spanish, supplying the proper relative pronouns:

1. El telegrama *that* tengo. 2. El muchacho *who* llamó. 3. El niño *whom* vimos. 4. Las muchachas a *whom* dimos las cosas. 5. La camisa *which* compré.

6. El gerente para *whom* trabajan. 7. La carta de *which* hablaban. 8. La casa cerca de *which* jugaban. 9. Los árboles debajo de *which* se sentaron. 10. La universidad en *which* estaba. 11. Mi tía, *who* me lo dió. 12. El dueño del coche, *who* vino. 13. Las costumbres acerca de *which* me escribió. 14. La hermana de Juan, *who* está enferma. 15. No lo devolvió, *which* (*fact*) era extraño.

C. Read in Spanish, substituting the correct form for the English verb in italics:

1. Conozco a un hombre que *speaks* español perfectamente. 2. Hace varios años que *he has studied* la lengua. 3. ¿ Conoce Vd. a alguien que lo *speaks* tan bien como Tomás? 4. Tampoco hay nadie que *is* más simpático que él. 5. Es gerente de una fábrica que *has* muchos empleados. 6. Busca una secretaria que *knows* el español. 7. Hasta ahora no ha podido hallar a ninguna que lo *writes* bien. 8. Valdrá más que Tomás *talk* con el profesor Alcalá. 9. Éste tiene varios alumnos que *want* puestos en una casa comercial. 10. ¿ Tiene Vd. amigos que *are working* en la América Española ahora? 11. Ahora no, pero hacía varios años que mi tío *had been working* en el Perú cuando murió. 12. No hay nadie que *has done* más que él para su compañía.

D. After reviewing the subjunctive in noun clauses, give the proper form of each infinitive and translate each sentence:

1. No creo que él (estar) en casa. 2. ¿ Quiere Vd. que yo le (buscar)? 3. Luis no quiere (hacerlo). 4. Es preciso que Vd. (buscar) un puesto. 5. Tengo miedo de que Vds. no le (hallar) esta tarde. 6. A veces sus amigos le piden que (ir) al cine por la tarde. 7. Dudo que él (haber) ido allá hoy. 8. Si Vds. le ven, díganle que (volver) a casa. 9. Me alegraré mucho de (verle). 10. Es cierto que él no (estar) en la playa. 11. Es posible que él (divertirse) en el parque. 12. Esperamos que Vds. (tener) tiempo para eso.

COMPOSITION

1. Richard, do you know an agent who sells farm machinery? 2. No, John, but I hope to sell it some day. 3. I do not know anyone who has worked with (**en**) a foreign firm. 4. My father's cousin, who lives on a large ranch, recommends that I study agriculture. 5. My father has just received a long letter in which a friend of his wrote of good opportunities in Mexico. 6. Also he has asked my father to look for a secretary who knows Spanish well. 7. He wants a person who has had two or three years of experience. 8. Dad will telephone to Mr. White, who has an office in New York, asking for information about his daughter. 9. It is said that she is trying to find a position in South America, but it is possible that she may want to go to Mexico. 10. It is a pity that Joe's sister, who wants to work there, is still studying in the university.

Simón Bolívar

LECTURA XV

Los libertadores

En la América Española la lucha por la independencia comenzó en el año de 1810. Durante los tres siglos que América vivió bajo la monarquía española, aparecieron ciertas injusticias económicas y políticas que no permitían el progreso de las colonias. A la vez [1] España había perdido poco a poco su poderío en Europa. El resultado de la revolución norteamericana (1775) y de la revolución francesa (1789) y las nuevas ideas sobre la libertad y los derechos del hombre que llegaban a estos países hacían crecer el descontento. Por eso, cuando Napoleón invadió a España en 1808, la revolución en América se convirtió en un movimiento general.

Simón Bolívar, llamado el Jorge Wáshington de la América del Sur, fué el libertador de las colonias del norte del continente. Era un joven venezolano de familia distinguida que pasó la mayor parte de su vida luchando por la libertad y el establecimiento de la democracia. Aunque este genio político y militar luchó por más de diez años, nunca vió realizado su sueño de crear una América Española unida. Sin embargo, por ser creador [2] de las cinco repúblicas de Venezuela, Colombia, el Ecuador, el Perú y Bolivia, que lleva su nombre, recibió el título bien merecido de « El Libertador ».

Terminada la obra militar,[3] Bolívar trató de realizar uno de los sueños

---

[1] **A la vez,** *At the same time.*   [2] **por ser creador,** *because of being the creator.*
[3] **Terminada la obra militar,** *The military work ended.*

de toda su vida. Sabiendo que los criollos [1] no estaban preparados para gobernarse, propuso la formación de la Gran Confederación de los Andes, es decir, la unión de los países del norte del continente bajo la suprema autoridad del mismo Bolívar. Convocó en Panamá el primer Congreso Panamericano en el año de 1826, pero, por desgracia, solamente cuatro naciones enviaron representantes. Los criollos se negaron a [2] unirse pero Bolívar, hasta su muerte, siguió luchando en vano por lograr [3] la unificación. Sin embargo, la Organización de los Estados Americanos, que recibió su nombre actual [4] en la conferencia panamericana celebrada en Bogotá, Colombia, en 1948, es el resultado de más de un siglo de lucha por los ideales y sueños de Bolívar.

Otra figura eminente en el movimiento de la independencia de la América del Sur fué José de San Martín, libertador del sur del continente. San Martín era hijo de un capitán español que vivía en la Argentina. El joven José fué enviado a España para estudiar la carrera militar y pasó unos veinte años allá en el ejército español donde se distinguió como soldado. En el año de 1812 volvió a la Argentina para ofrecer sus servicios a las fuerzas revolucionarias, y unos años después había de representar en el sur del continente el mismo papel [5] que Bolívar en el norte. Su marcha a través de los Andes para dominar a los españoles en Chile es una de las hazañas más notables de la historia militar. De Chile pasó al Perú y en 1821 ocupó a Lima, donde

---

[1] **criollos,** *creoles.* (Children of Spaniards born in the New World.) [2] **se negaron a,** *refused to.* [3] **lograr,** *attain.* [4] **actual,** *present.* [5] **papel,** *role.*

**Monument to San Martín
in Buenos Aires**

fué proclamado « Protector del Perú ». San Martín, como Bolívar, sabía que la América Española no estaba preparada para tener un gobierno democrático.

El resto de la vida de San Martín es un relato triste. Poco después tuvo lugar [1] la histórica y secreta conferencia entre San Martín y Bolívar en Guayaquil, Ecuador. Se retiró San Martín y en 1824 le tocó a Bolívar dar el golpe de muerte [2] a las fuerzas españolas en el Perú. Al volver San Martín a la Argentina, no quisieron [3] recibirle. Su esposa había muerto; como Bolívar, San Martín había gastado su fortuna en la causa de la libertad; acompañado de su hija, partió para Europa donde pobre y desilusionado murió unos treinta años después.

En Méjico, es decir, en la Nueva España, la revolución contra los españoles fué una cosa distinta. No fué iniciada por militares, sino por el padre Miguel Hidalgo, cura [4] del pequeño pueblo de Dolores en el estado de Guanajuato. Hacía muchos años que Hidalgo trabajaba por la defensa de la iglesia, por los derechos del indio y por el mejoramiento del gobierno. El estudio del francés le permitió conocer teorías políticas y revolucionarias. Junto con un grupo de amigos, tenía el proyecto de realizar la independencia de la Nueva España. Estos conspiradores no deseaban precisamente establecer una república, sino que querían un gobierno formado por hombres

Father Miguel Hidalgo

---

[1] **tuvo lugar,** *took place.* [2] **le tocó . . . muerte,** *it fell to the lot of Bolívar to give the death blow.* [3] **no quisieron,** *they refused.* [4] **cura,** *priest.*

nacidos en el país. Pensaban declarar la independencia en el mes de diciembre de 1810, pero un traidor reveló su plan a los oficiales españoles. En la noche del 15 de septiembre el capitán Allende, uno de los conspiradores, descubrió la traición y corrió unos veinte y cinco kilómetros a caballo para avisar a Hidalgo.

El día siguiente era domingo y el cura llamó a misa a un grupo de indios y de campesinos. Les habló de los abusos y de las injusticias que habían sufrido e invitó a todos a atacar a los españoles. En un momento de inspiración elevó la imagen de la Virgen de Guadalupe, muy venerada por los indios, y todos comenzaron a gritar por la independencia. Este primer acto de la independencia se recuerda en la historia mejicana con el nombre de « El Grito de Dolores ». Seguido de miles de indios: hombres y mujeres, armados de palos, navajas,[1] machetes y otros objetos, y llevando la imagen de la Virgen de Guadalupe como bandera oficial, Hidalgo se puso en marcha[2] hacia la capital. En el camino se unieron al movimiento muchos voluntarios, hasta que Hidalgo llegó a tener una fuerza de unos 80,000 hombres.

En vez de atacar la capital, Hidalgo continuó hacia el norte y después de ser derrotado por los españoles se retiró a Guadalajara para establecer allí un gobierno. Unos meses después resultaron victoriosos los españoles en otra batalla y condenaron a muerte al pobre cura. A pesar del fracaso[3] de sus planes, todo el mundo considera a Hidalgo como el padre de la independencia mejicana y el diez y seis de septiembre es la fiesta nacional de la república. Muchas ciudades mejicanas tienen calles llamadas « Hidalgo » y « Diez y Seis de Septiembre »; uno de los estados lleva el nombre del noble héroe.

Los colores de la Virgen de Guadalupe: verde, blanco y rojo, son los de la bandera mejicana. El verde significa la unión; el blanco, la religión; y el rojo, la independencia. Como ya hemos dicho antes, el emblema de la bandera representa una águila posada[4] sobre un nopal, con una serpiente en el pico.

QUESTIONS

1. ¿ Qué pasó en el año de 1810 ? 2. ¿ Qué aparecieron bajo la monarquía española ? 3. ¿ Qué hacía crecer el descontento ? 4. ¿ Cuándo invadió Napoleón a España ? 5. ¿ Quién fué Simón Bolívar ? 6. ¿ De dónde era ? 7. ¿ Cómo pasó la mayor parte de su vida ? 8. ¿ Cuántas repúblicas creó ? 9. ¿ Cuáles son ? 10. ¿ Cuál fué uno de sus sueños ? 11. ¿ Qué convocó en Panamá ? 12. ¿ Dónde recibió su nombre actual la Organización de los Estados Americanos ?

[1] **navajas,** *knives.*   [2] **se puso en marcha,** *started.*   [3] **A pesar del fracaso,** *In spite of the failure.*   [4] **posada,** *resting.*

13. ¿Quién fué el libertador del sur del continente? 14. ¿Dónde estudió la carrera militar? 15. ¿En qué año volvió a la Argentina? 16. ¿Cuál es una de las hazañas más notables de la historia militar? 17. ¿A dónde fué de Chile? 18. ¿Qué fué proclamado San Martín? 19. ¿Qué sabía él? 20. ¿Quién dió el golpe de muerte a las fuerzas españolas en el Perú? 21. ¿Dónde murió San Martín?

22. ¿Quién inició la revolución en la Nueva España? 23. ¿Qué era Hidalgo? 24. ¿Qué proyecto tenía? 25. ¿Deseaban establecer una república los conspiradores? 26. ¿Cuándo pensaban declarar la independencia? 27. ¿Qué descubrió Allende la noche del 15 de septiembre? 28. ¿Qué hizo él?

29. ¿Qué hizo Hidalgo al día siguiente? 30. ¿De qué les habló a todos? 31. ¿Qué hicieron todos cuando elevó la imagen de la Virgen de Guadalupe? 32. ¿Cómo se llama este primer acto de la independencia de Méjico? 33. Cuente Vd. lo que pasó después.

34. ¿Cuál es la fiesta nacional de Méjico? 35. ¿Qué nombres tienen muchas ciudades mejicanas? 36. ¿Cuáles son los colores de la Virgen de Guadalupe? 37. ¿Qué significan? 38. ¿Qué representa el emblema de la bandera mejicana?

WORD STUDY

a. Compare the meanings of: crear, *to create, and* creador, *creator;* atravesar, *to cross, and* a través de *(prep.), across;* hacer, *to do, and* hazaña, *deed;* mejor, *better, and* mejoramiento, *betterment, improvement;* campo, *country, and* campesino, *countryman, peasant;* fracasar, *to fail, and* fracaso, *failure.*

b. Find words related to: morir, luchar, Venezuela, establecer, unir, gobernar, revolución, gritar, resultar, representar.

c. Pronounce and give the English meaning of: monarquía, injusticia, progreso, descontento, democracia, autoridad, convocar, eminente, libertador, proclamar, teoría, proyecto, conspirador, avisar, victorioso.

Gold disc calendar, Peru

REVIEW LESSON IV

A. (a) Give the first person singular in all the indicative tenses and the present subjunctive, and (b) the first person plural in the same tenses, of:

tener	envolver	empezar	dormir	sacar
valer	buscar	servir	sentir	divertir
llegar	jugar	pedir	poder	repetir

B. Give the Spanish for:

larger	younger	the worse	the widest	the taller
greater	older	the best	more rapidly	the newest
smaller	the younger	the oldest	less slowly	the smallest

C. Review the uses of the future and conditional tenses and the translation of *will, would, must,* then supply the appropriate Spanish verb:

1. Carmen dice que lo *will do.* 2. Escribió que *she would leave* el lunes. 3. Creo que *it will not be worth* la pena llamarla. 4. Ella *will be able to* telefonearnos. 5. *It must be* las cinco. 6. Juan *was probably* enfermo anoche o *he would have come* al baile. 7. Eso *would be* extraño, ¿ verdad? 8. ¿ *Will you* echar al correo esta carta? 9. Creo que *they have probably finished* el trabajo. 10. No sé *whether they will have* oportunidad de verle a Vd. 11. *I must (have to)* ir al mercado ahora. 12. Le *I shall tell* a María que Juan *must be* enfermo.

D. Substitute the proper Spanish forms for the English in italics:

1. Esta casa tiene *as many* cuartos *as that one.* 2. La casa de ellos es *prettier* que *this one.* 3. El tío de Carlos vive en la *best* parte *in* la ciudad. 4. Aquella parte de la ciudad es *very pretty;* en realidad, es *the prettiest.* 5. La calle en *which* vive no es *so* larga *as* ésta, pero es *very wide.* 6. *Most of* los hombres *who* viven allí son amigos de mi padre. 7. El parque *near which* vive mi abuelo es *very large.* 8. El novio de María, *who* acaba de pasar por aquí, tiene un coche nuevo *which* es de color rojo. 9. Tiene un *good* puesto y gana *more* dinero que *any* de mis amigos. 10. Hace más *than* cuatro meses que *he has been working* en la casa de mi tío. 11. Elena y una amiga *of hers* quieren estos libros *of mine.* 12. Un vecino *of ours* compró aquel coche *of yours.* 13. Hacía más *than* dos años que Roberto *had wanted* un coche cuando lo compró. 14. Partió *a week ago* y *he is probably* en la Argentina ahora. 15. Algunos amigos *of his have been living* allí desde hace varios meses.

256

E. Use the infinitive, indicative, or subjunctive as required:

1. Quiero (salir) lo más pronto posible. 2. Prefiero que María (ir) conmigo si (tener) tiempo. 3. Estoy seguro de que ella (estar) en casa ahora. 4. Pídale Vd. a ella que (venir) a la una. 5. Es urgente que yo (llegar) al centro a las dos. 6. ¡ Qué lástima que Vd. no (poder) acompañarnos! 7. Tomás no cree que (llover) esta tarde. 8. Quiero (buscar) un sombrero que (ser) más bonito que éste. 9. Mi mamá dice que nunca compro nada que le (gustar). 10. ¿ Conoce Vd. a alguien que (ser) más simpática que Bárbara? 11. Mi hermano Felipe espera que ella (ir) al baile con él. 12. Siento que Ana y Carmen no (haber) estado aquí esta semana. 13. Temo que ellas no (volver) hasta el mes que viene. 14. Me alegro de que ellas (haber) podido hacer el viaje. 15. Estoy seguro de que (estar) divirtiéndose. 16. Puede ser que su prima no (querer) volver con ellas. 17. Parece extraño que ella no (tener) vacaciones ahora. 18. No conozco a nadie que (ser) tan trabajadora como ella. 19. Es cierto que ella (poder) venir más tarde. 20. ¡ Adiós ! Que Vd. no (tardar) mucho en venir a verme otra vez.

F. Give the Spanish for:

1. Let's go home. 2. Let's be going. 3. Let's not go yet. 4. Let's not call him now. 5. Let's sit down here. 6. Let's take off our hats. 7. May he bring me the magazine. 8. Have him do it right now. 9. May you (I hope that you) have a good time. 10. May you sleep well.
11. Excuse me. 12. He took a nap. 13. My head aches. 14. They are not back. 15. I am pleased to meet you. 16. It is a great pleasure to be here. 17. We are very eager to meet them. 18. What can I do for you, gentlemen ? 19. Go to the right, not to the left. 20. They don't feel well. 21. The suit fits me. 22. I prefer that one. 23. Mail these letters, please. 24. Please stay until tomorrow morning. 25. It is about three o'clock. 26. I'll take these. 27. They are very lucky. 28. Send the telegram at once. 29. He has lived here ten years. 30. How long has he been in the office ? 31. The manager has been working there two months. 32. His father died three weeks ago. 33. How glad I am to see you! 34. By the way, what is the matter with William ? 35. Two friends of mine have just arrived.

CONVERSACIÓN IV

En un hotel mejicano

Luis y Juan están haciendo un viaje en coche por Méjico. Llegan a la ciudad de Monterrey, donde quieren pasar la noche en un hotel. Entran y hablan con un empleado.

LUIS. — ¿ Tiene Vd. un cuarto para dos personas?

EMPLEADO. — ¿ Con baño o sin baño?

LUIS. — ¿ Cuánto cuesta un cuarto con baño?

EMPLEADO. — Veinte y cinco pesos, y con comida, cuarenta pesos
5 por persona.

JUAN. — Queremos ver el cuarto si es posible.

EMPLEADO. — ¡ Cómo no! Pasen Vds. por aquí. (*Toman el ascensor
al tercer piso y entran en un cuarto.*) Este cuarto es grande y tiene dos
ventanas que dan a las montañas. Tengo otro más pequeño que es un
10 poco más barato, pero no tiene cuarto de baño.

LUIS. — ¿ Cómo son las camas?

EMPLEADO. — Son muy cómodas. Y aquí está el cuarto de baño, con
agua caliente y fría a todas horas. La criada traerá jabón y toallas en
seguida.

15 LUIS. — ¿ No te gusta este cuarto, Juan? Parece muy bueno para
el precio, ¿ verdad?

JUAN. — A mí también me gusta. Hay una vista magnífica desde
la ventana.

EMPLEADO. — Muy bien. Aquí tienen Vds. la llave. Estoy seguro
20 de que Vds. van a estar muy cómodos aquí. El botones va a traer las
maletas dentro de un momento. Aquí se come a las ocho, porque a los
turistas no les gusta esperar hasta más tarde. (*Sale el empleado.*)

(*Los jóvenes descansan hasta las ocho y bajan al comedor. El mesero se
acerca a su mesa y les pregunta qué desean.*)

25 LUIS. — Deseamos una comida mejicana. ¿ Qué debemos tomar?

MESERO. — Primero deben tomar huevos rancheros. Son huevos
fritos con salsa de chile. Muchas personas los comen con tortillas.

JUAN. — ¿ Qué es una tortilla?

MESERO. — Es una torta delgada de maíz. Después, deben tomar
30 tacos de pollo o mole de guajolote. Los tacos son tortillas tostadas con
pollo o carne y salsa de chile. El mole es una salsa que se hace de guajolote, chile, cacahuetes, chocolate y otras cosas. Es uno de los platillos
más famosos de Méjico.

LUIS. — ¿ Qué es el guacamole?

35 MESERO. — Es una ensalada muy buena. Se hace con aguacate,
cebolla, jitomate y chile. Y muchos mejicanos comen frijoles con cada
comida.

LUIS. — Bueno, tráiganos huevos rancheros con tortillas, frijoles,
tacos con pollo y guacamole.

40 MESERO. — ¿ Desean Vds. una cerveza?

JUAN. — No, gracias. Un vaso de agua con hielo, por favor. Después
deseamos café solo, con algún postre.

VOCABULARY

el **aguacate** avocado, alligator pear
el **ascensor** elevator
el **botones** bellboy (*Mex.*)
el **cacahuete** peanut
la **cebolla** onion
la **cerveza** beer
el **chile** chili
  delgado, –a thin
el **frijol** kidney bean
el **guacamole** guacamole (*salad*)
el **guajolote** turkey (*Mex.*)
el **hielo** ice
el **jabón** soap
el **jitomate** tomato (*Mex.*)

la **llave** key
el **maíz** maize, corn
la **maleta** suitcase
el **mesero** waiter (*Mex.*)
el **mole** mole (*a sauce*)
el **peso** peso, dollar (*Mex.*)
el **platillo** dish
la **salsa** sauce
el **taco** taco
la **toalla** towel
la **torta** flat pancake
la **tortilla** small corn pancake (*Mex.*)
  tostado, –a toasted
el **(la) turista** tourist

dar a to face
huevos rancheros eggs ranchero style
por persona per (for each) person

Práctica. For further oral practice, students may give original conversations on:

1. Getting a room in a hotel   2. Ordering a Mexican meal

SUPPLEMENTARY VOCABULARY

(This list of words, not used in the active vocabularies nor in **Conversaciones** III and IV, may be used for further drill. These words are not included in the general vocabulary unless they also appear in the Lecturas.)

LEGUMBRES

el **apio** celery
la **batata** sweet potato
la **calabaza** squash, pumpkin
el **camote** sweet potato (*Am.*)
la **col** cabbage
la **coliflor** cauliflower
los **chícharos** green peas (*Am.*)
los **ejotes** string beans (*Am.*)
los **espárragos** asparagus

los **guisantes** green peas
las **habas** lima beans
las **judías verdes** string beans
el **nabo** turnip
la **papa** potato (*Am.*)
el **rábano** radish
la **remolacha** beet
el **tomate** tomato
la **zanahoria** carrot

CARNE

la carne de vaca (de res) beef
el carnero mutton
el cerdo (asado) (roast) pork
el cordero lamb
la chuleta chop, cutlet
los fiambres cold cuts
el filete tenderloin

el jamón ham
el pato duck
el pavo turkey (*Spain*)
el puerco pork
la salchicha sausage
la ternera veal
el tocino bacon

FRUTAS

el albaricoque apricot
la banana banana
la cereza cherry
la ciruela plum
el chabacano apricot (*Am.*)
el dátil date
el durazno peach
la frambuesa raspberry
la fresa strawberry
el higo fig
el jugo (de naranja) (orange) juice

la mandarina tangerine
el mango mango
el melocotón peach
el melón melon
la naranja orange
la pera pear
la piña pineapple
el plátano banana, plantain
la sandía watermelon
la toronja grapefruit
la uva grape

MISCELLANEOUS

el aceite (de oliva) (olive) oil
la aceituna olive
el ajo garlic
   asar to roast
   bien cocido well done
el caldo broth
el cocinero cook
el consomé consommé

los encurtidos relish, pickles
la galleta cracker
la mermelada marmalade
el pan dulce sweet bread, roll
el pastel pie, pastry
la pimienta pepper
la sal salt
el vinagre vinegar

Práctica. Using the words listed above and others which you
have had, make several menus for lunch and dinner.

Using the following words, make up a variety of shopping lists:

la docena dozen
la lata (tin) can

la libra pound, lb.
media libra half pound, ½ lb.

21

Verbs with changes in spelling   The subjunctive in adverbial clauses   Review of compound nouns   *Pero* and *sino*

SPANISH USAGE

— ¡ Te felicito, Ricardo ! Acabo de oír decir que conseguiste el puesto en Méjico, de manera que estás muy contento, ¿ verdad ?

— ¡ Cómo no ! He tenido mucha suerte, Tomás. Siempre he oído decir que querer es poder.[1] Hacía mucho tiempo que trataba de encontrar un puesto como éste y ahora me parece 5 mentira tenerlo.

— ¿ Cuándo piensas partir ?

— El sábado. Por eso me queda poco tiempo para las mil cosas que tengo que hacer. A papá le gustan mucho las fotografías a colores y acabo de escoger esta cámara de treinta y cinco 10 milímetros que él me regaló. Ahora podré sacar muchas fotografías que le darán a papá una mejor idea de Méjico. En este momento voy a buscar dos maletas nuevas. Como tendré que hacer viajes de negocios en avión en cuanto llegue a Méjico,

[1] This proverb is equivalent to "Where there's a will, there's a way."

261

necesito maletas que sean ligeras.   Ayer anduve buscándolas dos horas y no encontré ninguna.   Si tengo tiempo, también quiero comprar mi billete.[1]

— ¡ Hombre!   Necesitas hacer eso ahora mismo.   Si quieres,
5 yo voy a reservar tu asiento en el avión para que tú puedas buscar tus maletas.

— Es que no voy en avión, sino en tren, porque tengo tanto equipaje que llevar además de mi máquina de escribir.   Además, los trenes nuevos tardan menos de dos días en llegar.

10   — De todos modos, no es seguro que consigas una buena cama aunque vayas ahora mismo.   Dicen que hay mucha gente que va a Méjico en estos días.

— Puede ser que tengas razón.   Vamos.   Sigamos hasta la esquina porque es peligroso cruzar la calle en este punto.

15   Al llegar a la ventanilla del despacho de. billetes, Ricardo pregunta:

— ¿ Aquí puedo comprar un billete de ferrocarril para Méjico ?

— Sí, señor, a sus órdenes.   ¿ Billete sencillo, o de ida y
20 vuelta ?

— Billete sencillo, por favor, y una cama baja para el sábado.

— ¿ Puede Vd. esperar hasta que yo consiga informes de la estación de ferrocarril?   Necesito preguntar qué camas quedan. . .   Por desgracia, no queda ninguna cama baja.   Hay dos
25 altas, la dos y la quince.   ¿ Cuál prefiere Vd. ?

— Pues, tomaré la quince porque está hacia el centro del coche cama.   Aquí tiene Vd. un cheque.

El empleado le entrega a Ricardo el billete antes que los jóvenes salgan del despacho.   Siguen charlando mientras van a
30 buscar las maletas.

VOCABULARY

además *adv.* furthermore, besides	**el asiento** seat
además de *prep.* in addition to, besides	**bajo, –a** low, lower
	la cama berth
alto, –a upper	**la cámara** camera
andar to walk, go	**el coche cama** Pullman

[1] In Mexico **el boleto** is regularly used for *ticket.*

conseguir (i) to get, obtain
cruzar to cross
el cheque check
la desgracia misfortune
el despacho office
el equipaje baggage
escoger to choose, select
la estación station
felicitar to congratulate
el ferrocarril railroad
hacia toward(s)
la ida departure
ligero, –a light
la maleta suitcase
la manera manner, way

la máquina de escribir typewriter
la mentira lie
el milímetro millimeter
el modo manner, means, way
los negocios business
oír to hear, listen
la orden (pl. órdenes) order, command
peligroso, –a dangerous
regalar to give (as a gift)
reservar to reserve
seguir (i) to follow, continue, go on
sencillo, –a simple, one-way
sino but
la ventanilla ticket window

a colores in color(s)
a sus órdenes at your service
de manera (modo) que so, so that
de todos modos at any rate, by all means
en este (ese) momento at this (that) moment
en tren by train
(me) queda (poco tiempo) (I) have (little time) left (used like gustar)
mil cosas many things (lit., a thousand things)
oír decir que to hear that
parecer mentira to seem impossible (incredible)
por desgracia unfortunately
tener . . . que (llevar) to have . . . to (carry)
viaje de negocios business trip

QUESTIONS

1. ¿ Qué dice Tomás cuando ve a Ricardo? 2. ¿ Qué contesta Ricardo? 3. ¿ Qué ha oído decir Ricardo siempre? 4. ¿ Cuándo piensa partir para Méjico? 5. ¿ Tiene que hacer muchas cosas antes de partir? 6. ¿ Qué acaba de escoger? 7. ¿ Quién se la regaló a él? 8. ¿ Qué va a buscar Ricardo en ese momento? 9. ¿ Qué tendrá que hacer en cuanto llegue a Méjico? 10. ¿ Qué clase de maletas necesita? 11. ¿ Cómo va a hacer el viaje a Méjico? 12. ¿ Por qué tiene que ir en tren? 13. ¿ Cuánto tiempo tardan los trenes nuevos en llegar a Méjico? 14. ¿ Qué pregunta Ricardo cuando llega a la ventanilla? 15. ¿ Quiere billete sencillo o de ida y vuelta? 16. ¿ Quiere una cama baja o alta? 17. ¿ Dónde consigue informes el empleado? 18. ¿ Qué números quedan? 19. ¿ Cuál escoge Ricardo? 20. ¿ Qué le entrega a Ricardo el empleado?

GRAMMATICAL USAGE

A. VERBS WITH CHANGES IN SPELLING

1. In verbs ending in –ger (–gir), g changes to j before the endings beginning with –o or –a; that is, in the first person singular present indicative and in all six forms of the present subjunctive: **escoger,** *to choose, select.*

PRES. IND.	**escojo,** escoges, escoge, etc.
PRES. SUBJ.	**escoja, escojas, escoja, escojamos, escojáis, escojan**

2. In verbs ending in –**guir, u** is dropped after **g** before the endings –**o** and –**a;** that is, in the first person singular present indicative and in all six forms of the present subjunctive. The model verb for this change, **seguir,** *to follow, continue, go on,* is also a stem-changing verb, Class III, like **pedir.**

PRES. PART.	**siguiendo**
PRES. IND.	**sigo, sigues, sigue,** seguimos, seguís, **siguen**
PRES. SUBJ.	**siga, sigas, siga, sigamos, sigáis, sigan**
PRETERIT	seguí, seguiste, **siguió,** seguimos, seguisteis, **siguieron**

Seguir is followed by the present participle, like the English verb *to continue:* **Siguen charlando,** *They continue chatting;* **Siga Vd. le-yendo,** *Continue (Go on) reading.*

3. In certain verbs whose stem ends in a vowel, unaccented **i** between vowels is written **y** (note the present participle and the third person singular and plural preterit forms below). Also note the additional forms which have written accent marks. **Creer** and **leer** are other verbs of this type. The model verb **oír,** *to hear,* also has an irregular first person singular present indicative which affects all the present sub-junctive forms.

PRES. PART.	**oyendo**	PAST PART.	oído
PRES. IND.	**oigo, oyes, oye,** oímos, oís, **oyen**		
PRES. SUBJ.	**oiga, oigas, oiga, oigamos, oigáis, oigan**		
PRETERIT	oí, oíste, **oyó,** oímos, oísteis, **oyeron**		

4. The irregular verb **andar,** *to walk, go* (without definite destination) has a **u**-stem in the preterit: **anduve, anduviste, anduvo, anduvi-mos, anduvisteis, anduvieron.**

B. THE SUBJUNCTIVE IN ADVERBIAL CLAUSES

An adverbial clause, which modifies a verb and indicates *time, manner, purpose, condition,* and the like, is introduced by a conjunction, often a compound with **que** as the last element. The indicative mood is used in adverbial clauses if the act has taken place or is accepted as an accomplished fact; otherwise the subjunctive is normally used.

1. Time Clauses:

> **Cuando le veo, le saludo.** When I see him, I greet him.
> **En cuanto le vea yo, le saludaré.** As soon as I see him, I shall greet him.
> **Vámonos antes que vuelvan.** Let's go before they return.
> **Quédese Vd. hasta que lleguen.** Stay until they arrive.

The subjunctive is used after time conjunctions when the time referred to in the clause is indefinite and future, from the standpoint of the time of the main clause. When the clause expresses an accomplished fact in the present or past time, the indicative is used (first example). **Antes (de) que** is always followed by the subjunctive. Common conjunctions which introduce time clauses are:

antes (de) que	before	**después que**	after
cuando	when	**hasta que**	until
en cuanto	as soon as	**mientras (que)**	while, as long as

Así que and **luego que** are less common than **en cuanto** for *as soon as.* They will be found in reading, but they are not used in this text.

2. Concessive and Result Clauses:

> **Aunque está lloviendo, saldré.** Although it is raining, I shall leave.
> **Aunque llueva esta noche, saldré.** Even though it may rain (rains) tonight, I shall leave.
> **Hablo despacio de modo que siempre me entienden.** I speak slowly so that they always understand me.
> **Lea Vd. de manera que le entiendan.** Read so that they may understand you.

Aunque, *although, even though,* and **de manera (modo) que,** *so, so that,* are followed by the indicative mood if an accomplished fact is indicated, and by the subjunctive if the action is yet to happen. Compare the examples above. In addition to expressing result (in which case the indicative is used), **de modo (manera) que** may also express purpose (last example); in this case compare **para que** in section 3.

3. Purpose, Proviso, Conditional, Negative Result Clauses:

> **Entremos para que Vd. lo escoja.** Let's enter so (in order) that you may select it.

Certain conjunctions denoting *purpose, proviso, condition, negation,* and the like <u>always</u> require the subjunctive since they cannot introduce a fact:

a menos que	unless	**para que**	in order (so) that
con tal que	provided that	**sin que**	without

Para que is the only one of these conjunctions used in exercises in this text. The others are given because they will be found in reading. Further examples are:

> **No me iré a menos que me pague.** I shall not go unless he pays me.
> **Tráigalo con tal que esté caliente.** Bring it provided that it is hot.
> **Entra sin que yo le oiga.** He enters without my hearing him.

C. REVIEW OF COMPOUND NOUNS

el billete sencillo (de ida y vuelta) the one-way (round-trip) ticket
el billete de ferrocarril the railroad ticket
la cámara de treinta y cinco milímetros the thirty-five millimeter camera
el despacho de billetes the ticket office
la estación de ferrocarril the railroad station
el viaje de negocios the business trip
la casa de campo the country house
el reloj de oro the gold watch
la máquina de escribir the typewriter
la taza para café the coffee cup

In Spanish a noun is rarely used as an adjective to modify another noun directly. Instead, an adjective phrase introduced by the prepositions **de** or **para** is normally used.

D. *PERO* AND *SINO*, "BUT"

Vino pero no lo compró. He came but he did not buy it.
No voy en avión, sino en tren. I am not going by plane, but by
train.
No veo a Juan, sino a Carlos. I do not see John, but Charles.

Sino, *but,* equivalent to *on the contrary, but instead,* is used instead of
pero in an affirmative statement which contains no verb and which
contradicts a preceding negative statement in the same sentence. No
form of the verb, except an infinitive, is regularly used after **sino:**
No quiero estudiar, sino dormir, *I don't want to study, but to sleep.*

If clauses containing different verbs are contrasted, **sino que** is used:
Juan no andaba, sino que corría, *John wasn't walking, but running.*
This construction is used in the Lecturas, but not in the exercises.

EXERCISES

A. Give the Spanish for:

1. I hear, that I may hear. 2. I select, that I may select. 3. I follow,
that I may follow. 4. I cross, that I may cross. 5. I walk, that I may walk.
6. I get, that I may get. 7. we hear, they hear. 8. he hears, he heard. 9. we
followed, they followed. 10. I crossed, we crossed. 11. you (*formal*) continue,
you continued. 12. hearing, we have heard. 13. following, she has followed.
14. getting, he had gotten. 15. I hand (over), I handed.

B. Read in Spanish, selecting the proper form in parentheses:

1. Dígale Vd. que (venir, venga, viene), en cuanto (es, sea, será) posible.
2. Siempre le saludo cuando me (encuentro, encuentre) con él. 3. Cuando yo
le (veo, vea) mañana, le diré que Vd. (quiere, quiera) hacer la excursión. 4. Mi
profesor habla despacio de modo que siempre (entendemos, entendamos) lo que
(dice, diga). 5. Les pediré que (siguen, sigan) trabajando. 6. Parece mentira
que no (ha, haya) oído el ruido. 7. Después que ella (vuelve, vuelva), pídale
que (traiga, trae, traer) el cheque. 8. Esperaré aquí hasta que ellos (sacar,
sacan, saquen) las fotografías. 9. Aunque (hace, haga) buen tiempo hoy, no
quiero (ir, voy, vaya) al parque con Vds. 10. Aunque ellos (esperan, esperen)
hasta el lunes, no podré acompañarlos. 11. Antes que ella (escoge, escoja,
escogerá) la blusa, dígale que yo (quiero, quiera) verla. 12. Voy a darle a ella
el dinero para que la (compra, compre, comprará) si le gusta.

C. Complete each sentence as indicated:

1. Vaya Vd. a verlos antes que *they sell the house, buy the car, leave for Cuba.*
2. Le ayudaré cuando *he looks for a camera, selects a suitcase, brings the baggage.*

3. Déme cien dólares para que yo *may have enough money, may pay for them, reserve an upper berth.* 4. Quédese Vd. aquí hasta que *the train arrives, we bring you the check, they have crossed the street.*

D. Give the Spanish for:

1. Look for the camera again. 2. I have heard that you walked several hours. 3. At any rate let's continue looking for it. 4. Let's stop here. 5. We have little time left. 6. I have five dollars left. 7. Unfortunately the road is dangerous. 8. That seems incredible. 9. It took him three days to write (He delayed three days in writing) the composition. 10. Give me a round-trip ticket, please. 11. Let's go to the railroad station. 12. Take the typewriter with you.[1] 13. You can carry the baggage. 14. At your service, gentlemen. 15. I have never heard that.

COMPOSITION

1. I congratulate you, Richard! I have heard that you got the job in Mexico. 2. For several years I have been looking for a job like this one. 3. It seems incredible that finally I have it. 4. Dad has given me this camera which I have just selected. 5. He wants me to take many photographs as soon as I reach Mexico. 6. I must buy a ticket after we find a suitcase that is light. 7. Even though you go to the ticket office right away, I doubt that you will get a lower berth. 8. Let's go there before you look for the suitcase. 9. I hope that someone will be at (in) the ticket window at this time. 10. Please give me a one-way ticket and a lower berth toward the center of the Pullman for Saturday. 11. Unfortunately we do not have any lower berth left, but I can give you an upper. 12. Before they leave, Richard hands the employee a hundred-dollar bill and the latter returns him the change with the ticket.

[1] Use **llevarse.**

LECTURA XVI

La cultura española a través de los siglos

La literatura española, una de las más ricas del mundo, es a la vez una de las manifestaciones más notables de la cultura española. Es importante no sólo por su valor intrínseco y por la creación de nuevos géneros [1] y de caracteres universales, sino también por su influencia en otras literaturas modernas, especialmente en las de Inglaterra y de Francia. Desde el siglo XII hasta el siglo XX la literatura ha expresado directamente la verdadera alma y el espíritu de los españoles en su larga y gloriosa historia.

El primer monumento literario de España es un poema épico, *El cantar de Mío Cid*,[2] escrito hacia 1140. Este poema trata de las hazañas de El Cid, famoso héroe nacional, en las luchas de Castilla para reconquistar sus tierras de manos de los moros. Del mismo siglo es otro antiguo monumento, el *Auto de los Reyes Magos*,[3] la primera obra del teatro español. Es una breve composición dramática que narra en forma sencilla el viaje de los tres Reyes Magos a adorar al Niño Jesús.

Uno de los géneros más importantes, no sólo de la Edad Media,[4] sino de todos los siglos, ha sido la poesía lírica y narrativa. De interés especial en España ha sido el romance,[5] pequeño poema narrativo y episódico en forma dialogada. Los primeros romances históricos fueron probablemente restos de los antiguos poemas épicos, y con el tiempo fueron compuestos otros sobre temas de toda clase. Dando inspiración a los grandes dramaturgos, poetas líricos y novelistas de los siglos siguientes, ninguna poesía ha contribuido más que el romance a enriquecer la literatura española. Todavía se cantan los romances en España, en la América Española y en el suroeste de los Estados Unidos.

The cathedral, Burgos, Spain

---

[1] **género,** *genre, literary type.*   [2] **El cantar de Mío Cid,** *The Song (Lay) of the Cid.*   [3] **Auto de los Reyes Magos,** *Play of the Magi.*   [4] **Edad Media,** *Middle Ages.*   [5] **romance,** *ballad.*

Ferdinand of Aragón

Una de las mayores glorias de los 'Reyes Católicos, Fernando e Isabel, fué el impulso que dieron a las letras y a la cultura en general a fines del siglo XV. Iniciaron el estudio de las humanidades y trajeron a España muchos humanistas de Italia, donde se originó la época de la cultura que se llama el Renacimiento. Los Reyes Católicos contribuyeron a la introducción de la imprenta[1] en España en 1474 y fundaron bibliotecas, escuelas y universidades, sobre todo la famosa Universidad de Alcalá de Henares en 1508. Durante su reinado aparecieron algunas de las mejores obras de la literatura española, entre ellas *La Celestina*, en 1499, una de las grandes obras de la literatura universal, y el *Amadís de Gaula*, publicado en 1508, que inició la novela de caballerías[2] en España. En el año de 1492 se publicó la *Gramática sobre la lengua castellana* de Nebrija, la primera gramática científica de una lengua moderna, y la víspera de Navidad del mismo año se presentaron dos piezas dramáticas de Juan del Encina, llamado el padre del teatro español.

La Celestina, célebre novela dramática, relata la triste historia de los amantes Calisto y Melibea que viven bajo la influencia de la perversa y astuta vieja, llamada La Celestina. Esta obra refleja a la vez el espíritu de la Edad Media y el del Renacimiento, y una de sus características más extraordinarias es que se mezclan por primera vez en la prosa el puro idealismo y el crudo realismo. Después

---

[1] **imprenta,** *printing.*   [2] **novela de caballerías,** *novel (romance) of chivalry.*

Pafe　Alifa　Lucrecia　Celeftina　Melibea

teando me o açotado me cruelmēte. Pues amargas
cient monedas ferían eftas.ap cuptada de mi en ḡ la,
ʒo me be metido:que poʒ me moftrar folícíta ʒ effoʒ
çada pongo mi pfona al tablero:ḡ bare cuptada meʒ
quína de mí:ḡ ní el falír a fuera es,puecbofo ní la per
feuerácía carece de peligro. pues pre o toʒnarme be:
o dubbofa ʒ dura perplepídad: no fe qual efcoja poʒ
mas fano : enel ofar manífíefto peligro: enla couar,
día denoftada perdída:a donde pra el buep ḡ no are.
Cada camíno defcubʒe fus dañofos ʒ bondos barrā
cos.fí conel fuerto foy tomada nūca de muerta o en,
coʒoçada falto a bíen líbʒar. Sí no voy que díra fem
pʒonío: que todas eftas eran mís fuerças. faber ʒ ef,
fuerço ardíd: ʒ ofrecímíento. aftucía ʒ folícítud. ʒ fu
amo califto que díra. que bara. que pēfara . fino que
ap nueuo engaño en mís pífadas.ʒ que yo be defcu,
bíerto la celada:poʒ bauer mas pʒouecho defta otra
parte:como fofíftíca pʒeuarícadoʒa. o fíno fe le ofre,

de *Don Quijote, La Celestina* ocupa el primer lugar en la literatura española.

Un género literario que había de gozar de una gran popularidad durante el siglo XVI fué la novela de caballerías. El *Amadís de Gaula*, según Cervantes, fué « el mejor de todos los libros de caballerías que hasta ahora han compuesto, así como único en su arte. » Esta novela narra las aventuras de Amadís, el noble, generoso y valiente héroe, que siempre trata de hacerse digno[1] del amor de Oriana, la bella y fiel heroína. Ha influido poderosamente no sólo en la literatura española, especialmente en la obra de Cervantes, sino por sus numerosas traducciones también en la de todo el mundo.

El período comprendido entre mediados del siglo XVI y fines del siglo XVII es llamado el Siglo de Oro.[2] Es la época de la conquista y la colonización del Nuevo Mundo; es la época en que España, bajo los reinados de Carlos V (1516–1556), de Felipe II (1556–1598) y de Felipe III (1598–1621), llegó a ser la nación más poderosa del mundo; es la época de nuevos géneros literarios, de grandes

---

[1] **digno,** *worthy.*　[2] **Siglo de Oro,** *Golden Age.*

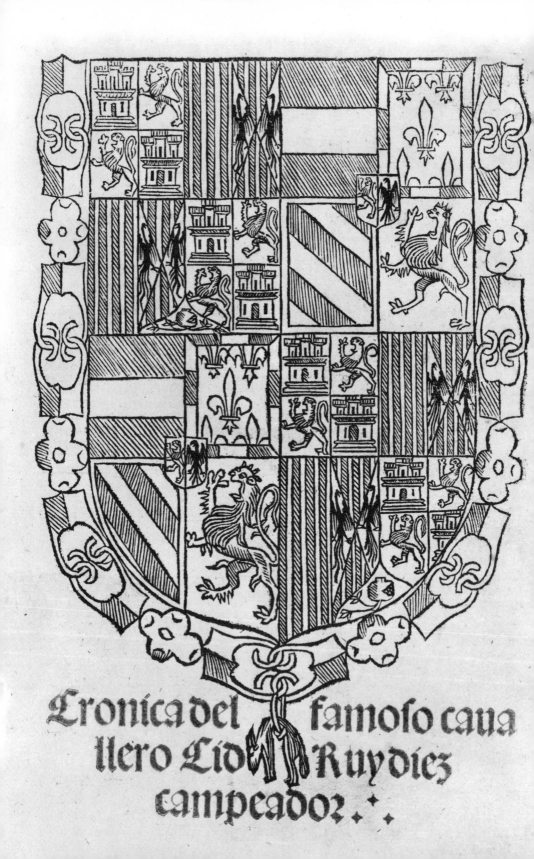

Cronica del famoso caua
llero Cid Ruydiez
campeador.

historiadores, filósofos y teólogos, de famosos artistas, escultores y arquitectos; en fin,[1] es la época en que España llegó a su apogeo[2] en todos los aspectos de la civilización y la cultura. Aquí podemos mencionar solamente unos cuantos nombres de más importancia en la literatura del Siglo de Oro.

En el siglo XVI, bajo la influencia del *Amadís de Gaula*, se escribieron muchísimas novelas de caballerías. Otro género de novela idealista de gran popularidad fué la novela pastoril,[3] cuya obra maestra[4] fué la *Diana* (1559) de Jorge de Montemayor.

De carácter enteramente opuesto a estos dos géneros idealistas, hay un género realista, llamado la novela picaresca.[5] En el año de 1554 apareció una de las obras más bellas y más importantes de la literatura española, el *Lazarillo de Tormes*, que dió origen al género. Esta obra nos cuenta la vida del astuto pícaro, Lazarillo, y a la vez nos deja una sátira poderosa sobre la sociedad española de la época. Enorme fué su influencia en el desarrollo de la novela del resto del mundo, porque con el tiempo la novela picaresca se convirtió en la novela de costumbres.[6]

A Juan del Encina le siguieron en el siglo XVI varios autores dramáticos de importancia, pero el siglo XVII fué la época gloriosa del teatro español. Lope de Vega, llamado el fénix de los ingenios[7] por todos los españoles, fué el dramaturgo más popular de España y también uno de los más grandes del mundo. Además de ser gran poeta lírico, fué el fundador del drama nacional de su país. Él mismo dice que compuso unas 1500 comedias, de las cuales se conservan hoy día unas 425.

Otros tres famosos dramaturgos del mismo período son Ruiz de Alarcón, Tirso de Molina y Calderón de la Barca. En *El burlador de Sevilla* Tirso de Molina presenta por primera vez en forma dramática el carácter de don Juan, una de las grandes creaciones de la literatura universal. Hay muchos que dicen que solamente don Quijote, Hamlet y Fausto[8] le igualan en originalidad y profundidad.

---

[1] **en fin,** *in short.* [2] **apogeo,** *height.* [3] **novela pastoril,** *pastoral romance (novel).* [4] **obra maestra,** *masterpiece.* [5] **novela picaresca,** *picaresque novel, romance of roguery.* [6] **novela de costumbres,** *novel of customs and manners.* [7] **fénix de los ingenios,** *phoenix (model) of geniuses.* [8] **Fausto,** *Faust* (created by the German writer Goethe, 1749–1832).

QUESTIONS

1. ¿ Es rica la literatura española? 2. ¿ Ha tenido influencia en otras literaturas? 3. ¿ Qué ha expresado a través de los siglos? 4. ¿ Cuál es el primer monumento literario de España? 5. ¿ De qué trata el poema? 6. ¿ Cuál es la primera obra del teatro español? 7. ¿ Qué es un romance? 8. ¿ A qué ha contribuido el romance?

9. ¿ Qué hicieron los Reyes Católicos? 10. ¿ Qué obra inició la novela de caballerías? 11. ¿ En qué año se publicó la gramática de Nebrija? 12. ¿ Quién es el padre del teatro español? 13. ¿ Qué relata *La Celestina?* 14. ¿ Por qué es tan importante la obra? 15. ¿ Qué narra el *Amadís de Gaula?*

16. ¿ Qué período comprende el Siglo de Oro? 17. ¿ Qué pasó durante aquella época? 18. ¿ Cuál fué la obra maestra de la novela pastoril? 19. ¿ Cuál es un género realista del período? 20. ¿ Cuál es la obra maestra del género? 21. ¿ Qué nos cuenta el *Lazarillo de Tormes?* 22. ¿ Por qué fué grande su influencia?

23. ¿ Quién fué Lope de Vega? 24. ¿ Cuántas comedias compuso él? 25. ¿ Quiénes son otros tres famosos dramaturgos? 26. ¿ Qué carácter presentó Tirso de Molina por primera vez? 27. ¿ Cuáles son otros grandes caracteres universales de la literatura?

WORD STUDY

a. Compare the meanings of: influir, influencia; narrar, narrativa; novela, novelista; rico, enriquecer; drama, dramático, dramaturgo; historia, histórico, historiador; amor, amante; humanidades, humanistas; héroe, heroína.

b. Find adverbs based on the following adjectives: solo, especial, entero, poderoso.

c. Pronounce the following words and note their English meanings: intrínseco, *intrinsic;* espíritu, *spirit;* lírica, *lyric;* episódico, *episodic;* estudio, *study;* Renacimiento, *Renaissance;* científica, *scientific;* reflejar, *reflect;* filósofo, *philosopher;* teólogo, *theologian;* escultor, *sculptor;* arquitecto, *architect;* fundador, *founder;* igualar, *to equal.*

d. Find words which illustrate: Spanish **–oso** = English *–ous;* **–cio,** **–cia** = *–ce;* **–ción** = *–tion;* **–dad** = *–ty;* **–io** = *–y.*

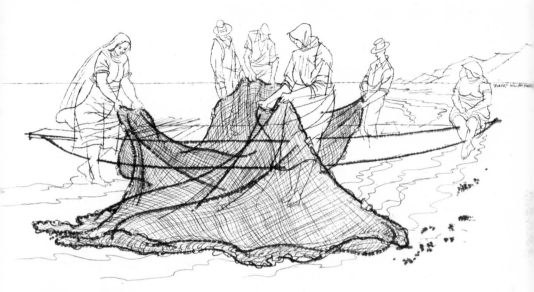

22

The imperfect subjunctive   The pluperfect subjunctive
Use of the subjunctive tenses
Use of the infinitive after certain verbs   The subjunctive
in a polite or softened statement   Exclamations

SPANISH USAGE

— Buenas tardes, Isabel.   ¿ No puedes dar un paseo conmigo ?

— Quisiera ir contigo, Clara, pero debo descansar un rato.
¡ Qué día he tenido !   Primero mamá me pidió que llevara un
vestido a la tintorería para hacerlo limpiar, y luego me dijo que 5
llevara a Juanita al dentista.   Además de eso, quería que fuera
yo al mercado.   Como le faltaba dinero para las compras, me
mandó ir al banco para cobrar un cheque.   Antes de volver a casa,
llevé a Juanita al parque para que viera los animales.   Después
le permití jugar un rato, y aunque le aconsejé que tuviera cuidado, 10
se cayó y se hizo daño.   Hasta tuve que llamar un taxi para
llevarla a casa.   Todo eso me cansó mucho, como puedes suponer.

— Comprendo bien, pero siento mucho que no puedas acompañarme.   A propósito, ¿ te divertiste mucho anoche ?

— ¡ Sí, mucho !   ¡ Qué noche tan agradable hemos pasado 15
en casa de Carolina !   ¡ Es lástima que no pudieras venir !   ¡ Y

qué gran sorpresa tuvimos! ¿ Te acuerdas de Margarita Brown, la amiga de Carolina que se casó hace un mes?

— Sí, la recuerdo bien y quisiera volver a verla.

— Pues, acabábamos de sentarnos a jugar a las cartas cuando
5 llegaron Margarita y su esposo. Están en camino de Nueva York después de haber pasado¹ la luna de miel en Méjico. Cuando supimos que Roberto tenía unas fotos que había sacado en su viaje, le rogamos que nos las enseñara. Él habría preferido hablar de otras cosas, pero insistimos en ello.² ¡ Qué fotos más
10 bonitas, todas a colores! ¡ Ojalá que las hubieras visto!

— ¡ Cuánto siento no haber estado allí! ¿ Qué te parece Roberto? Quisiera conocerle.

— ¡ Qué guapo es! Es alto, simpático y muy cortés.

— ¿ Cuánto tiempo van a pasar aquí?

15   — Es probable que ya se hayan marchado. Roberto telefoneó ayer a la oficina de su compañía e³ insistieron en que volviera cuanto antes. Los vi pasar en su coche hace una hora y creo que iban hacia la carretera.

— ¡ Qué interesante todo eso! Pero yo debiera dejarte
20 dormir la siesta. Que duermas bien.

— No quiero dormir, sino descansar. Hasta luego, Clara.

VOCABULARY

aconsejar (*requires indir. obj. of a person*) to advise, warn
acordarse (**ue**) (**de** + *obj.*) to remember, recall
el **animal** animal
el **banco** bank
caer(se) (*like* **oír**) to fall, fall down
cansar to tire
la **carretera** highway
la **carta** card (*playing*)
Clara Clara
cobrar to cash, collect

comprender to understand, comprehend
cortés courteous
el **cuidado** care
el **daño** harm, damage
dejar to let, permit, allow
el **dentista** dentist
e and
ello (*neuter*) it
el **esposo** husband
faltar to lack, be lacking
la **foto** (*for* **fotografía**) photo

¹ Observe the use of the perfect participle after the preposition.   ² The neuter pronoun **ello**, *it*, is used as the object of a preposition to refer to a statement or an idea.   ³ See note 1, page 96.

hasta *adv.* even
la luna de miel honeymoon
marcharse to leave, go away
Margarita Margaret, Marguerite
¡ ojalá que ! would that ! I wish
    that !

permitir to permit, allow
probable probable
la sorpresa surprise
suponer (*like* poner) to suppose
la tintorería cleaning shop

cuanto antes at once, immediately, as soon as possible
hacerse daño to hurt oneself
le faltaba (dinero) she lacked (money) (*used like* gustar)
¿ qué te (le) parece (Roberto) ? what do you think of *or* how do you like
    (Robert) ?
tener cuidado (de) to be careful (to)
volver a (verla) (to see her) again

QUESTIONS

1. ¿ Qué va a hacer Clara ?   2. ¿ Qué debe hacer Isabel ?   3. ¿ Qué le pidió
su mamá primero ?   4. ¿ A dónde llevó a Juanita después ?   5. ¿ Qué le faltaba
a su mamá ?   6. ¿ Por qué tuvo que ir al banco ?   7. ¿ A dónde fueron Isabel y
Juanita antes de volver a casa ?   8. ¿ Qué pasó en el parque ?   9. ¿ Qué tuvo
que llamar Isabel ?   10. ¿ Se divirtió Isabel anoche ?   11. ¿ Dónde estaba ella ?
12. ¿ Qué iban a hacer ?   13. ¿ Quiénes llegaron ?   14. ¿ Dónde habían estado ?
15. ¿ Qué tenía Roberto ?   16. ¿ Cómo eran las fotografías ?   17. ¿ Qué le
parece Roberto a Isabel ?   18. ¿ Van a pasar mucho tiempo allí Roberto y
Margarita ?   19. ¿ Qué hizo Roberto ayer ?   20. ¿ Hacia dónde iban cuando
Isabel los vió pasar ?   21. ¿ Qué dice Clara por fin ?   22. ¿ Qué contesta Isabel ?

GRAMMATICAL USAGE

A. THE IMPERFECT SUBJUNCTIVE

1. Regular verbs:

hablar		comer, vivir	
SINGULAR		SINGULAR	
hablara	hablase	comiera	viviese
hablaras	hablases	comieras	vivieses
hablara	hablase	comiera	viviese
PLURAL		PLURAL	
habláramos	hablásemos	comiéramos	viviésemos
hablarais	hablaseis	comierais	vivieseis
hablaran	hablasen	comieran	viviesen

The imperfect subjunctive in Spanish has two forms, often referred to as the –**ra** and the –**se** forms, and the same two sets of endings are used for the three conjugations. To form the imperfect subjunctive of <u>all</u> verbs, regular and irregular, drop –**ron** of the third person plural preterit indicative and add –**ra, –ras, –ra, ʹramos, –rais, –ran** or –**se, –ses, –se, ʹsemos, –seis, –sen.** Only the first person plural form has a written accent mark.

Except in softened statements (section E) and in conditional sentences (Lesson 24), the imperfect subjunctive tenses are interchangeable in Spanish. Just as the present subjunctive is often translated with *may* as a part of its meaning, so the imperfect subjunctive is translated with *might:* **que hablara,** *that he might talk;* **que comiesen,** *that they might eat.*

2. Stem-changing verbs:

Stem-changing verbs, Class I, are regular in the imperfect subjunctive:

pensar: pensara, pensaras, etc.	pensase, pensases, etc.
volver: volviera, volvieras, etc.	volviese, volvieses, etc.

Since stem-changing verbs, Classes II and III, change **e** to **i** and **o** to **u** in the third person singular and plural of the preterit, this change also occurs throughout the imperfect subjunctive:

Inf.	*3rd Pl. Pret.*	*Imperfect Subjunctive*	
sentir	**sintieron**	**sintiera, –ras,** etc.	**sintiese, –ses,** etc.
dormir	**durmieron**	**durmiera, –ras,** etc.	**durmiese, –ses,** etc.
pedir	**pidieron**	**pidiera, –ras,** etc.	**pidiese, –ses,** etc.

3. Irregular verbs:

Inf.	*3rd Pl. Pret.*	*Imp. Subj.*	*Inf.*	*3rd Pl. Pret.*	*Imp. Subj.*
andar	**anduvieron**	**anduviera, –se**	oír	**oyeron**	**oyera, –se**
caer	**cayeron**	**cayera, –se**	poder	**pudieron**	**pudiera, –se**
creer	**creyeron**	**creyera, –se**	poner	**pusieron**	**pusiera, –se**
dar	**dieron**	**diera, –se**	querer	**quisieron**	**quisiera, –se**
decir	**dijeron**	**dijera, –se**	saber	**supieron**	**supiera, –se**
estar	**estuvieron**	**estuviera, –se**	ser	**fueron**	**fuera, –se**
haber	**hubieron** [1]	**hubiera, –se**	tener	**tuvieron**	**tuviera, –se**
hacer	**hicieron**	**hiciera, –se**	traer	**trajeron**	**trajera, –se**
ir	**fueron**	**fuera, –se**	venir	**vinieron**	**viniera, –se**
leer	**leyeron**	**leyera, –se**	ver	**vieron**	**viera, –se**

[1] See Lesson 25 for the preterit forms of **haber.**

B. THE PLUPERFECT SUBJUNCTIVE

hubiera	hubiese	
hubieras	hubieses	
hubiera	hubiese	
hubiéramos	hubiésemos	hablado, comido, vivido
hubierais	hubieseis	
hubieran	hubiesen	

Temían que yo no lo hubiera visto. They feared that I had not seen it.

The pluperfect subjunctive is formed by either form of the imperfect subjunctive of **haber** with the past participle. Its translation is similar to that of the pluperfect indicative: **que hubiesen vivido,** *that they had lived;* sometimes the word *might* is a part of the translation: *that they might have lived.*

C. USE OF THE SUBJUNCTIVE TENSES

Quiero que tengan cuidado. I want them to be careful.
Lo he traído para que lo vean. I have brought it so that they may see it.
Insistiré en que lo limpien. I shall insist that they clean it.
Es probable que ya se hayan marchado. It is probable that they have already left.

When the main verb in a sentence requiring the subjunctive in the dependent clause is in the present, future, or present perfect tense, the verb in the dependent clause is regularly in the <u>present</u> or <u>present perfect</u> subjunctive tense.

Le rogamos que nos las enseñara. We asked him to show them to us.
No vimos a nadie que le conociese. We saw no one who knew him.
Se cayeron antes que yo volviera. They fell down before I returned.
La llevé allá para que los viera. I took her there so that she might see them.
Sentíamos que no lo hubiese hecho. We were sorry that he had not done it.

When the main verb is in the preterit, imperfect, conditional, or pluperfect tense, the verb in the dependent clause is normally in the imperfect subjunctive, unless the English past perfect tense is used in the dependent clause, in which case the pluperfect subjunctive is used in Spanish (last example).

However, the imperfect subjunctive may follow the present, future, or present perfect tense when, as in English, the action of the dependent clause takes place in the past:

> ¡ Es lástima que no pudieras venir ! It's a pity that you could not come!

The present subjunctive <u>never</u> follows a main verb which is in the preterit, imperfect, conditional, or pluperfect tense.

D. USE OF THE INFINITIVE AFTER CERTAIN VERBS

1. **Los vi pasar por la calle.** I saw them pass (passing) along the street.
   Oyó cantar a Clara. He heard Clara sing (singing).

After **oír** and **ver** the infinitive is regularly used in Spanish, while the present participle is often used in English. Note the word order in the second example. A subject of the infinitive is considered the direct object of **oír** and **ver.**

2. **Déjeme Vd. cobrar el cheque.** Let me cash the check.
   Le permití jugar un rato. I permitted (allowed) her to play a while.
   Me mandó ir al banco. She ordered me to go to the bank.
   Harán venir al muchacho. They will have the boy come.
   Llevé el vestido para hacerlo limpiar. I took the dress to have it cleaned.

By exception to the rule which requires a clause in Spanish after certain verbs when there is a change in subject, the infinitive is generally used after **dejar, permitir, hacer,** and **mandar.** However, for emphasis or especially when a noun is the object of the main verb and also the subject of the following verb, the subjunctive may be used after these verbs:

> **Permítale Vd. a Juan que lo haga.** Permit (Let) John do it.

For *Let* (*Permit*) *me* plus verb, use **Déjeme Vd.** or **Permítame Vd.** plus the infinitive.

Often the infinitive is translated by the passive voice, especially if its subject is a noun referring to a thing (fifth example).

In the cases of these four verbs a personal subject (noun or pronoun) of the infinitive is regularly expressed as the indirect object of the main verb. The infinitive normally follows the main verb directly.

E. THE SUBJUNCTIVE IN A POLITE OR SOFTENED STATEMENT

Quiero jugar a las cartas. I want to play cards.
Quisiera jugar a las cartas. I should like to play cards.
Debo descansar un rato. I must rest a while.
Debiera dejarte dormir la siesta. I should (ought to) let you take a nap.

It is considered more polite to soften requests by using the –ra imperfect subjunctive of forms of **querer.** The –ra forms of **deber,** and occasionally **poder,** are often used to form a polite or softened statement.

F. EXCLAMATIONS

1. **¡ Qué!** *What a! How!*

   ¡ Qué noche tan (más) agradable! What a pleasant evening!
   ¡ Qué guapo es! How handsome he is!

Before nouns **¡ qué!** means *what a!;* before adjectives it means *how!* When an adjective follows the noun, **tan** or **más** is regularly inserted before the adjective.

2. **¡ Cuánto!** *How!*

   ¡ Cuánto siento no haber estado allí! How I regret not having been there!

With verbs the adverb **¡ cuánto!** means *how!* The adjective **¡ cuánto, –a!** has its literal meaning: **¡ Cuánto dinero tiene!** *How much money he has!*

3. **¡ Ojalá que!** *Would that! I wish that!*

   ¡ Ojalá (que) estuviera aquí! Would that he were here!
   ¡ Ojalá que las hubieras visto! I wish that you had seen them!

In exclamatory wishes **¡ Ojalá (que)!** may be followed by the imperfect subjunctive to refer to the present, and by the pluperfect subjunctive to a past time.

EXERCISES

A. Give the first person singular present indicative and present subjunctive, the third person plural preterit and the first person singular imperfect subjunctive of:

tener	oír	ver	sentir	dar
hacer	caer	ser	dormir	estar
poner	andar	volver	pedir	saber
traer	venir	pensar	seguir	decir

B. Read the following sentences in Spanish, then repeat, changing the verbs in the main clause to a past tense and making the necessary change in the dependent verbs:

1. Quiero que se vayan. 2. Les pediré que vengan. 3. Es posible que Clara saque la fotografía. 4. Le permito a Juan que cobre el cheque. 5. No creo que ella lo sienta. 6. Tengo miedo de que él se caiga. 7. Dudo que haya oído decir eso. 8. Busco una maleta que sea ligera. 9. No hay nadie que sepa la verdad. 10. Insisto en que se lo ponga. 11. Dice que lo hará en cuanto lleguemos. 12. Me pide que lleve el traje a la tintorería. 13. Espero que empiece a llover. 14. Le aconsejo a Carlos que siga andando despacio. 15. Lo traigo para que lo lean.

C. Read each sentence in Spanish, substituting Spanish forms for the English in italics:

1. Lo hicimos antes que *they returned*. 2. Estoy seguro de que ellos lo *have done*. 3. Me alegro de que ella *is having a good time*. 4. Nos alegrábamos de que ella *had a good time*. 5. Espero que el niño *won't hurt himself*. 6. Le aconsejé a Juanita que *she should be careful*. 7. Sentíamos que ellos no *had returned*. 8. ¡ Ojalá que ella *were at home!* 9. *I should like* limpiar el coche. 10. *You should* insistir en ello. 11. *He lacks* diez dólares. 12. *Let me* cerrar la puerta. 13. Ella me hizo *wash* las ventanas. 14. Ella me mandó *return* la revista a Rosa. 15. Hicimos *written* la carta en español. 16. ¡ *What a* joven tan guapo! 17. ¡ *How* alto es! 18. ¡ *How* me alegro de verle a Vd.! 19. Los vi *walking* por la calle. 20. La oímos *playing* música española anoche.

D. Give the Spanish for:

1. What do you think of Clara? 2. Be careful. 3. We saw them again. 4. They were married last week. 5. We took a walk yesterday afternoon. 6. Do you remember that? 7. Don't hurt yourself. 8. Let me help you. 9. What a pleasant day! 10. What a courteous man! 11. How tired I am! 12. How glad we are to see him!

COMPOSITION

1. I should like to take a walk, but first I should rest a while. 2. This morning Mother asked me to take Jane to the dentist. 3. Also she had me take two dresses to the cleaning shop in order that they might clean them. 4. Besides that, Father wanted me to go to the bank to have a check cashed. 5. Before returning home, I allowed Jane to play with some friends in the park. 6. Unfortunately, she fell down and hurt herself, and I had to take her home in a taxi. 7. Do you remember Caroline's cousin Margaret and Robert Brown who were married three weeks ago? 8. They have just spent their honeymoon in Mexico and they are now on their way to New York. 9. We were playing cards at Caroline's last night when they knocked at the door. 10. What a great surprise it was when we saw them! Would that you had been there too! 11. We insisted that Robert show us some photos that he had taken, even though he would have preferred to talk about their trip. 12. We were sorry that they couldn't stay longer, but Robert's father had ordered him to return home at once.

LECTURA XVII

Miguel de Cervantes

Miguel de Cervantes, considerado no sólo el autor más ilustre de España, sino también uno de los más célebres del mundo, nació en Alcalá de Henares en el año de 1547, probablemente el día 29 de septiembre. De su juventud apenas se sabe nada, pero cierto es que ganó una gran experiencia de la vida española de aquellos días, como se ve claramente en todas sus obras literarias.

Miguel de Cervantes Saavedra

A la edad de veintidós años se hallaba Cervantes en Italia, donde más tarde se alistó como soldado en el ejército español. En 1571, aunque estaba muy enfermo, tomó parte en la batalla de Lepanto, en la cual se distinguió mucho. Recibió dos heridas en el pecho y otra en la mano izquierda, de manera que ésta le quedó inútil el resto de su vida.

Partió para España en 1575, pero unos días después fué hecho prisionero por unos piratas que le llevaron a Argel, donde permaneció cautivo cinco años. Como llevaba cartas de recomendación, los piratas le consideraron hombre de gran importancia, pero su familia no tenía bastante dinero para rescatarle.[1] Cinco veces trató de escaparse, pero fué en vano. Por fin fué rescatado y en 1580 logró volver a su patria, donde le persiguió la miseria el resto de su vida. Primero se dedicó a las letras. Compuso poesías, comedias y una novela pastoril, *La Galatea* (1585), pero no consiguió triunfar en ninguno de estos géneros. Por último el gobierno le nombró para un puesto en que había de ganar buen sueldo, pero no lo cobraba con regularidad y en 1592, por irregularidades en sus cuentas, le condenaron a la cárcel por unos meses.

En los años siguientes poco sabemos con certeza[2] de Cervantes, pero se cree que en otro encarcelamiento empezó a escribir la primera

---

[1] **rescatar,** *to ransom.*   [2] **con certeza,** *for sure.*

parte del *Quijote,* que publicó en 1605. Aunque logró la novela un éxito tremendo, Cervantes ganó poco de su venta. Diez años después apareció la segunda parte de la célebre novela. En el mismo año Cervantes publicó sus *Ocho comedias y ocho entremeses.*[1] Estas comedias son de poca importancia, pero los entremeses son los mejores que se han escrito en español. Dos años antes, en 1613, publicó sus *Novelas ejemplares,* que bastarían para establecer la fama del autor. Murió Cervantes el día 23 de abril de 1616.

El ingenioso hidalgo don Quijote de la Mancha es una de las obras inmortales de la literatura universal. Nuestro pobre hidalgo, llamado Alonso Quijano el Bueno, empezó a leer tantos libros de caballerías que llegó a perder el juicio. Por fin decidió « . . . así para el aumento de su honra, como para el servicio de su república,[2] hacerse caballero andante,[3] e irse por todo el mundo con sus armas y caballo a buscar aventuras y a ejercitarse en [4] todo aquello que él había leído que los caballeros se ejercitaban, deshaciendo todo género de agravio,[5] y poniéndose en ocasiones y peligros donde, acabándolos, cobrase eterno nombre y fama. »

Después de limpiar unas armas antiguas y de dar nombre a su caballo, decidió llamarse don Quijote de la Mancha, nombre que, según él, indicaba claramente su linaje y su patria. Entonces se dió cuenta de la necesidad de « buscar una dama de quien enamorarse, porque el caballero andante sin amores era árbol sin hojas y sin fruto, y cuerpo sin alma. En un lugar cerca del suyo había una moza labradora de muy buen parecer,[6] de quien él un tiempo anduvo enamorado,[7] aunque, según se entiende, ella jamás lo supo. Se llamaba Aldonza Lorenzo, y a ésta le pareció ser bien darle título [8] de señora de sus pensamientos, y . . . vino a llamarla Dulcinea del Toboso, porque era natural del Toboso . . . »

Hechas todas estas prevenciones,[9] salió don Quijote una mañana, sin que nadie le viese, en busca de aventuras. Al anochecer llegó a una venta [10] que tomó por castillo, y aquella misma noche el ventero le armó caballero.[11] Volvió a casa donde « solicitó a un labrador vecino suyo . . . Tanto le dijo, tanto le persuadió y prometió, que el pobre villano [12] determinó salirse con él y servirle de escudero.[13] Le decía entre otras cosas don Quijote que se dispusiese a ir con él de buena gana,[14] porque tal vez le podía suceder [15] aventura en que ganase alguna ínsula [16] y le dejase a él gobernador de ella. Con estas promesas y otras tales, Sancho Panza, que así se llamaba el

---

[1] **entremés,** *a short farce.* [2] **república,** *country.* [3] **caballero andante,** *knight errant.* [4] **ejercitarse en,** *to practice.* [5] **deshaciendo . . . agravio,** *righting every type of wrong.* [6] **moza . . . parecer,** *very good-looking young farm girl.* [7] **de quien . . . enamorado,** *with whom he was in love once upon a time.* [8] **a ésta . . . título,** *he thought it proper to confer upon her the title.* [9] **Hechas . . . prevenciones,** *Having made all these preparations.* [10] **venta,** *inn.* [11] **el ventero . . . caballero,** *the innkeeper dubbed him knight.* [12] **villano,** *peasant, villager.* [13] **escudero,** *squire.* [14] **se dispusiese . . . gana,** *he should make up his mind to go with him willingly.* [15] **suceder,** *to happen.* [16] **ínsula,** *island.*

"Don Quijote and Sancho Panza" by Picasso

labrador, dejó su mujer e hijos y asentó por [1] escudero de su vecino. »

En una larga serie de aventuras Cervantes representa el eterno conflicto entre el espíritu ideal e imaginativo del amo y el sentido realista y práctico del escudero. Aunque la locura de don Quijote mueve a risa en muchas ocasiones, entre los caballeros es el primero en cortesía, dignidad, humildad, nobleza y generosidad. En cambio, su fiel compañero Sancho Panza es un típico villano, crédulo, tímido, hablador, socarrón,[2] algo glotón,[3] y, además, una figura muy graciosa.[4] En vano Sancho trata de traer a su amo a la realidad; en vano trata de convencerle que no son gigantes los molinos de viento,[5] que no son ejércitos las manadas de carneros,[6] etcétera. A medida que [7] progresa la acción de la novela, especialmente en la segunda parte, las personalidades de caballero y de escudero se desarrollan hasta tal punto que el pobre escudero acaba por creer en la real existencia de los caballeros andantes. Y a la muerte de su amo, ya en su cabal juicio,[8] a Sancho no le parece locura la vida de los caballeros andantes con todos sus nobles ideales.

En esta obra maestra vemos pasar ante nuestros ojos todo el rico panorama del siglo XVII en España. Ninguna obra literaria es más nacional y a la vez más universal, porque su fondo es la humanidad de todos los tiempos y de todos los países del mundo. *El Quijote*, síntesis de todos los géneros de ficción del Siglo de Oro, se ha llamado, y con razón, la novela más célebre del mundo. Y los dos caracteres de don Quijote y Sancho Panza vivirán para siempre en la memoria.

---

[1] **asentó por,** *took service as.* [2] **socarrón,** *crafty.* [3] **algo glotón,** *something of a glutton.* [4] **graciosa,** *witty, amusing.* [5] **que no . . . molinos de viento,** *that the windmills are not giants.* [6] **manadas de carneros,** *flocks of sheep.* [7] **A medida que,** *As.* [8] **cabal juicio,** *right mind.*

La Plaza de España with statues of Cervantes, Don Quijote and Sanch

University of Alcalá de Henares

QUESTIONS

1. ¿ Dónde nació Cervantes? 2. ¿ Cuándo nació? 3. ¿ Se sabe mucho de su juventud? 4. ¿ Dónde se hallaba a la edad de veintidós años? 5. ¿ En qué batalla tomó parte? 6. ¿ Cuántas heridas recibió? 7. ¿ Cuándo partió para España? 8. ¿ Qué le pasó? 9. ¿ A dónde le llevaron los piratas? 10. ¿ Cuántos años quedó cautivo? 11. ¿ Cuántas veces trató de escaparse? 12. ¿ Cuándo volvió a España? 13. ¿ Qué clase de obras compuso? 14. ¿ Triunfó en estos géneros? 15. ¿ Qué le pasó después? 16. ¿ Cuándo publicó la primera parte del *Quijote?* 17. ¿ Ganó mucho en la venta? 18. ¿ Cuándo apareció la segunda parte? 19. ¿ Cómo son sus entremeses? 20. ¿ Qué otra obra publicó? 21. ¿ Cuándo murió Cervantes?

WORD STUDY

a. Compare the meanings of: cárcel, encarcelamiento; venta (*sale*), vender; venta (*inn*), ventero; literario, literatura; nombre, nombrar; pensar, pensamiento; promesa, prometer; hablar, hablador; morir, muerte; caballo, caballero (*knight, one who goes mounted*), caballería; regularidad, irregularidad.

b. Find words or expressions of similar meaning to: conseguir, por último, al mismo tiempo, seguir, célebre.

c. Find words of opposite or contrasting meaning to: escudero, real, mucho, rico.

d. Some words do not have the apparent meaning: éxito, *success;* suceder, *to happen;* "comedia" usually means *play*, not necessarily *comedy;* "fama" means *name, reputation* in addition to *fame*.

23

Possessive pronouns   The definite article used as
a demonstrative   *Cuyo* and *¿ de quién?*
The passive voice   The neuter *lo*   Forms of verbs in *–uir*

SPANISH USAGE

Carlos y María Smith han decidido buscar un departamento, o una casa más grande que la que tienen. Todos los días leen los anuncios de los periódicos, pero no pueden hallar nada que les guste. Una vez más suben al coche llevando consigo [1] a sus dos
5 hijas y a una amiga de ellas.

— Querida mía, ¿ recuerdas el viejo refrán que dice « Quien busca, halla » ? — pregunta Carlos. — Hoy vamos a tener mejor suerte. ¿ Quieres buscar un departamento o una casa ? O, si

---

[1] The third person reflexive prepositional form is **sí;** used with **con** it becomes **consigo** and means *with himself, herself, yourself, themselves, yourselves* (see Lesson 13).

quieres, vamos a ver primero la que no pudimos ver ayer por la tarde.

— Creo que eso será lo mejor. Según dice Isabel Gómez, es más grande que la del señor Martín y está en una calle ancha, muy bonita.   5

— ¿ Sabes de quién es ?

— No lo sé, pero veremos pronto.

(*Se paran frente a la casa y bajan del coche, dejando allí a las niñas. En cuanto tocan el timbre, un hombre les abre la puerta.*)

— Nos ha dicho una amiga nuestra que Vd. quiere alquilar 10 esta casa. ¿ Podemos verla ? ¿ Es Vd. el dueño ?

— Sí, lo soy. Pasen Vds. Me llamo Juan Brown, a sus órdenes.

— Mucho gusto en conocerle, señor Brown — responde Carlos, que después presenta a su esposa. — ¿ Cuántas habita- 15 ciones tiene la casa ?

— Tiene siete, sin contar los dos cuartos de baño: la sala, el comedor, la cocina y cuatro alcobas. Y lo bueno es que uno de los cuartos de baño está en el piso bajo.

— ¿ Cuándo se construyó la casa ?   20

— Hace cinco años. Fué construida por un buen amigo mío. Hace más de quince años que construye casas en esta ciudad y puedo asegurarles que está bien construida. La que está allí enfrente, cuyo tejado es de tejas, es mía también, pero no tiene más que dos alcobas. ¿ Tienen Vds. hijos ?   25

— Tenemos solamente dos hijas, pero buscamos una casa que tenga más espacio que la nuestra. Las niñas están allí en el coche. Son las que tienen el pelo castaño; la del pelo rubio es una amiga suya.

— ¡ Dios mío ! ¡ Las niñas están jugando en la calle detrás 30 del coche ! — exclama el señor Brown. — Hágalas entrar porque aquí estarán seguras. (*La señora Smith las llama y entran corriendo.*) Ahora, permítanme Vds. enseñarles la casa.

Examinan la casa con cuidado,[1] y por fin María llama a su esposo a un lado y le dice: 35

— A mí me gusta mucho la casa. Las que hemos visto hasta ahora no son ni tan cómodas ni tan grandes. Y ésta tiene jardín

---

[1] Adverbs are often formed by using **con** plus a noun: **con cuidado,** *carefully.*

donde puedo tener rosas y otras flores. ¿ Y no te gusta la fuente ? También hay mucho espacio para que jueguen las niñas sin necesidad de salir a la calle. Lo malo es que probablemente costará demasiado.

5   Hablan un rato acerca del precio y por fin el señor Brown dice que puede alquilársela por cien dólares al mes. Entonces Carlos dice:

— Agradezco cuanto ha hecho Vd. y haremos todo lo que podamos para tomar la casa. Supongo que nos permitirá Vd. 10 esperar hasta mañana para decidir.

— ¡ Por supuesto! Si deciden Vds. tomarla, pueden mandarme o traerme un cheque.

VOCABULARY

agradecer to be grateful (thank) for
la alcoba bedroom
alquilar to rent
el anuncio advertisement
asegurar to assure
castaño, –a dark, brown, brunette
la cocina kitchen
construir to construct, build
contar (ue) to count
el cuarto de baño bathroom
el departamento apartment
detrás de *prep.* behind
enfrente *adv.* in front, opposite
el espacio space
examinar to examine
la flor flower
la fuente fountain

la habitación (*pl.* **habitaciones**) room
el jardín (*pl.* **jardines**) garden
el lado side
la necesidad necessity, need
pararse to stop
el pelo hair
probablemente probably
el refrán (*pl.* **refranes**) proverb
responder to respond, reply, answer
la rosa rose
rubio, –a fair, blond
según *prep. and conj.* according to (what)
la teja tile
el tejado roof

con cuidado carefully
no (lo) sé I don't know
piso bajo first floor
¿ podemos verla ? may we see it ?
por (cien dólares) al mes for (one hundred dollars) a month
salir a la calle to go out into the street
tener el pelo (castaño) to have (dark) hair

QUESTIONS

1. ¿ Qué buscan los señores Smith ? 2. ¿ Qué leen todos los días ? 3. ¿ Qué hacen una vez más ? 4. ¿ Qué refrán recuerda el señor Smith ? 5. ¿ Qué casa deciden ver ? 6. ¿ Es más grande o más pequeña que la del señor Martín ? 7. ¿ Qué hacen al llegar a la casa ? 8. ¿ Cómo se llama el dueño ? 9. ¿ Cuántas habitaciones tiene la casa ? 10. ¿ Cuáles son ? 11. ¿ Cuándo se construyó la casa ? 12. ¿ Por quién fué construida ? 13. ¿ Está bien o mal construida ? 14. ¿ De qué es el tejado de la casa que está enfrente ? 15. ¿ Cuántas alcobas tiene ? 16. ¿ Cuántas hijas tienen los señores Smith ? 17. ¿ Tienen el pelo rubio o castaño ? 18. ¿ Le gusta la casa a la señora Smith ? 19. ¿ Qué puede tener ella ? 20. ¿ Por cuánto puede alquilarles la casa el señor Brown ?

GRAMMATICAL USAGE

A. POSSESSIVE PRONOUNS

el mío	la mía	los míos	las mías	mine
el tuyo	la tuya	los tuyos	las tuyas	yours (*fam.*)
el nuestro	la nuestra	los nuestros	las nuestras	ours
el vuestro	la vuestra	los vuestros	las vuestras	yours (*fam.*)
el suyo	la suya	los suyos	las suyas	his, hers, its, yours (*formal*), theirs

1. **mi coche; el mío** my car; mine
nuestra casa; la nuestra our house; ours
sus flores; las suyas his (her, your, their) flowers; his (hers, yours, theirs)

¿ Tiene Vd. el suyo ? Do you have yours ?
Alquilaron la suya. They rented theirs.
Este jardín es nuestro. This garden is ours.
El coche es de Juan (suyo). The car is John's (his).

The possessive pronouns are formed by using the definite article **el** (**la, los, las**) with the long forms of the possessive adjectives (See Lesson 17). After **ser** the article is usually omitted (last two examples).

2. **mi madre y la de ella** my mother and hers
nuestros padres y los de él our parents and his
el coche de ellos y el de Vd. their car and yours

Since **el suyo** (**la suya, los suyos, las suyas**) may mean *his, hers, its, yours* (formal), *theirs*, these pronouns may be clarified by substituting **el de él, el de ella, el de Vd(s)., el de ellos (ellas)**. The article agrees with the thing possessed.

B. THE DEFINITE ARTICLE USED AS A DEMONSTRATIVE

1. **mi habitación y la de Juan** my room and that of John (John's)
   esta casa y la del señor Martín this house and that of Mr. Martin
   la del sombrero rojo the one in (with) the red hat
   las del pelo castaño those (the ones) with the dark hair

Before a phrase beginning with **de,** Spanish uses the definite article
(which originated from the Latin demonstrative), instead of the demonstrative pronouns. **El (la, los, las) de** is translated *that (those) of,
the one(s) of (with, in),* and occasionally by an English possessive (first
example).

2. **Vamos a ver la que no pudimos ver ayer.** Let's go see the one which we
      couldn't see yesterday.
   Son las que tienen el pelo castaño. They are the ones who have dark hair.
   El que salió es un amigo suyo. The one who left is a friend of his.

Spanish also uses the definite article before a relative clause introduced by **que,** instead of the demonstrative pronouns. **El (la, los, las)
que** is translated *he who, the one(s) who (that, which), those who (which).*
These forms, which may refer to persons or things, are often called compound relatives because the article serves as the antecedent of the **que-**
clause. (Do not use **el cual** in this construction.)

Occasionally **cuanto, –a** is used for **todo el (toda la) que** and **todos
los (las) que: Me dió cuantas flores (todas las flores que) tenía,**
He gave me all the flowers that he had.

Quien (*pl.* **quienes**), which refers to persons only, sometimes means
he (those) who, the one(s) who, particularly in proverbs:

> **Quien busca, halla.** He (The one) who seeks, finds.
> **Son quienes lo hicieron.** They are the ones who did it.

3. **Lo que dicen es verdad.** What they say is true.
   Haremos todo lo que podamos. We shall do all that we can (may be able).
   Agradezco cuanto (todo lo que) ha hecho Vd. I am grateful for all that
      you have done.

Lo que is the neuter form of **el que** and means *what, that which.*
The subjunctive is used after the compound relatives when the antecedent is indefinite (second example). **Cuanto,** *all that,* is often used
instead of **todo lo que.**

C. CUYO AND ¿ DE QUIÉN?

La casa, cuyo tejado es de tejas, es mía. The house, whose roof
(the roof of which) is of tiles, is mine.
¿ De quién es? Whose is it?
¿ De quién(es) es la casa? Whose house is it?

The relative adjective **cuyo, –a, –os, –as,** *whose, of whom, of which,*
agrees in gender and number with the object possessed and refers to
persons as well as things.

¿ De quién(es)? expresses *whose?* in a question. Note that the last
example means literally *Of whom is the house?*

D. THE PASSIVE VOICE

La casa fué construida por un amigo mío. The house was built
by a friend of mine.
Las puertas fueron cerradas por Juan. The doors were closed
by John.
Los niños fueron vistos en la calle. The children were seen in
the street.

When an action is performed by an agent, Spanish uses **ser** and the
past participle. The past participle agrees with the subject in gender
and number, and the agent is usually expressed by **por.**

Remember that when the agent is not expressed, and the subject is
a thing, the reflexive substitute for the passive is regularly used (Lesson 7): **Aquí se habla español,** *Spanish is spoken here.*

If the subject is a person (third example), **ser** and the past participle
are normally used even though no agent is expressed. **Los niños se
vieron** would mean *The children saw themselves.* In actual practice
this use of the passive is often avoided by changing the sentence to
active voice: **Vieron a los niños,** *They saw the children.*

Do not confuse the true passive which expresses action, with the use
of **estar** plus a past participle to express the state which results from
the action of a verb:

La casa está bien construida. The house is well constructed.
La carta está escrita en español. The letter is written in Spanish.

E. THE NEUTER LO

1. **Prefiere lo bueno a lo malo.** He prefers the good (what is good) to the bad.

Lo malo es que costará demasiado. What is bad (The bad thing) is that it will cost too much.

Eso será lo mejor. That will be the better (best) thing.

The neuter article **lo** is used with masculine singular adjectives to form an expression almost equivalent to an abstract noun. The word *thing* or *part* is often a part of the translation.

2. **¿ Es Vd. el dueño? — Lo soy.** Are you the owner? — I am.

The neuter pronoun **lo** is used with **ser** in answers to represent the predicate noun or adjective of the question. In the example, **lo** stands for **el dueño.**

F. FORMS OF VERBS IN –UIR: *CONSTRUIR* "TO CONSTRUCT"

PRES. PART.	construyendo
PRES. IND.	construyo, construyes, construye, construimos, construís, construyen
PRES. SUBJ.	construya, construyas, construya, construyamos, construyáis, construyan
PRETERIT	construí, construiste, construyó, construimos, construisteis, construyeron
IMP. SUBJ.	construyera, etc. construyese, etc.

Verbs ending in **–uir** insert **y** except before endings beginning with **i**, and change unaccented **i** between vowels to **y.**

EXERCISES

A. Give the Spanish for:

1. I build, that I may build. 2. I built, he built. 3. they built, that I might build. 4. building, we have built. 5. I am grateful for, that I may be grateful for. 6. he counts, he counted. 7. he replied, they replied. 8. I rented, we rented.

B. Translate the following proverbs:

1. Poco a poco se va lejos. 2. Quien mal (*evil*) dice, peor oye. 3. Lo que mucho vale, mucho cuesta. 4. Lo que no se empieza, no se termina. 5. Más vale tarde que nunca. 6. Más vale algo que nada. 7. Quien mucho duerme, poco aprende. 8. Mañana será otro día. 9. Nunca lo bueno fué mucho. 10. La mejor salsa (*sauce*) es el hambre.

C. Read in Spanish, substituting the proper forms for the English in italics:

1. Su jardín y *mine*. 2. Sus flores y *mine*. 3. Su país y *ours*. 4. Sus hijos y *ours*. 5. Mi sombrero y *his* (*both ways*). 6. Esta habitación y *hers* (*both ways*). 7. Esta casa y *theirs* (*both ways*). 8. Estas flores y *yours* (*formal sing.*). 9. Mi madre y *yours* (*fam. sing.*). 10. Esta alcoba es *mine*. 11. Estas flores son *Jane's*. 12. Déme Vd. las flores de Clara y *yours* (*formal*). 13. Él desea *mine* (*m. sing.*) y *hers*. 14. Este equipaje y *that* de mi hermana. 15. Nuestra casa y *that* de piedra. 16. Estos discos y *those* de Rosa. 17. Esta niña y *the one who* está enfrente. 18. Estos edificios y *those which* Vd. ve. 19. Esta muchacha y *the ones* del pelo rubio. 20. Estos hombres y *those who* vienen. 21. Mi madre tiene *dark hair*. 22. *Those who* estudian, aprenden mucho. 23. *What* Vd. dice es verdad. 24. Compró *all that* yo tenía. 25. El muchacho *whose* libros tengo. 26. ¿ *Whose* es este departamento? 27. ¿ Es dentista el señor Gómez? — Sí, *he is*. 28. ¿ Está Vd. cansado? — *I am*. 29. *The best thing* es tener cuidado. 30. *What is good* es que lo hizo *carefully*.

D. Write in Spanish:

1. He closed the door. 2. The door was closed at five o'clock. 3. The door was closed by the teacher. 4. The door is closed now. 5. My father built these buildings. 6. They were built last year. 7. They were built by my father. 8. They are built of stone. 9. The letters were written by his secretary. 10. That girl and the one in the red hat were seen by these students. 11. He who works hard earns money. 12. This girl and the one with the blond hair are his sisters.

COMPOSITION

1. I should like to look at the houses whose owner is a friend of yours. 2. Do you prefer this one, the one of stone, or the one that has a tile roof? 3. The latter has two bedrooms, but the one which is on the corner has three. 4. Is that one larger than ours? May I see it? 5. The one of Spanish style is small; it has a living room, (a) kitchen, (a) dining room, (a) bathroom, and only one bedroom. 6. All four (The four) were built by a cousin of mine two years ago. 7. The largest one has a garden where my wife could have many flowers. 8. We need a house which will have enough space so that the children will not have to play in the street. 9. This one has enough space for them and there is a fountain and many roses in the garden. 10. My wife is in the car with our daughters; let me call them so that you can show them the house at the same time. 11. After examining the house carefully, they decide to take it if it doesn't cost too much. 12. When the owner tells them that he will rent it to them for a hundred dollars a month, they decide to take it.

LECTURA XVIII

La literatura española moderna

Con la decadencia del imperio español en el siglo XVIII vino la decadencia literaria. Pero con el fin del reinado de Fernando VII en 1833 y la vuelta a España de los liberales que habían sido desterrados [1] o que se habían refugiado en tierras extranjeras, brotó [2] el romanticismo, especialmente en la poesía y en el drama. Por lo general, este movimiento en España se caracteriza por su índole [3] nacional; los escritores empezaron de nuevo a buscar inspiración en la historia nacional, en el paisaje, en el cristianismo y en la completa libertad artística. Para ellos el arte era individualista y les proporcionaba [4] oportunidad para la libre expresión de su sentimiento y de su emoción personal.

Entre todos los nombres del período romántico en España se destacan José de Espronceda, poeta lírico, el Duque de Rivas y José Zorrilla, poetas y también autores de leyendas y dramas históricos, basados en la gloriosa historia nacional. El último poeta lírico de los grandes románticos fué Gustavo Adolfo Bécquer, también cuentista [5] y autor de leyendas en prosa. Sus famosas *Rimas* expresan su desilusión, su melancolía y su pesimismo, características de la obra romántica en general. Tres ejemplos de sus *Rimas* son:

Los suspiros son aire, y van al aire.
Las lágrimas son agua, y van al mar.
Dime,[6] mujer: cuando el amor se olvida,
  ¿ Sabes tú a dónde va?

*****

Hoy la tierra y los cielos me sonríen;[7]
Hoy llega al fondo de mi alma el sol;
Hoy la he visto . . . la he visto y me ha mirado . . .
  ¡ Hoy creo en Dios !

*****

¿ Qué es poesía ? dices mientras clavas [8]
En mi pupila tu pupila azul;
¿ Qué es poesía ? ¿ Y tú me lo preguntas ?
Poesía . . . eres tú.

En el mismo período había escritores que comenzaron a cultivar el artículo de costumbres,[9] en que presentaban cuadros y tipos realistas de la vida diaria, y en que a la vez señalaban los defectos de los españoles de la época. Los costumbristas prepararon el terreno para la novela realista que surgió en el último tercio del siglo XIX. Entre los muchos novelistas ocupa el primer lugar Benito Pérez Galdós (1843–1920), el maestro de la novela española moderna. No fué novelista regional, como Alarcón, Pereda, Palacio Valdés, Blasco Ibáñez y otros, sino el novelista de toda

---

[1] **desterrados,** *exiled.*   [2] **brotó,** *burst forth.*   [3] **índole,** *character, nature.*   [4] **proporcionaba,** *offered.*   [5] **cuentista,** *short story writer.*   [6] **Dime,** *Tell me.*   [7] **me sonríen,** *smile at (upon) me.*   [8] **clavas,** *you fix.*   [9] **artículo de costumbres,** *article of customs and manners.*

España. Presenta en su extensa obra todas las regiones, todos los tipos, todas las costumbres; en fin, toda la historia española del siglo XIX. Ningún otro novelista español, con la excepción de Cervantes, le supera en el genio creador y en el conocimiento de la vida y del carácter humano. Es al mismo tiempo el novelista más nacional y más universal de la España moderna. En algunas de sus mejores novelas, como *Doña Perfecta* y *Gloria*, vemos el conflicto entre lo antiguo y lo moderno, entre el fanatismo y la tolerancia, y casi siempre el protagonista trata de elevarse sobre el medio social en que vive. Pérez Galdós siempre luchó por la verdad, la justicia, la libertad y el progreso.

El año de 1898 tuvo grandes consecuencias en España, primero en la historia política y después en la vida intelectual. Con la pérdida de Cuba, de Puerto Rico y de las Islas Filipinas en la guerra hispanoamericana, un grupo de jóvenes intelectuales, que se ha llamado « la generación del 98 », comenzó a protestar contra el tradicionalismo, los defectos del gobierno español y la falta de ideas progresivas en el país. En su clamor por un nuevo espíritu nacional, ensayistas,[1] novelistas, dramaturgos y poetas produjeron un verdadero renacimiento de las letras españolas en los primeros años del siglo veinte.

Algunas de las personalidades más importantes de este grupo fueron el gran pensador Miguel de Unamuno,

Benito Pérez Galdós

Miguel de Unamuno

[1] **ensayistas,** *essayists.*

que nos dejó una larga serie de ensayos, de novelas y de poesías, Azorín, ensayista y gran maestro de estilo, y Ortega y Gasset, distinguido filósofo y ensayista.

Un movimiento literario que ha influido mucho en la España de los primeros años del siglo actual es el modernismo, regalo del Nuevo Mundo a la madre patria. El gran nicaragüense Rubén Darío es el maestro de este movimiento que realizó muchas innovaciones de metro, de forma, de lenguaje y de ideas. Enorme ha sido la influencia de Darío y de otros poetas hispanoamericanos sobre los españoles contemporáneos. Naturalmente, con el tiempo los poetas españoles, como Juan Ramón Jiménez, han reaccionado contra el modernismo para buscar rutas bastante distintas en su producción artística.

El dramaturgo más eminente del teatro contemporáneo es Jacinto Benavente, que en 1923 recibió el premio Nobel de literatura. Aunque su teatro es muy diverso, sus mejores comedias se caracterizan por la sutil ironía, por la fina sátira, por la maestría en la estructura técnica y por la presentación

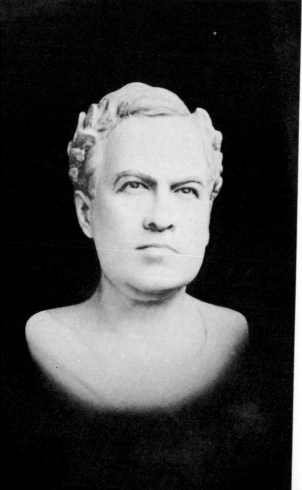

Rubén Darío

exacta y artística de la sociedad contemporánea, con todos sus defectos e
injusticias.

Las obras dramáticas más espon-
táneas del siglo actual son los sainetes [1]
y las comedias de los hermanos Alvarez
Quintero. Estos dos hermanos que
siempre colaboraron en su producción
literaria han dejado vivos cuadros de
la vida andaluza, llena de gracia, de
sentimiento, de optimismo y de realidad. Otro nombre bien conocido en
el teatro del siglo actual es el de
Gregorio Martínez Sierra, autor de
una larga serie de comedias en que
interpreta de una manera optimista
e idealista el carácter español, especialmente el alma femenina.

En el siglo XX la novela no se ha
cultivado tanto como el ensayo, la
poesía y el drama, pero debemos mencionar el nombre del vasco Pío Baroja,
uno de los novelistas más populares y,
al mismo tiempo, uno de los mejores
de España.

En los últimos años, especialmente desde la guerra civil española de
1936–1939, un gran número de escritores y eruditos han vivido en las
Américas. Algunos, como los poetas
Jorge Guillén y Pedro Salinas; los
eruditos Amado Alonso y Tomás Na-
varro Tomás, han trabajado como profesores en este país. Otros, como el
dramaturgo Alejandro Casona y el
poeta Juan Ramón Jiménez, se han
dedicado a sus labores en varios países
hispanoamericanos, pero todos han
continuado cultivando las letras para
la gloria de la cultura hispana.

[1] **sainete,** *one-act farce.*

Juan Ramón Jiménez

QUESTIONS

1. ¿ En qué siglo vino la decadencia literaria? 2. ¿ Cuándo brotó el romanticismo? 3. ¿ En qué géneros se vió especialmente? 4. ¿ Dónde empezaron a buscar inspiración los escritores? 5. Nombre Vd. tres escritores románticos. 6. ¿ Qué escribió Bécquer? 7. ¿ Qué expresan sus *Rimas?*

8. ¿ Qué cultivaron otros escritores del mismo período? 9. ¿ Qué presentaron en los artículos de costumbres? 10. ¿ Quién fué el maestro de la novela moderna? 11. ¿ Quiénes fueron unos novelistas regionales? 12. ¿ Qué presentó Pérez Galdós en su obra? 13. ¿ Cuáles son dos obras suyas? 14. ¿ Qué conflicto vemos en ellas? 15. ¿ Por qué ideales luchó siempre?

16. ¿ Qué perdió España en 1898? 17. ¿ Cómo se llama el grupo de jóvenes intelectuales de este período? 18. ¿ Contra qué comenzaron a protestar? 19. ¿ Quiénes son algunos escritores de este grupo? 20. ¿ Quién fué el maestro del modernismo?

21. ¿ Quién es el autor más eminente del teatro contemporáneo? 22. ¿ Qué escribieron los hermanos Álvarez Quintero? 23. ¿ Quién es otro dramaturgo contemporáneo? 24. ¿ Quién es Pío Baroja? 25. ¿ Dónde han vivido muchos escritores y eruditos en los últimos años? 26. ¿ Quiénes son algunos de ellos? 27. ¿ Qué han continuado cultivando?

WORD STUDY

a. Find words in this Lectura related to: literatura, carácter, país, arte, libre, poeta, escribir, día, expresión, novela, presentación, producir, conocer, influir, gloria, verdad, ensayo, pensar.

b. Find opposite or contrasting words for: antiguo, justicia, pesimismo, la muerte, último, recordar, idealista.

c. Find synonyms for: comenzar, generalmente, otra vez, al mismo tiempo, sobre todo, seguir.

ROBERT WILLIAM HINDS

24

Familiar commands   *Si*-clauses   Special use of
plural reflexive pronouns   Forms of *enviar* and *continuar*
Summary of uses of *para*   Summary of uses of *por*

SPANISH USAGE

Tomás pasa la noche con Ricardo. Aquél[1] ya está despierto cuando suena el despertador, pero Ricardo está durmiendo tan profundamente que no lo oye. Por lo tanto Tomás trata de despertarle.

— Ricardo, levántate de prisa porque ya es tarde.   5

— Vete, no me molestes.

— ¡Son casi las ocho! ¡No te olvides de que debes estar en la oficina del señor Ortiz a las nueve! Y tienes mil cosas que hacer. (*Por fin se despierta Ricardo.*)

— ¿Qué hora será? Dime la verdad. ¿Son las ocho? Yo 10 quisiera dormir por lo menos hasta el mediodía. Si me quedase en la cama ocho horas más, todavía tendría sueño.

— ¡Oye, hombre! ¡Ya te he dicho que no son las siete, sino las ocho! Date prisa. Levántate y vístete. Yo ya me he afeitado y me he vestido.   15

En ese momento la madre de Ricardo llama, diciendo:

---

[1] Just as the demonstrative pronoun **éste, –a, –os, –as** may translate *the latter*, **aquél, aquélla, –os, –as** may be used to translate *the former*.

303

— ¡ Ricardo, Tomás, levantaos y vestíos pronto ! El desayuno estará listo dentro de diez minutos. No tardéis más.

Ricardo se levanta, se afeita y se viste rápidamente. Luego
bajan al comedor. Ricardo dice:

5 — Siéntate en este lado, Tomás. Deja esa silla para Dorotea,
por favor.

Se desayunan despacio, hablando como si Ricardo no tuviese
nada que hacer. De repente les dice la señora Smith que si continúan charlando, van a perder el autobús. Los dos se miran
10 sorprendidos y Ricardo se levanta, gritando:

— ¡ Por Dios ! ¡ No me digas ! ¡ Ven acá, Tomás ! ¡ Ponte
el sombrero y el abrigo ! ¡ Vámonos ahora mismo ! ¡ Tendremos
que correr para coger el autobús !

Al llegar a la oficina del señor Ortiz, éste le dice a Ricardo:
15 — He oído decir que Vd. consiguió el puesto en Méjico y le
felicito. He enviado por Vd. porque quisiera darle algunas cartas
de presentación para varios amigos míos que viven allí. Si lo
hubiera sabido antes, les habría escrito directamente. Si yo
estuviera en su lugar, iría a hablar con esos señores en cuanto
20 llegara. Todos se pondrán a su disposición y harán todo lo que
puedan para hacer más agradable su estancia en Méjico. Si
preguntan por mí, déles Vd. mis mejores recuerdos.

— Vd. es muy amable y le agradezco mucho cuanto ha hecho
por mí. Esto me recuerda el viejo refrán que dice: « Los que
25 tienen buenos amigos son ricos ».

— Pues, ¿ para qué sirven los amigos ? ¿ Se marcha Vd. el
viernes ?

— No el viernes, sino el sábado por la mañana.

— Me gustaría charlar más con Vd., pero sé que tiene mucho
30 que hacer antes del sábado. Para norteamericano, habla Vd. bien
nuestra lengua y veo que va a servir de buen vecino en mi país.
Podría uno tomarle por mejicano. Los que saben el español como
Vd., pueden hacer mucho para mejorar las relaciones entre
nuestros países. Que tenga mucha suerte. Envíeme una tarjeta
35 de vez en cuando. Pero nos veremos antes que se marche Vd.,
¿ verdad ?

— Sin duda; pasado mañana ya no estaré tan ocupado y
pasaré por aquí. Le doy a Vd. las gracias por todo, señor Ortiz.

— No hay de qué, Ricardo. Nos vemos.

VOCABULARY

el **abrigo** top coat, overcoat
acá here (*often after verb of motion*)
afeitarse to shave (oneself)
coger to catch, gather, pick
continuar to continue
el **despertador** alarm clock
despierto, –a awake
la **disposición** (*pl.* **disposiciones**)
    disposition, service
la **duda** doubt
enviar to send
la **estancia** stay
gritar to shout

el **lugar** place
mejorar to better, improve
olvidarse (**de** + *obj.*) to forget
perder (**ie**) to lose, miss
la **presentación** (*pl.* **presenta-
    ciones**) introduction
profundamente deeply, soundly
los **recuerdos** regards
la **relación** (*pl.* **relaciones**) relation
sonar (**ue**) to sound, ring
la **tarjeta** card (*postal*)
vestir (**i**) to dress; *reflex.* dress
    (oneself), get dressed

dar las gracias a to thank
darse prisa to hurry
de prisa quickly
de repente suddenly
¿ **para qué?** for what purpose? why?
¿ **para qué sirven los amigos?** what are friends (good) for?
pasado mañana day after tomorrow
¡ **por Dios !** for heaven's sake!
por lo menos at least
por lo tanto therefore, consequently
servir de to serve as
sin duda doubtless, without a doubt

QUESTIONS

1. ¿ Quién pasa la noche con Ricardo? 2. ¿ Cuál de los dos está despierto cuando suena el despertador? 3. ¿ Qué trata de hacer Tomás? 4. ¿ Qué dice a Ricardo? 5. ¿ Qué hora es? 6. ¿ Dónde debe estar Ricardo a las nueve? 7. ¿ Qué quisiera hacer él? 8. ¿ Se ha vestido Tomás? 9. ¿ Qué grita la madre de Ricardo? 10. ¿ Qué hace Ricardo entonces? 11. ¿ Se desayunan rápidamente? 12. ¿ Qué dice de repente la madre de Ricardo? 13. ¿ Qué grita Ricardo? 14. ¿ Por qué ha enviado por Ricardo el señor Ortiz? 15. ¿ Qué harán ciertos amigos suyos? 16. ¿ Qué dice el viejo refrán? 17. ¿ Qué responde el señor Ortiz? 18. ¿ Cuándo se marcha Ricardo para Méjico? 19. ¿ Cómo habla español? 20. ¿ De qué va a servir en Méjico? 21. ¿ Qué debe enviar de vez en cuando? 22. ¿ Cuándo se verán otra vez?

GRAMMATICAL USAGE

A. FAMILIAR COMMANDS

1. Familiar singular commands:

INF.	AFFIRMATIVE		NEGATIVE	
hablar	habla (tú)	*speak*	no hables (tú)	*don't speak*
comer	come (tú)	*eat*	no comas (tú)	*don't eat*
escribir	escribe (tú)	*write*	no escribas (tú)	*don't write*
volver	**vuelve** (tú)	*return*	**no vuelvas** (tú)	*don't return*
pensar	**piensa** (tú)	*think*	**no pienses** (tú)	*don't think*
divertir	**divierte** (tú)	*amuse*	**no diviertas** (tú)	*don't amuse*
dormir	**duerme** (tú)	*sleep*	**no duermas** (tú)	*don't sleep*
pedir	**pide** (tú)	*ask*	**no pidas** (tú)	*don't ask*
coger	coge (tú)	*catch*	**no cojas** (tú)	*don't catch*

The affirmative familiar singular command is the same as the third person singular of the present indicative tense of all verbs except those listed below. This form is often called the singular imperative.

The negative familiar singular command form is the same as the familiar second person singular of the present subjunctive. The subject pronoun **tú** is omitted, except for emphasis.

decir:	**di**	no digas	**salir:**	**sal**	no salgas
estar:	**está**	no estés	**ser:**	**sé**	no seas
hacer:	**haz**	no hagas	**tener:**	**ten**	no tengas
ir:	**ve**	no vayas	**valer:**	**val**	no valgas
poner:	**pon**	no pongas	**venir:**	**ven**	no vengas

Remember that the third person singular and plural forms of the present subjunctive are used for polite commands, affirmative and negative: **Hable Vd., No hable Vd.**

2. Familiar plural commands:

hablar:	hablad	no habléis	dormir:	dormid	**no durmáis**
comer:	comed	no comáis	pedir:	pedid	**no pidáis**
escribir:	escribid	no escribáis	venir:	venid	**no vengáis**

To form the affirmative familiar plural commands (the plural imperative) of <u>all</u> verbs, drop –**r** of the infinitive and add –**d**. For the negative familiar plural commands use the second person plural of the present subjunctive. The subject **vosotros, –as** is usually omitted. (In most of Spanish America the polite commands with **Vds.** are normally used for these forms in familiar plural address.)

3. Familiar commands of reflexive verbs:

	SINGULAR		PLURAL	
levantarse:	levántate	no te levantes	levantaos	no os levantéis
sentarse:	siéntate	no te sientes	sentaos	no os sentéis
ponerse:	ponte	no te pongas	poneos	no os pongáis
vestirse:	vístete	no te vistas	vestíos	no os vistáis
irse:	vete	no te vayas	idos	no os vayáis

Remember that: (a) the second person reflexive object pronouns are te and os, and (b) that all object pronouns are attached to positive commands, while they precede in negative commands: **Hazlo,** *Do it;* **No lo hagas,** *Don't do it.* An accent mark must be written when te is added to a singular command form of more than one syllable; also when os is added to an –ir reflexive verb, except for idos, an accent mark must be written: **vestíos.**

In forming the plural familiar commands of reflexive verbs, final –d is dropped before os in all forms except idos.

B. *SI*–CLAUSES

In earlier lessons we have had simple conditions in which the present indicative is used in the English *if*-clause and the same tense in the Spanish si-clause:

Si tiene el dinero, me lo dará.
If he has the money, he will give it to me.
Si continúan Vds. charlando, van a perder el autobús.
If you continue chatting, you are going to miss the bus.

Now contrast these sentences with the following:

Si tuviera (tuviese) el dinero, me lo daría.
If he had the money (*but he doesn't*), he would give it to me.
Si yo estuviese (estuviera) en su lugar, iría a hablar con aquellos señores.
If I were in your place (*but I'm not*), I would go to talk with those gentlemen.
Si lo hubiera (hubiese) sabido antes, les habría escrito.
If I had known it before (*but I didn't*), I would have written to them.
Si vinieran (viniesen) mañana, lo harían.
If they should (were to) come tomorrow, they would do it.
Habla como si no tuviese nada que hacer.
He talks as if he had nothing to do.

To express something that is contrary to fact (*i.e.*, not true) at the present time (first two examples), or something that was contrary to fact in the past (third example), Spanish uses either form of the imperfect (or pluperfect) subjunctive. The result or main clause is usually expressed by the conditional (or conditional perfect), as in English. (In reading you will also find the –**ra** form of the imperfect subjunctive in the result clause, but not in this text.) **Como si** also expresses a contrary-to-fact condition (last example).

Likewise, either form of the imperfect subjunctive is used in the **si**-clause to express something that is not expected to happen but which might happen in the future (fourth example). Whenever the English sentence has *should, were to,* in the *if*-clause, the imperfect subjunctive is used in Spanish.

The future indicative, the conditional, and the present subjunctive tenses are never used after **si** meaning *if.*

C. SPECIAL USE OF PLURAL REFLEXIVE PRONOUNS

Nos vemos. We'll be seeing one another (each other).
Se miraron sorprendidos. They looked at each other surprised.

The plural forms of the reflexive pronouns (**nos, os, se**) may be used with verbs to translate *each other, one another.*

D. FORMS OF *ENVIAR*, "TO SEND"; *CONTINUAR*, "TO CONTINUE"

PRES. IND.	**envío, envías, envía,** enviamos, enviáis, **envían**
PRES. SUBJ.	**envíe, envíes, envíe,** enviemos, enviéis, **envíen**
SING. IMPER.	**envía**

PRES. IND.	**continúo, continúas, continúa,** continuamos, continuáis, **continúan**
PRES. SUBJ.	**continúe, continúes, continúe,** continuemos, continuéis, **continúen**
SING. IMPER.	**continúa**

A few verbs ending in –**iar** and –**uar** require an accent mark on the final stem vowels **i** and **u** in the singular and third person plural of the present indicative, in the same forms of the present subjunctive, and in the singular familiar command. All other forms are regular.

E. SUMMARY OF USES OF *PARA*

Para and **por** are not interchangeable, even though both often mean *for*. **Para** is used:

1. To express the purpose, the use, the person, or the destination for which something is intended:

> **Lo trajo para ellos.** He brought it for them.
> **La carta es para mí.** The letter is for me.
> **Partieron para Méjico.** They left for Mexico.

2. To express a point or farthest limit of time in the future, often meaning *by:*

> **La lección es para mañana.** The lesson is for tomorrow.
> **Estén Vds. aquí para las seis.** Be here by six o'clock.

3. With an infinitive to express purpose, meaning *to, in order to:*

> **Trabaja para ganar dinero.** He works (in order) to earn money.

4. To express *for* in comparisons understood:

> **Para norteamericano habla bien.** For a North American he talks well.

F. SUMMARY OF USES OF *POR*

Por is used:

1. To express *for* in the sense of *because of, on account of, for the sake of, in behalf of, in exchange for, as:*

> **Por eso salí.** Because of that (For that reason) I left.
> **Lo ha hecho por mí.** He has done it for me (for my sake).
> **Lo vendió por cinco dólares.** He sold it for five dollars.
> **Le tomaron por mejicano.** They took him for (as) a Mexican.

2. To express the space of time during which an action continues, *for, during:*

> **Estudia por la noche.** He studies in (during) the evening.
> **Estuvo allí por tres días.** He was there for three days.

3. To express the agent by which something is done, *through, by, along:*

Fué escrita por mi secretaria. It was written by my secretary.
Pienso viajar por Méjico. I intend to travel through Mexico.
Me llamó por teléfono. He called me by telephone.

4. To express *for* (the object of an errand or search) after such verbs as **ir, mandar, enviar, venir, preguntar:**

He enviado (venido) por Vd. I have sent (come) for you.
Preguntaban por él. They were asking for (about) him.

5. To form certain idiomatic expressions:

por desgracia unfortunately	**por lo menos** at least
¡ por Dios ! for heaven's sake!	**por lo tanto** therefore, consequently
por ejemplo for example	**por supuesto** of course
por fin finally, at last	**por último** finally

EXERCISES

A. Give the negative of the following commands:

1. habla. 2. come. 3. escribe. 4. felicitad. 5. coged. 6. sal. 7. ven. 8. pierde. 9. suena. 10. despierta. 11. pide. 12. envía. 13. continúa. 14. hazlo. 15. levántate. 16. vístete. 17. duérmete. 18. sentaos. 19. poneos. 20. idos.

B. Express each of the following as a singular *formal* command, then as a singular and plural *familiar* command:

1. (Ir) por su (tu, vuestra) hermana. 2. (Enviar) por Tomás. 3. (Vestirse) de prisa. 4. No (sentarse) aquí. 5. No (acostarse) todavía. 6. (Ponerse) el abrigo.

C. Supply the formal and familiar singular commands of the forms in italics:

1. *Tell them* que no lo sé. 2. *Wake up,* es hora de salir. 3. *Don't get dressed* todavía. 4. *Continue* andando despacio. 5. *Don't forget to* escribir a su (tu) madre. 6. *Don't lose* el sombrero.

D. Supply the proper Spanish form for the English:

1. Si Luis *is* en su cuarto, está vistiéndose. 2. Si él *were* en su cuarto, se vestiría. 3. Si *they come* pasado mañana, les daré estas tarjetas. 4. Si *they should come* esta noche, me devolverían la maleta. 5. Si se diesen prisa, *they*

would arrive a tiempo. 6. Si ella los *had seen* anoche, les habría dado las gracias. 7. Habla español como si *he were* de España. 8. Si yo *didn't have* tanto equipaje, iría en avión.

E. Supply **para** or **por** as required:

1. Comemos *in order to* vivir.   2. Saldrá *for* Méjico pasado mañana. 3. Quiere ir *for* las cartas de presentación. 4. Le dará las gracias *for* ellas. 5. Esta tarjeta es *for* tu hermana. 6. Compró un billete *for* el sábado. 7. Dió sesenta dólares *for* él. 8. Enviaron *for* las revistas. 9. Estarán aquí *for* dos meses. 10. Vuelvan Vds. *by* el mediodía. 11. Fué hecho *by* mi vecino. 12. Le tomaron *for* argentino.   13. Hice el vestido *for* Clara (*i.e. for her use*). 14. Corrían *along* la calle. 15. Coja Vd. las flores *for* mí.

F. Translate the following proverbs:

1. Lo que hoy se pierde, se gana mañana. 2. No dejes para mañana lo que puedas hacer hoy. 3. Lo que bien se aprende, tarde se olvida. 4. Hablando se entiende la gente. 5. Nunca viene una desgracia sola. 6. Haz bien y no mires a quien. 7. Antes que te cases, mira lo que haces. 8. Dime con quien andas y te diré quien eres.

COMPOSITION   (Use familiar forms for the commands in sentences 2, 3, 6.)

1. Richard is sleeping so soundly that he doesn't hear the alarm clock. 2. Tom says to him: "Get up at once. Shave and dress quickly. It is about eight o'clock." 3. Richard responds: "Go away. Let me sleep until noon at least. Don't bother me." 4. After Richard dresses, the two boys go down to the dining room to take breakfast. 5. Suddenly Richard's mother said that they would not catch the bus if they shouldn't hurry, and they looked at each other surprised. 6. Richard shouts: "For heaven's sake, Tom! Hurry! Put on your hat and overcoat and come with me. Let's run to the corner." 7. Mr. Ortiz said that he had sent for Richard because he wanted to give him some letters of introduction. 8. If you should take these letters to certain friends of mine, they would place themselves at your service. 9. I am sure that they will do all that they may be able in order that your stay there may be pleasant. 10. If you should go to see Mr. Ortega, doubtless he would find an apartment for you. 11. We shall see each other again, but I want to thank you for all that you have done for me. 12. You talk as if you were a Mexican and I know that you will serve as a good neighbor while you are in my country.

LECTURA XIX

Las artes españolas

Así como florecía la literatura en el Siglo de Oro, también florecían todas las artes: la pintura, la música, la arquitectura, la escultura, las artes manuales. Aquí podemos hablar solamente de la pintura y de la música.

Como la política española dominaba en los Países Bajos [1] y en Italia en aquel período, naturalmente los artistas iban allá a estudiar y los flamencos [2] y los italianos llegaban a España con sus ideas extranjeras. Sin embargo, el espíritu nacional era tan fuerte que en general el arte de los españoles nunca se sometió mucho a las influencias de afuera.

El primer gran pintor del Siglo de Oro fué El Greco (¿1548?–1614). Nació en Grecia, de donde fué a Venecia, como tantos otros artistas, para estudiar con los maestros italianos. Hacia el año 1577 llegó a Toledo, no lejos de Madrid, donde desarrolló y perfeccionó su arte, llegando a ser uno de los pintores más originales e individualistas del mundo. Gran parte de su obra artística comprende una larga serie de retratos e innumerables cuadros religiosos, en que demuestra su sentido místico y su maestría en el uso del colorido. Su obra maestra, *El Entierro* [3] *del Conde de Orgaz*, que encierra muchos aspectos del alma española, fué pintada para la pequeña iglesia de Santo Tomé de Toledo, donde podemos admirarla hoy día.

Diego Velázquez (1599–1660), de Sevilla, tiene el honor de ser el genio más ilustre de la pintura de su época. Gran realista, este pintor de la corte del rey Felipe IV (1621–1665), presentó en sus lienzos [4] todos los aspectos de la vida y la sociedad de su tiempo,

todo ello con una claridad y una precisión no conocidas antes. Para ver las obras maestras de Velázquez hay que visitar el Museo del Prado en Madrid, uno de los mejores museos de Europa. Algunas de sus mejores obras son *Las meninas*,[5] *Las hilanderas*,[6] *Los borrachos* [7] y *La rendición* [8] *de Breda*, llamado a menudo *Las lanzas*.

"The Infanta Margarita of Spain" by Velázquez

---

[1] **Países Bajos**, *Low Countries* (the Netherlands or Holland). [2] **flamencos**, *Flemish*. [3] **Entierro**, *Burial*. [4] **lienzos**, *canvases*. [5] **meninas**, *Little Ladies in Waiting*. [6] **hilanderas**, *Spinning Girls*. [7] **borrachos**, *Drinkers*. [8] **rendición**, *Surrender*.

"The Prodigal Son" by Murillo

En el cuadro *Las meninas,* considerado por muchos como la obra maestra de Velázquez, vemos a la infanta [1] Margarita, rodeada de su corte de meninas y enanos.[2] Detrás de ellos aparecen una dueña [3] y un cortesano,[4] y al lado de ellos se halla el pintor mismo, ocupado en dibujar [5] al rey y a la reina, quienes se supone estén parados donde está el espectador y se reflejan en un espejo que está en la pared del fondo.

Otro nombre ilustre en la pintura de aquel período es el de Murillo (1618–1682), famoso por sus cuadros religiosos.

Tanto en la pintura como [6] en la literatura, el siglo XVIII ofrece poco de interés. Sin embargo, a fines del siglo aparecieron las primeras obras de Francisco de Goya (1746–1828), uno de los más distinguidos pintores del mundo moderno. Aunque de familia humilde, Goya llegó a ser pintor de la corte de Carlos IV y de Fernando VII y dejó gran cantidad de retratos de las dos familias reales, pintados con un realismo y una franqueza que asombran.[7] En su extensa y variada obra vemos, en realidad, la historia de toda su época. Al lado de sus cuadros que representan tan claramente la brutalidad de la guerra de la independencia después de la invasión de Napoleón en 1808, hay una larga serie de cartones [8] o modelos para tapices,[9] en que pinta numerosas escenas de tipos del pueblo, fiestas, bailes populares y otros aspectos de la vida diaria de la época. Por su realismo, su maestría en la técnica, su espontaneidad, su espíritu crítico, su individualismo, su conocimiento de la época en que vivía, Goya es conocido como uno de los genios de la pintura moderna.

[1] **infanta,** *daughter of the King.* [2] **enanos,** *dwarfs.* [3] **dueña,** *chaperone.* [4] **cortesano,** *courtier.* [5] **dibujar,** *drawing, painting.* [6] **Tanto ... como,** *Both ... and.* [7] **asombran,** *are amazing.* [8] **cartón,** a painting or drawing on strong paper. [9] **tapices,** *tapestries.*

Durante el período romántico la pintura española se vuelve convencional y los artistas buscan inspiración en obras extranjeras. Sin embargo, hacia fines del siglo XIX cuando reina el realismo en la literatura y las artes, la pintura tiene su mejor representante en el valenciano Joaquín Sorolla (1863–1923), que se ha distinguido por la luz y el colorido de sus deliciosos [1] cuadros de la vida y de las costumbres de su región. Algunos de sus mejores lienzos se encuentran en el museo de la Sociedad Hispánica de Nueva York y en el Museo Metropolitano de la misma ciudad.

La obra vigorosa y dramática de Ignacio Zuloaga (1870–1945), gran pintor de la España vieja y tradicional, contrasta fuertemente con la de Sorolla. Otro español de gran originalidad es Pablo Picasso (1881–   ), que ha pasado muchos años en Francia donde es considerado como el jefe de la escuela moderna de pintura.

Desde los tiempos antiguos la música ha sido muy popular en España entre todas las clases sociales. Debido a las composiciones de los grandes artistas Albéniz y Granados, la música española moderna se ha conocido en todo el mundo. Albéniz (1860–1909), notable pianista y compositor, ha dado a conocer [2] una gran variedad de ritmos, especialmente melodías andaluzas. Las escenas del pintor Goya han servido de inspiración para *Goyescas*, famosas piezas para piano, compuestas por Granados (1867–1916).

"Don Bartolomé Sureda" by Goya
"Beach of Valencia by Morning Light" by Sorolla

[1] **deliciosos,** *delightful.*   [2] **ha dado a conocer,** *has made known.*

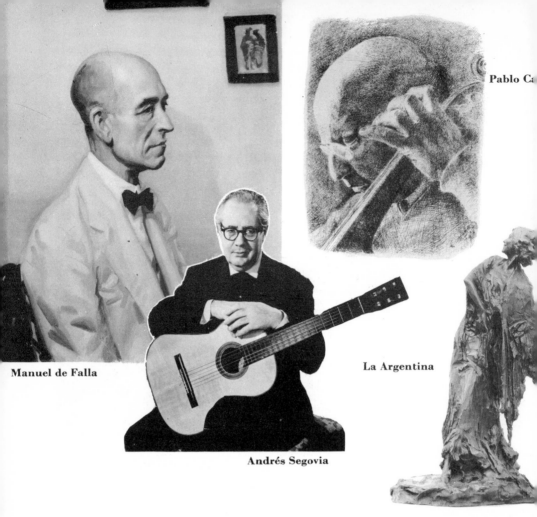

Manuel de Falla

Pablo Ca[...]

La Argentina

Andrés Segovia

Según muchos músicos, Manuel de Falla (1876–1946) es el mejor compositor español moderno. Natural de Andalucía, como Albéniz, compuso unas deliciosas melodías llamadas *Noches en los jardines de España.* Se oye mucho en los Estados Unidos su *Danza del Fuego,*[1] del famoso ballet *El amor brujo.*[2] Para conocer la pasión, la fuerza y la gran variedad de la música española, uno debe escuchar la música de Manuel de Falla.

Gracias a *la Argentina,* artista de la época contemporánea y la más célebre intérprete del baile español, conocemos mejor no sólo el antiguo arte del baile español, sino también la música de Albéniz, Granados, Falla y otros compositores.

Otros nombres españoles del mundo musical que conocemos hoy día en los Estados Unidos son Pablo Casals, violoncelista incomparable, Andrés Segovia, guitarrista sin igual, y José Iturbi, eminente pianista, compositor y director de orquesta.

[1] **Danza del Fuego,** *Fire Dance.*   [2] **El amor brujo,** *Wedded by Witchcraft.*

QUESTIONS

1. ¿ Qué artes florecían en el Siglo de Oro? 2. ¿ A dónde iban a estudiar los artistas? 3. ¿ Por qué no se sometieron a las influencias de afuera? 4. ¿ Quién fué El Greco? 5. ¿ Dónde estudió? 6. ¿ A qué ciudad de España llegó? 7. ¿ Qué clase de obras pintó? 8. ¿ Cuál es su obra maestra?

9. ¿ Quién fué el gran pintor realista del período? 10. ¿ Qué presentó en sus lienzos? 11. ¿ Dónde están sus obras maestras? 12. ¿ Cuáles son algunas de sus obras? 13. ¿ Qué personas hay en *Las meninas?* 14. ¿ Quién es otro pintor del mismo período?

15. ¿ De qué siglo es Francisco Goya? 16. ¿ Qué llegó a ser? 17. ¿ Qué clase de obras pintó? 18. ¿ Cuándo reinó el realismo en las artes? 19. ¿ Quién es su mejor representante en la pintura? 20. ¿ Dónde se encuentran algunos de sus mejores lienzos? 21. ¿ Quiénes son otros pintores contemporáneos?

22. ¿ Qué fué Albéniz? 23. ¿ Quién fué otro famoso pianista? 24. ¿ Qué compuso Falla? 25. ¿ Quién ha sido la intérprete más célebre del baile español? 26. ¿ Qué es Pablo Casals? 27. ¿ Qué es Andrés Segovia? 28. ¿ José Iturbi?

WORD STUDY

a. Give the art or literary type practiced by each of the following: pintor, músico, escultor, arquitecto, poeta, dramaturgo, novelista.

b. Compare the meanings of: maestro, maestría; cerrar, encerrar; rey, reina (*noun*), reinar, reinado (*noun*); componer, compositor, composición; piano, pianista; guitarra (*guitar*), guitarrista; músico, música, musical; fuerte, fuertemente, fuerza; conocer, conocimiento.

c. Pronounce and give the English meanings of: escultura, espíritu, escena, espontaneidad, sociedad, claridad, cantidad, brutalidad, variedad.

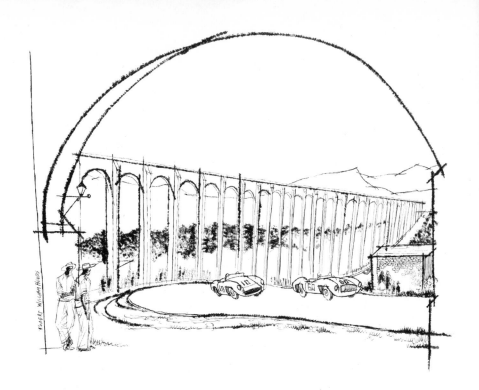

25

Verbs ending in *-ducir*   Forms of *reír*   The preterit
perfect tense   The absolute use of the past participle
Diminutives   The subjunctive after *tal vez, quizá*(s)
Special use of the definite article and
the indirect object   Translation of "to become"

SPANISH USAGE

— ¡ Hola, Tomás! ¿ Qué tal ?

— Perfectamente bien, gracias, Ramón. Creí que pensabas
pasar por casa de Ricardo esta mañana para despedirte de él.

— No te imaginas todo lo que pasó en casa esta mañana.
5 Mi tía se puso enferma y tuvo que guardar cama hoy. Mi mamá
fué a cuidarla y mi hermanito se quedó en casa con la criada.
Cuando yo estaba para salir, Juanito se cayó de un árbol y se
hirió. Al principio creí que debía llamar al médico, pero vi que
no estaba tan mal herido, aunque lloraba mucho. El pobrecito
10 tenía una herida en el brazo izquierdo, otra en la mejilla derecha;
se cortó un dedo y dijo que le dolía la pierna derecha. Quizás no
vayas a creer lo que voy a decirte, pero no te rías de mí. Le

quité la ropa sucia, le lavé la cara y las manos, le vendé el brazo,
le puse ropa limpia y luego le mandé quedarse en casa el resto
del día, leyendo sus libritos o mirando la televisión. Casi me
volví loco antes de terminar. Hecho todo eso, yo tenía dolor de
cabeza y además, ya era demasiado tarde para ir a ver a Ricardo. 5
Ahora, dime lo que pasó en la estación.

— Primero, déjame decirte lo que ocurrió en casa de Ricardo.
Como su casa está cerca de la nuestra, fuí allá a pie para acompañarlos en su coche. Al llegar, oí que el señor Smith gritaba
desde el garaje que el coche tenía una llanta desinflada. En vista 10
de que no podía usarlo, fuí por el mío y los conduje a la estación.
Todos estaban nerviosos y me decían: « Date prisa, Tomás. Tal
vez perdamos el tren. ¿ No puedes ir más rápidamente ? » Por
fin se calmaron cuando vieron que llegábamos a tiempo. Ricardo
quería facturar sus maletas, pero le aconsejé que las llevara en 15
el coche cama. En cuanto Ricardo hubo entrado en la estación,
se dió cuenta de que varios amigos suyos le aguardaban allí. Le
quedaba poco tiempo antes de la salida del tren, así es que inmediatamente fuimos al andén. Apenas hubimos llegado allá, oímos
que alguien gritaba: « ¡ Señores viajeros, al tren ! » Ricardo 20
abrazó a su padre y dió un beso a su madre. Su novia María y
él se besaron. María y la madre de Ricardo empezaron a llorar
cuando éste subió al tren. Nosotros le gritábamos: « ¡ Que lo
pases bien ! ¡ No dejes de escribirnos a menudo ! ¡ Que te hagas
rico pronto ! ¡ Que tengas suerte ! ¡ Feliz viaje ! » Salido el 25
tren, nosotros subimos al coche, tristes por verle partir, pero muy
contentos por saber que en Méjico le esperaban buenas oportunidades e interesantes experiencias.

VOCABULARY

abrazar to embrace
aguardar to wait, wait for; to await
el andén (*pl.* **andenes**) station platform
apenas scarcely, hardly
besar to kiss
el beso kiss
el brazo arm

calmarse to become calm, calm oneself
conducir to conduct, drive (*a car*)
cortar to cut
la cuenta account, bill
cuidar to take care of, look after
el dedo finger
desinflado, –a flat
el dolor pain, ache

facturar to check (*baggage*)
feliz (*pl.* **felices**) happy
la **herida** wound
herirse (ie) to wound (hurt) oneself
imaginarse to imagine
inmediatamente immediately
Juanito Johnny
el **librito** little book
limpio, –a clean
loco, –a crazy
la **llanta** tire
llorar to weep, cry
el **médico** doctor
la **mejilla** cheek

nervioso, –a nervous
ocurrir to occur, happen
el **pie** foot
la **pierna** leg
el **pobrecito** poor (little) boy
quizá(s) perhaps
Ramón Raymond
reír to laugh
el **resto** rest
la **salida** departure
sucio, –a dirty
triste sad
vendar to bandage
el **viajero** traveler

darse cuenta de to realize
en vista de que in view of the fact that
estar para to be about to
guardar cama to stay in bed
hacerse + *noun* to become
ir a pie to walk, go on foot
mal herido dangerously (badly) wounded
no dejar de + *inf.* not to fail to + *verb*
ponerse (+ *adj.*) to become
¡**que lo pases bien**! good-bye! (*lit.*, may you fare well)
reírse de to laugh at
¡**señores viajeros, al tren**! all aboard, travelers!
tal vez perhaps
tener dolor de (la) cabeza to have a headache
volverse (loco) to become *or* go (crazy)

QUESTIONS

1. ¿ Quiénes están hablando ? 2. ¿ A dónde pensaba ir Ramón esa mañana ? 3. ¿ A dónde fué su madre ? 4. ¿ Quién se quedó en casa con la criada ? 5. ¿ De dónde se cayó Juanito ? 6. ¿ Qué creyó Ramón al principio ? 7. ¿ Estaba mal herido Juanito ? 8. ¿ Dónde tenía heridas ? 9. ¿ Cuál de las piernas le dolía ? 10. ¿ Qué hizo Ramón ? 11. ¿ Qué tenía Ramón después de todo eso ? 12. ¿ Qué oyó Tomás al llegar a casa del señor Smith ? 13. ¿ Qué hizo Tomás ? 14. ¿ Qué decían todos mientras los conducía a la estación ? 15. ¿ Cuándo se calmaron ? 16. ¿ Facturó Ricardo sus maletas ? 17. ¿ Quiénes estaban en la estación ? 18. ¿ A dónde fueron inmediatamente ? 19. ¿ Qué gritó alguien de pronto ? 20. ¿ A quién abrazó Ricardo ? 21. ¿ Cómo se llama la novia de Ricardo ? 22. ¿ Qué empezaron a hacer María y la madre de Ricardo ? 23. ¿ Qué gritaban todos cuando subió al tren ? 24. ¿ Estaban tristes o contentos ?

GRAMMATICAL USAGE

A. VERBS ENDING IN –DUCIR: CONDUCIR, "TO CONDUCT, DRIVE"

PRES. IND.	**conduzco,** conduces, conduce, conducimos, conducís, conducen
PRES. SUBJ.	**conduzca, conduzcas, conduzca, conduzcamos, conduzcáis, conduzcan**
PRETERIT	**conduje, condujiste, condujo, condujimos, condujisteis, condujeron**
IMP. SUBJ.	**condujera, condujeras,** etc. **condujese, condujeses,** etc.

B. FORMS OF REÍR, "TO LAUGH"

PRES. PART.	**riendo**	PAST PART.	reído
PRES. IND.	**río, ríes, ríe,** reímos, reís, **ríen**		
PRES. SUBJ.	**ría, rías, ría, riamos, riais, rían**		
PRETERIT	reí, reíste, **rió,** reímos, reísteis, **rieron**		
IMP. SUBJ.	**riera, rieras,** etc.	**riese, rieses,** etc.	
SING. IMPER.	**ríe**	PL. IMPER.	reíd

Reír is a stem-changing verb, Class III. Also note that the accent mark is used on several forms since the stem ends in a vowel. The other tenses are regular.

C. THE PRETERIT PERFECT TENSE

hube hablado	hubimos hablado
hubiste hablado	hubisteis hablado
hubo hablado	hubieron hablado

Cuando (En cuanto) hubo entrado, los vió.
When (As soon as) he had entered, he saw them.
Apenas hubimos llegado, oímos que alguien gritaba.
Scarcely had we arrived, when we heard that someone was shouting.

The preterit perfect tense is formed with the preterit of **haber** and the past participle. It is translated like the English past perfect tense, but is used only after such conjunctións as **cuando, en cuanto, después que, apenas.** In the case of **apenas,** the word *when* is carried over to the following clause. In spoken Spanish the simple preterit often replaces the preterit perfect. The Spanish pluperfect is used to translate the English past perfect in other cases: **Habían vuelto,** *They had returned.*

The third singular preterit form **hubo** is used impersonally, meaning *there was (were).* The form has been used in the Lecturas.

D. THE ABSOLUTE USE OF THE PAST PARTICIPLE

Salido el tren, nosotros subimos al coche.
After the train had left (The train having left), we got into the car.
Hecho todo eso, yo tenía dolor de cabeza.
All that done (After all that was done), I had a headache.

The past participle is often used absolutely with a noun or pronoun to express *time, manner, means,* and the like. Used thus the participle precedes the noun or pronoun it modifies and with which it agrees in gender and number. The translation depends on the context.

E. DIMINUTIVES

Juan	John	**Juanito**	Johnny
libro	book	**librito**	small (little) book
pobre	poor	**pobrecito**	poor little boy
ventana	window	**ventanilla**	ticket window; small window

In Spanish, diminutive endings are often used to express not only small size, but pity, affection, scorn, ridicule, and the like. Watch for such uses in reading. The most common endings are: –ito, –a; –illo, –a; –(e)cito, –a; –(e)cillo, –a. A final vowel is dropped before adding the ending. For the choice of ending you must rely upon observation.

F. THE SUBJUNCTIVE AFTER *TAL VEZ, QUIZÁ(S)*, "PERHAPS"

Tal vez lo ha terminado. Perhaps he has finished it.
Tal vez (Quizás) perdamos el tren. Perhaps we'll miss the train.

The indicative is used after **tal vez, quizá(s),** *perhaps,* when certainty is expressed or implied. However, the subjunctive is used when doubt or uncertainty is implied.

G. SPECIAL USE OF THE DEFINITE ARTICLE AND THE INDIRECT OBJECT

1. **Me puse el sombrero.** I put on my hat.
Nos lavamos la cara. We washed our faces.
Se cortó un dedo. He cut his (a) finger.

In Lesson 8 we found that in speaking of parts of the body and the clothing, when one does anything to his own hand, face, etc., or to his clothing, the reflexive pronoun is used with the verb and the definite article replaces the possessive adjective in Spanish. Contrary to English usage, the noun in Spanish is normally singular when but a single object per person is involved (second example).

We also found that if the article of clothing or part of the body is the subject of the sentence, the possessive is used for clarity: **Su sombrero está en la silla,** *His hat is on the chair.*

2. **Le vendé el brazo.** I bandaged his arm (*lit.,* I bandaged to him the arm).
Les lavó la cara. He washed their faces (*lit.,* He washed to them the face).
Le quité la ropa. I took off his clothes (*lit.,* I took from him the clothes).

If an action is performed on one person by another person, the proper indirect object is used with the verb.

H. TRANSLATION OF "TO BECOME"

¡ **Que te hagas rico pronto !** May you become (get) rich soon!
Mi tía se puso enferma. My aunt became ill.
Casi me volví loco. I almost became (went) crazy.

Hacerse plus a noun or the adjectives **rico** and **feliz** means *to become,* denoting conscious effort. **Llegar a ser** means approximately the same, indicating final result: **Llegó a ser (Se hizo) médico,** *He became a doctor.*

Ponerse followed by an adjective or past participle, which agrees with the subject of the verb, expresses a physical, mental, or emotional change. A violent change is expressed by **volverse.**

Se is used with many transitive verbs to express the idea of *become.* Contrast **Los calmé,** *I calmed them,* with **Se calmaron,** *They became calm (calmed themselves).*

EXERCISES

A. Give the Spanish for:

1. I laugh, that I may laugh. 2. he laughs, he laughed. 3. they laughed, that I might laugh. 4. laughing, we had laughed. 5. he wounds himself, he wounded himself. 6. I embrace, I embraced. 7. he advised, they advised. 8. it occurs, it occurred. 9. they await, they awaited. 10. she weeps, she wept. 11. I imagine, they imagine. 12. I catch, that I may catch. 13. he loses, he lost. 14. they wake up, they woke up. 15. he stops, he stopped. 16. I drive, that I may drive. 17. they drove, that they might drive. 18. he dresses, he dressed. 19. as soon as I had opened. 20. after they had seen.

B. Explain the difference in meaning between:

1. Se puso el sombrero *and* Le puso el sombrero.
2. Se vistieron de prisa *and* Las vistieron de prisa.
3. Nos despertamos temprano *and* Los despertamos temprano.
4. Se lavó la cara *and* Le lavé la cara.
5. Se quitó los zapatos *and* Le quité los zapatos.
6. Se cortó un dedo *and* Le corté un dedo.

C. Read in Spanish, substituting correct Spanish forms for the words in italics:

1. Mi hermano *became* médico. 2. Mi madre *became* enferma. 3. Los niños *became* tristes. 4. Cuando Ramón se cortó un pie, su madre casi *became* loca. 5. *Don't laugh at her* tanto. 6. *She is about to* llorar. 7. Tomás *tried to* vendarse el brazo. 8. *Don't fail to* pagar la cuenta. 9. Apenas él *had lost* el dinero, lo encontré. 10. En cuanto ella *had written* la carta, se la envió a Ricardo. 11. No están aquí todavía; tal vez *they may arrive* más tarde. 12. *The suitcases checked*, subió al tren. 13. *We shall see each other* en Méjico. 14. Ricardo y María *kissed each other*. 15. *After the train had left*, todos volvimos a casa. 16. José *drove* el coche al centro anoche.

D. Give the Spanish for:

1. We had to walk. 2. He did not realize that. 3. They are laughing at me. 4. Johnny has a headache. 5. He is not dangerously wounded. 6. I cut my (a) finger. 7. He put on clean clothes. 8. I put his shoes on him. 9. Take off your shirt. 10. He hurt his right arm. 11. Perhaps they may be at home. 12. His uncle became a doctor. 13. Don't pick those flowers. 14. We have nothing to do. 15. Don't fail to thank him for the card. 16. They are about to leave.

E. Give the proper inflected form of the infinitive when necessary:

1. Vd. tiene una novia que (ser) muy bonita. 2. ¿ Conoce Vd. a alguien que (ser) más bonita que ella? 3. No vimos a nadie que (poder) ayudarnos. 4. Cierre Vd. la maleta para que yo la (llevar). 5. Le mandé aguardar hasta que (salir) el tren. 6. Le aconsejé a Juanito que (tener) cuidado. 7. El médico le mandó (guardar) cama. 8. Déjeme Vd. (cuidar) al niño. 9. No quiero que Vds. (reírse) de ellos. 10. Pídale que no (conducir) el coche. 11. Si ellos (darse) cuenta de eso, volverán de prisa. 12. Si Vd. (aguardar) hasta mañana, podría verlos. 13. ¡ Ojalá que ella (haber) hecho el viaje! 14. ¡ Que Vds. (ser) muy felices! 15. ¡ Que tú (tener) un feliz viaje! 16. ¡ Que Vd. (divertirse) mucho en Méjico!

COMPOSITION

1. My little brother fell down this morning and hurt his left leg and cut his cheek.   2. Mary washed his face and hands and began to put clean clothes on him.   3. Since Johnny continued crying, the maid advised Mary to call the doctor.   4. The latter examined him carefully and ordered him to stay in the house.   5. I imagine that he read his little books and looked at television most of the day.   6. Tell me what happened when you went to the station.   7. Richard's car had a flat tire and I had to drive him to the station in mine.   8. He feared that we wouldn't arrive on time, consequently he became very nervous.   9. I advised Richard to carry his suitcases with him [1] in the Pullman.   10. Upon entering the station, we realized that many friends of his were waiting for him.   11. As soon as we reached the platform, someone shouted: "All aboard, travelers."   12. We were shouting to him at the same time: "Happy trip," "Don't forget to write often," and "Good-bye."

[1] Use **consigo.**

LECTURA XX

Rutas culturales de la América Española

Es imposible analizar completamente en estas páginas la vida cultural de cada uno de los diez y ocho países desde su independencia. Nos limitaremos a mencionar los géneros literarios más importantes y algunos escritores, pintores y músicos de la época moderna. Hay que tener en cuenta [1] que la literatura hispanoamericana es aún muy reciente y que pocos escritores han podido vivir de su labor literaria; han sido periodistas, diplomáticos, políticos, médicos o profesores. También, debemos decir que a través de los años la influencia de España ha sido fuerte, así es que en general hallamos en la América Española los mismos movimientos que en España: el romanticismo, el costumbrismo, el modernismo, el realismo.

La poesía y el ensayo fueron los géneros más cultivados en el siglo XIX, y en el siglo XX la novela y el cuento han llegado a tener una vida propia. Nunca se ha cultivado mucho el teatro en la América Española. En vez de hablar de cada uno de los géneros literarios, con la excepción de la novela, vamos a presentar unos nombres que se destacan en las letras modernas.

La personalidad más importante del siglo XIX es Domingo Faustino Sarmiento (1811–1888), llamado el hombre representante del intelecto sudamericano. Nacido en un ambiente de pobreza e ignorancia, dedicó la mayor parte de su vida al mejoramiento cultural y político de la Argentina. Fué soldado, periodista, político, educador y, por último, presidente de su país. En su obra maestra, *Facundo, o civilización y barbarie* (1845), Sarmiento presenta un magnífico retrato del gaucho, de su vida, sus vicios, sus canciones. Facundo Quiroga, famoso gaucho malo de la ancha pampa, es el representante de la barbarie en contraste con la civilización, representada por la ciudad y el gobierno de Buenos Aires.

El gaucho, hombre independiente, soberbio y enérgico, que vivía aislado, sin ideas de gobierno y sin influencia social, servía de tema para poemas, novelas, cuentos y dramas. Esta literatura gauchesca en conjunto fué una

---

[1] **tener en cuenta,** *bear in mind.*

Domingo F. Sarmiento

expresión original en la literatura hispanoamericana del siglo XIX. Obra clásica de la literatura de América y el mejor poema gauchesco es *Martín Fierro* (1872), escrito por José Hernández. Mientras toca la guitarra, el payador [1] Martín Fierro mismo relata la historia triste de su vida: sus días felices del pasado en las estancias [2] de la pampa, su persecución en el ejército, su existencia de fugitivo y, por fin, su fuga [3] a la frontera para unirse a los indios.

El peruano Ricardo Palma (1833–1919) desarrolló otro género único en el período moderno. En sus *Tradiciones peruanas*, anécdotas, cuentos y leyendas de carácter histórico e imaginario, Palma no sólo evoca la vida y el espíritu del Perú en tiempo de los virreyes españoles, sino que también presenta un panorama de la vida peruana hasta la época actual. Aunque tuvo muchos imitadores, ninguno logró aproximarse al estilo personal y a la perfección técnica de Ricardo Palma, verdaderamente uno de los grandes escritores del continente.

Ya hemos mencionado el movimiento modernista que surgió en la América Española a fines del siglo XIX como nueva forma poética y como otra contribución de América a la literatura del mundo. Así como Rubén Darío fué el maestro en la poesía modernista, el distinguido ensayista y pensador José Enrique Rodó (1872–1917) fué gran maestro en la prosa del mismo período. En su librito *Ariel* (1900), escrito en un estilo castizo [4] y claro, el

José Enrique Rodó

Gabriela Mistral

---

[1] **payador,** *gaucho singer.*   [2] **estancias,** *ranches.*   [3] **fuga,** *flight.*   [4] **castizo,** *pure.*

Alfonsina Storni

famoso uruguayo habla a la juventud de América sobre sus sueños por la unidad espiritual del continente, con la que Simón Bolívar había soñado [1] en vano casi un siglo antes. En su análisis de los elementos buenos y malos de la democracia de los Estados Unidos, según las impresiones que tenía de nuestra vida sin haber visitado el país, presenta los contrastes entre nuestra cultura y la de la América Española.

En cuanto a [2] la poesía contemporánea, en vez de dar una larga lista de nombres de distinción, vamos a dedicar unas palabras a una mujer que se ha distinguido en la vida intelectual, en la enseñanza [3] y en la poesía. La chilena Gabriela Mistral, seudónimo de Lucila Godoy, es una de las verdaderas glorias de la literatura contemporánea. Es tal vez la escritora más distinguida de la América del siglo XX y ha ganado fama internacional por sus poemas tiernos que muestran una espiritualidad muy elevada. Sus poesías son un reflejo de su vida de dolores y de sus esfuerzos contra las injusticias del mundo. En 1945 recibió ella el premio Nobel de literatura. Ha viajado por todas las Américas y por Europa y ha representado a Chile como cónsul en varios países. Gabriela Mistral siempre ha demostrado una simpatía profunda por la humanidad y por la amistad internacional y ella sirve de buen ejemplo del nuevo puesto que ocupan hoy día muchas mujeres en la América Española. Otras dos poetisas distinguidas son Juana de

[1] **soñar con,** *to dream of.*   [2] **En cuanto a,** *As for.*   [3] **enseñanza,** *teaching, education.*

Ibarbourou, del Uruguay, y Alfonsina Storni que, nacida en Suiza, pasó la mayor parte de su vida en la Argentina.

Aunque la novela fué cultivada en el siglo XIX, siguiendo principalmente los movimientos europeos, no fué sino hasta [1] el siglo XX que comenzó a tener una vida propia. En los años recientes ha llegado a ser la expresión literaria más importante, no tanto por su valor intrínseco, sino como reflejo de la cultura contemporánea de los dos continentes. Gran parte de las novelas contemporáneas son realistas; es decir, los autores han tratado de interpretar la vida que los rodea. En muchos casos presentan al hombre en lucha con la naturaleza primitiva, y a menudo el paisaje o la naturaleza misma viene a ser el protagonista de la novela. Esta interpretación del alma del paisaje ha sido una de las características principales de las obras de ficción desde principios del siglo pasado. Otras tendencias han sido un interés por el indio y las masas en su lucha contra la explotación y la dominación de los propietarios de las tierras, las minas y las casas comerciales y, también, una preocupación por los problemas sociales en general. En los últimos años se nota cada vez más [2] una tendencia hacia la novela psicológica y filosófica.

La Revolución de 1910 en Méjico, con todos sus problemas políticos y sociales, ha servido de base a una multitud de obras literarias de diversas formas en los años siguientes. La más célebre novela del período es *Los de abajo* [3] (1916), por Mariano Azuela (1873-1951). El autor, que era médico en el ejército revolucionario, analiza con vigor y realismo todo el horror, la confusión, la crueldad y la futilidad de la conflagración. Según uno de los caracteres de la obra, « La revolución es el huracán y el hombre que se entrega a ella no es ya el hombre, es la miserable hoja seca arrebatada por el vendaval. [4] » El campesino Demetrio Macías, la figura central, coge su fusil, abandona su casa y huye a la sierra donde se reúne con algunos amigos que le siguen. Poco después llega a ser general de unas fuerzas revolucionarias, pero con el tiempo es traicionado y muere, sin haber ganado nada, en la misma sierra donde ganó su primera victoria.

En todos los países que tienen habitantes indios, ha aparecido lo que se llama la novela indianista. En ésta, por lo general, los autores protestan contra el abuso y la explotación de los indios por sus amos, los blancos. Otro mejicano, Gregorio López y Fuentes, en su novela *El indio* (1935), da una imagen fiel del pueblo indígena en su patria. Considerada por muchos como la mejor novela indianista es *El mundo es ancho y ajeno* [5] (1941), por el peruano Ciro Alegría. Con gran maestría el autor describe la vida diaria y la total destrucción de un pueblo humilde de los Andes.

---

[1] **no fué sino hasta,** *it was not until.*   [2] **cada vez más,** *more and more.*
[3] **Los de abajo,** *The Underdogs.*   [4] **arrebatada por el vendaval,** *carried away by the windstorm.*   [5] **El mundo es ancho y ajeno,** *Broad and Alien is the World.*

Buen ejemplo de la novela de la tierra es *Doña Bárbara* (1929), del venezolano Rómulo Gallegos. En los excelentes cuadros de la vida de las llanuras, donde reina la fuerza en vez de la ley, vemos que la llanura misma y los hombres que son productos y víctimas de ella vienen a ser el verdadero protagonista de la novela. Doña Bárbara, que es símbolo de la barbarie de la llanura, lucha en vano contra Santos Luzardo, símbolo del espíritu civilizador de la ciudad, quien logra triunfar solamente porque se vuelve llanero y adquiere bastante fuerza para dominar a sus enemigos.

Otra obra aún más trágica es *La vorágine* [1] (1924), por el colombiano José Eustasio Rivera (1889–1928). En este caso el verdadero protagonista es la selva que, con toda su fuerza y su violencia, destruye a los seres [2] humanos que tratan de explotarla.

Por falta de espacio no podemos mencionar autores de otros tipos de novelas. Pero antes de dejar la prosa, debemos dedicar unas palabras al cuento, que se ha cultivado mucho en la América Española. Los temas son abundantes y variados y, en conjunto, nos dan una fiel expresión de la vida de todas las clases sociales. Entre los centenares de cuentistas de todos los países está Horacio Quiroga (1878–1937), uno de los mejores, no sólo de la América Española, sino de la lengua española. Nacido en el Uruguay, pasó muchos años en las selvas del norte de la Argentina, las que le proporcionaron temas para muchos de sus cuentos.

Como en la novela de la tierra, es la naturaleza, con el calor tropical, las lluvias, los ríos y los animales, lo que determina la vida del hombre que trata de vivir allí. Lo extraño y lo patológico le atraían siempre a Quiroga, y en algunos de sus relatos los protagonistas son los animales de la selva.

El arte moderno de la América Española se dedica en gran parte a la idea de la reforma social, como en el caso de la literatura. Por ejemplo, en Méjico la Revolución de 1910 ha servido de base para la obra artística de

Part of Diego Rivera's mural in the Palacio Nacional, Mexico City

[1] **La vorágine,** *The Vortex.*   [2] **seres,** *beings.*

fino Tamayo and one of his murals

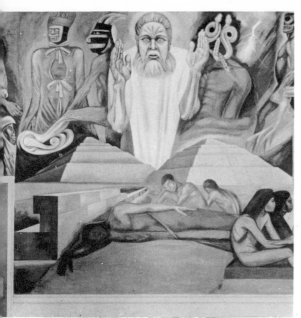

"The Advent of Quetzalcoatl."
From a mural by José Clemente Orozco

Diego Rivera, Orozco, Siqueiros, Covarrubias y otros. Rivera y Orozco han sido los maestros de la decoración mural y han producido una larga serie de pinturas al fresco [1] que decoran las paredes de muchos edificios públicos. Las artes, las fiestas populares, la vida de los indios y las nuevas ideas sociales les han proporcionado una gran variedad de temas.

Las ideas sociales y políticas de Diego Rivera le han llevado a hacer de la pintura un medio de propaganda. Describe la vida del pueblo y para el pueblo mismo. La enorme composición que podemos ver en la escalera del Palacio Nacional desarrolla toda la historia del país, todas sus luchas so-

ciales desde el período prehispánico hasta el período actual y, también, la visión de un futuro ideal. Claro que no todos están de acuerdo con las ideas que Rivera expresa en sus pinturas.

El hombre y el mundo contemporáneo son también el tema general de José Clemente Orozco, que se interesó especialmente por la miseria humana y los aspectos más sórdidos de la vida mejicana. Se ha dicho que ningún otro pintor le ha superado en la expresión del aspecto eterno, humano y trágico de las luchas civiles de un país.

Muchos de los pintores mejicanos contemporáneos han tenido gran influencia en la pintura de los Estados Unidos. Entre ellos está Rufino Tamayo.

Hacia 1920 empezó también en el Perú un movimiento indígena en el arte, pero no tan fuerte como en Méjico a pesar de recibir gran influencia mejicana. José Sabogal, jefe de la nueva expresión artística de su país, ha buscado su inspiración en el paisaje, en los tipos indígenas y en las costumbres de las regiones rurales del Perú. Aunque ha interpretado la vida por los ojos del indio, empleando como fondo los majestuosos Andes, en sus obras no se nota nada de propaganda, como en las de los artistas mejicanos. También Sabogal ha tenido mucho éxito con sus obras en blanco y negro.

El amor por la música es característica de toda la América Latina y a través de los últimos siglos ha habido [2] dos tendencias distintas: la

---

[1] **pinturas al fresco,** *fresco paintings.*   [2] **ha habido,** *there have been.*

popular, que es la expresión espontánea de las masas, y la culta, que muestra gran influencia europea. Las variedades de música popular son infinitas; cada país tiene una rica tradición musical con sus propias formas. En algunos casos se mezclan la influencia indígena y la extranjera. La rumba, la conga y otras formas de música popular de Cuba y de las otras·islas del Mar Caribe, que muestran una fuerte influencia del negro, se han difundido por toda América, especialmente por los Estados Unidos. En los países donde todavía viven muchos indios la influencia indígena es la que se destaca más.

En el siglo XX muchos compositores, como el cubano Ernesto Lecuona, el chileno Claudio Arrau, el argentino Juan Carlos Paz, el uruguayo Eduardo Fabini, los mejicanos Manuel Ponce y Carlos Chávez, han tenido gran éxito en desarrollar una música de auténticos temas americanos.

Carlos Chávez es el fundador de la Orquesta Sinfónica de Méjico. Convencido de que existe una música mejicana con un carácter y un vigor propios, Chávez se ha dedicado a integrar las varias fuentes de la verdadera tradición nacional. Aunque la esencia de su música es mejicana, sus temas son originales y el elemento indígena se ha asimilado completamente. Su técnica y su genio inventivo le han asegurado un alto puesto en el mundo musical.

Hoy día con nuestros programas de radio y de televisión conocemos mucho mejor la música popular y tradicional de nuestros vecinos del sur.

Claudio Arrau

Carlos Chávez

Group of musicians from Venezuela

QUESTIONS

1. ¿ Viven todos los escritores hispanoamericanos de su labor literaria? 2. ¿ Qué son? 3. ¿ Qué influencia ha sido fuerte en la literatura? 4. ¿ Qué géneros fueron cultivados más en el siglo XIX? 5. ¿ En el siglo XX? 6. ¿ Quién fué Sarmiento? 7. ¿ A qué dedicó la mayor parte de su vida? 8. ¿ Qué fué? 9. ¿ Cuál es su obra maestra? 10. ¿ Qué presenta la obra? 11. ¿ Quién fué Facundo Quiroga? 12. ¿ Cuál es el mejor poema gauchesco? 13. ¿ Qué relata el payador?

14. ¿ Qué escribió Ricardo Palma? 15. ¿ De qué tratan sus *Tradiciones?* 16. ¿ Qué fué Rodó? 17. ¿ De qué habló en *Ariel?*

18. ¿ De dónde es Gabriela Mistral? 19. ¿ Por qué es famosa? 20. ¿ Qué recibió Gabriela Mistral en 1945? 21. ¿ Por qué cosa ha demostrado simpatía? 22. ¿ Quiénes son otras dos poetisas distinguidas?

23. ¿ Cuándo empezó a tener una vida propia la novela hispanoamericana? 24. ¿ De qué ha sido reflejo? 25. ¿ Qué es el protagonista de muchas novelas? 26. ¿ Cuáles son otras tendencias?

27. ¿ Qué ha servido de base para muchas obras en Méjico? 28. ¿ Cuál es la novela más célebre del período? 29. ¿ Qué analiza Azuela? 30. ¿ Qué le pasa a Demetrio Macías?

31. ¿ Dónde aparece la novela indianista? 32. ¿ Qué escribió López y Fuentes? 33. ¿ Cuál es otra novela indianista? 34. ¿ Qué describe en ella Ciro Alegría?

35. ¿ Qué obra es buen ejemplo de la novela de la tierra? 36. ¿ Qué es el verdadero protagonista de *Doña Bárbara?* 37. ¿ Qué representa Doña Bárbara? 38. ¿ Qué representa Santos Luzardo?

39. ¿ De qué trata *La vorágine?* 40. ¿ Quién es un famoso cuentista? 41. ¿ Dónde pasó muchos años? 42. ¿ Qué determina la vida del hombre allí?

43. ¿ A qué se dedica en gran parte el arte moderno? 44. ¿ Quiénes son dos maestros de la decoración mural? 45. ¿ Cómo usa Rivera la pintura? 46. ¿ Cuál es el tema general de la obra de Orozco?

47. ¿ En qué otro país empezó un movimiento indígena en el arte? 48. ¿ Quién es el jefe de la nueva expresión allí? 49. ¿ En dónde ha buscado su inspiración?

50. ¿ Hay mucho interés en la música en la América Latina? 51. ¿ Qué clase de música viene de las islas del Mar Caribe? 52. ¿ Quiénes son algunos compositores? 53. ¿ De qué es fundador Carlos Chávez? 54. ¿ A qué se ha dedicado él? 55. ¿ Por qué conocemos mucho mejor hoy día la música de la América Latina?

WORD STUDY

a. Pronounce the following and note the English meaning: anécdota, *anecdote;* seudónimo, *pseudonym;* tierno, *tender;* reflejo, *reflection;* propietario, *proprietor;* contenido, *content;* psicológico, *psychological;* filosófico, *philosophical;* huracán, *hurricane;* imagen, *image;* símbolo, *symbol;* patológico, *pathological;* majestuoso, *majestic;* espontáneo, *spontaneous;* auténtico, *authentic;* esencia, *essence.*

b. Give the name of the native of: Méjico, Cuba, Venezuela, Colombia, el Perú, Chile, la Argentina, el Uruguay, Europa.

c. Compare the meanings of: periódico, periodista; ensayo, ensayista; pobre, pobreza; mejor, mejoramiento; enseñar, enseñanza; imitar, imitador; relatar, relato; escribir, escritor, escritora; poema, poesía, poético, poeta, poetisa; espíritu, espiritual, espiritualidad; humano, humanidad; distinción, distinguir; amigo, amistad; país, paisaje; explotar, explotación; campo, campesino; fuerte, fuerza; llanero, llanura; cuento, cuentista; decoración, decorar.

d. Find words which illustrate: Spanish **-ia, -io** = English *-y;* **-dad** = *-ty;* **-cia, -cio** = *-ce;* **-ción** = *-tion.*

REVIEW LESSON V

A. Give the Spanish for:

1. I hear, that I may hear. 2. I fall, that I may fall. 3. I suppose, that I may suppose. 4. I construct, that I may construct. 5. I follow, that I may follow. 6. I dress, that I may dress. 7. I laugh, that I may laugh. 8. I drive, that I may drive. 9. I cross, that I may cross. 10. I catch, that I may catch. 11. I send, that I may send. 12. they walked, that I might walk. 13. they heard, that I might hear. 14. they drove, that I might drive. 15. they followed, that I might follow. 16. they built, that I might build. 17. building, we have built. 18. hearing, they had heard. 19. dressing, he has dressed. 20. I embrace, I embraced. 21. she kisses, she kissed. 22. they weep, they wept. 23. it rings, it rang. 24. I select, we select.

B. Give the singular and plural commands, affirmative and negative, of:

tener	hacer	coger	levantarse	ponerse
ser	salir	seguir	sentarse	irse

C. Supply the correct Spanish for the English forms:

1. Si Ramón *has* el equipaje, me lo traerá. 2. Si él *were* aquí ahora, podríamos hablar con *him*. 3. Si *he should come* esta noche, le daría las gracias *for* lo que hizo. 4. Si vienen mañana, *they will do* el trabajo. 5. Los muchachos corrían como si *they were* miedo. 6. ¡ Ojalá que ellos *had returned* a tiempo! 7. *I should like* quedarme más tiempo. 8. Buscan un departamento que *may have* seis habitaciones. 9. No conozco a nadie que *builds* casas tan bien como él. 10. Déjame el coche para que *I may drive it* esta tarde. 11. Juan dijo que saldría aunque *it should rain* mucho. 12. Insistí en que *he should continue* andando por el parque. 13. Tal vez él *remembers* de ello, pero lo dudo. 14. No pudieron hallar nada que *they liked*. 15. Devuélvamelo Vd. en cuanto *it is* posible.

D. Supply the correct Spanish for the English in italics:

1. Éstos son los abrigos de *which* yo hablaba. 2. La casa frente a *which* está el coche es *mine*. 3. Déme Vd. *that which* tiene en *your* bolsa. 4. Los jóvenes de *whom* escribió, acaban de llegar. 5. Soy *the one who* lo perdió. 6. *Those who* se hirieron son amigos *of hers*. 7. Aquella señorita y *the one* del sombrero negro no son mis hermanas, *but* mis primas. 8. ¡ *How* me alegro de eso! 9. ¡ *How*

336

altos son! 10. ¡ *What a* tren tan largo! 11. Ella tiene *dark hair*. 12. Ese
señor no es médico, *but I am*. 13. El *little book* es *for Johnny*. 14. *The dresses
made*, ella me los regaló. 15. Los dos coches son nuevos, pero prefiero *mine* a
his. 16. ¿ *Whose* es esta tarjeta? 17. *Let me* hablar con la señora *whose* hijo me
llamó ayer. 18. Juan *had him write* las cartas. 19. Creo que las cartas *are
written* en español. 20. Me alegro de que ésta *is* la *last* lección del libro.

E. Give the Spanish for:

1. quickly. 2. doubtless. 3. at least. 4. unfortunately. 5. at this moment. 6. at any rate. 7. at your service. 8. suddenly. 9. day after tomorrow. 10. For heaven's sake! 11. I don't know. 12. Be careful. 13. He
has two dollars left. 14. She has a headache. 15. They became sad. 16. He
became a doctor. 17. May I come in? 18. What do you think of Clara?
19. They saw each other at the same time. 20. We have nothing to do.
21. She put on her gloves. 22. I washed his face. 23. They continued running.
24. They are about to leave for Mexico. 25. Don't fail to talk Spanish with
everybody.

CONVERSACIÓN V

En la Carretera Panamericana

Después de desayunarse, Juan y Luis van al garaje del hotel donde
han guardado su coche. El botones lleva el equipaje y lo mete en el
baúl.

JUAN. — Luis, a ti te toca manejar un rato esta mañana.

LUIS. — Está bien. Voy a poner en marcha el motor. Necesitamos 5
gasolina, ¿ no?

JUAN. — No necesitamos mucha, pero es mejor estar seguro. Vamos
a pararnos en una de las estaciones que vimos anoche cuando llegamos.

(*Después de quince minutos se paran en una estación de gasolina que
está en la Carretera Panamericana.*) 10

EMPLEADO. — Buenos días, señores. ¿ En qué puedo servirles?
¿ Gasolina? ¿ Aceite?

LUIS. — Necesitamos gasolina.

EMPLEADO. — ¿ Desean llenar el tanque?

LUIS. — ¡ Cómo no! Siempre es bueno tener suficiente. ¿ Hay 15
bastantes estaciones de gasolina en la carretera?

EMPLEADO. — Hoy día hay muchas, señor, en todos los pueblos y en todas las ciudades ... Puse (Eché) treinta litros de gasolina. ¿ Qué tal el aceite ? ¿ Lo cambiamos ?

LUIS. — Lo cambiamos en San Antonio, pero probablemente necesi-
5 tamos un poco. El coche ya no es nuevo y gasta bastante.

EMPLEADO. — Voy a ver ... Sí, necesita un litro. ¿ Qué marca ?

LUIS. — Es igual. También hay que ver si el radiador tiene bastante agua.

EMPLEADO. — Está lleno. ¿ Ponemos (Echamos) aire en las llantas ?
10 LUIS. — Sí, veinte y dos libras, y en la llanta de repuesto también, por favor.

EMPLEADO. — Ya está hecho. Ahora voy a limpiar el parabrisas porque está muy sucio ... Está bien. Todo está listo.

LUIS. — ¿ Cuánto es ?
15 EMPLEADO. — Veinte y ocho veinte (= Veinte y ocho pesos, veinte centavos).

LUIS. — Aquí tiene Vd. un billete de cincuenta pesos.

EMPLEADO. — Y aquí tiene Vd. el cambio, señor.

JUAN. —·¿ Está en buen estado la carretera ?
20 EMPLEADO. — Sí, en muy buen estado, pero una cosa, señores; no excedan la velocidad máxima o la policía los coge.

JUAN. — Muchas gracias; no tenemos mucha prisa. Vamos a pararnos de vez en cuando para sacar fotografías y para ver el paisaje. ¿ Qué distancia hay de aquí a la capital ?
25 EMPLEADO. — Unos mil ciento cincuenta kilómetros. Vds. deben pasar la noche en Valles o en Tamazunchale, y mañana por la mañana pueden pasar por las montañas.

JUAN. — Hay buenos hoteles entre aquí y la capital, ¿ verdad ?

EMPLEADO. — Sí, unos muy buenos. También hay varios campos
30 de turismo, como en su país.

JUAN. — Muchísimas gracias.

EMPLEADO. — De nada. ¡ Buen viaje !

VOCABULARY

el **aceite** oil
el **baúl** trunk
el **cambio** change
el **campo de turismo** tourist camp, motel
el **centavo** cent
la **distancia** distance

el **estado** condition
exceder to exceed
la **gasolina** gasoline
gastar to waste, use, spend
el **kilómetro** kilometer ($\frac{5}{8}$ *mile*)
la **libra** pound
el **litro** liter (*slightly more than a quart*)

la llanta de repuesto (refacción) spare tire (*Mex.*)
llenar to fill
lleno, –a full
manejar to drive (*Mex.*)
la marca brand, kind
máximo, –a maximum
meter to put (in)
el motor motor

el paisaje landscape
Panamericano, –a Pan American
el parabrisas windshield
la policía police
el pueblo village, town, pueblo
el radiador radiator
suficiente sufficient, enough
el tanque tank
la velocidad speed

a ti te toca it's your turn
de nada don't mention it, you're welcome, not at all
es igual it's all the same, it doesn't matter
poner en marcha to start
¿ qué distancia hay ? how far is it ?
¿ qué tal (el aceite) ? how's (the oil) ? what about (the oil) ?
tener mucha prisa to be in a big hurry

Práctica. For further oral practice, students may give original conversations on:

1. Servicing a car at a filling station
2. Paying a hotel bill, loading luggage into the car, and departing
3. Asking for directions and about road conditions

ROBERT WILLIAM HINDS

SPANISH LETTER WRITING

In the following pages will be given some of the essential principles for personal and business letters in Spanish. Even though many formulas used in Spanish letters are less formal and flowery than formerly, in general they are still less brief and direct than in English letters, and at times they may seem rather stilted. There is no attempt to give a complete treatment of Spanish correspondence, but careful study of the material included should serve for ordinary purposes.

The new words and expressions whose English equivalents are given throughout this section are not included in the Spanish-English vocabulary, unless used elsewhere in the text. However, meanings are listed for all words used in the Exercises (pages 349–350).

A. ADDRESS ON THE ENVELOPE

The title of the addressee begins with **señor** (Sr.), **señora** (Sra.), or **señorita** (Srta.). **Sr. don** (Sr. D.) may be used for a man, **Sra. doña** (Sra. Dª.) for a married woman, and **Srta.** for an unmarried woman:

Señor don Carlos Morelos   **Sr. D. Pedro Ortega y Moreno**
Srta. Carmen Alcalá   **Sra. Dª. María López de Martín**

In the third example note that Spanish surnames often include the name of the father (**Ortega**), followed by that of the mother (**Moreno**).

340

Often the mother's name is dropped (first two examples).   A woman's married name is her maiden name followed by **de** and the surname of her husband (fourth example).

The definite article is not used with the titles **don** and **doña,** which have no English equivalents.

Two complete addresses follow:

Sr. D. Luis Montoya	**Srta. Elena Pérez**
Calle de San Martín, 25	**Avenida Bolívar, 245**
Santiago, Chile	**Caracas, Venezuela**

Business letters are addressed to a firm:

Suárez Hermanos (Hnos.)	**Señores (Sres.) López Díaz y Cía., S. A.**
Apartado (Postal) 867	**Paseo de la Reforma, 12**
Buenos Aires, Argentina	**México, D. F.**

In an address in Spanish one writes first **calle** (**avenida,** *avenue;* **paseo,** *boulevard;* **camino,** *road;* **plaza,** *square*), then the house number.   **Apartado (Postal),** *post office box,* may be abbreviated to **Apdo. (Postal).**   The abbreviation **Cía. = Compañía; S. A. = Sociedad Anónima,** equivalent to English *Inc. (Incorporated)*; and **D. F. = Distrito Federal,** *Federal District.*

Air mail letters are marked **Vía aérea, Correo aéreo,** or **Por avión.** Special delivery letters are marked **Urgente,** and registered letters, **Certificada.**

B. HEADING OF THE LETTER

The usual form of the date line is:

México, D. F., 27 de enero de 1956

The month is usually not capitalized unless it is given first in the date. For the first day of the month 1° (**primero**) is commonly used; the other days are written 2, 3, 4, etc.   Other less common forms for the date line are:

Lima, Junio 15 de 1955
Bogotá, 1° agosto 1954

The address which precedes the salutation of the business and formal social letter is the same as that on the envelope.   In familiar letters only the salutation need be used.

C. SALUTATIONS AND CONCLUSIONS FOR FAMILIAR LETTERS

Forms used in addressing relatives or close friends are:

Querido hermano (Luis):	**(Mi) querida hija:**
Querida amiga mía:	**Queridísima** [1] **mamá:**

In conclusions of familiar letters a great variety of formulas may be used. Some commonly used endings for letters in the family are:

(Un abrazo de) tu hijo (*one boy signs*)
Tu hijo (hija) que te quiere [2] (*one boy or girl signs*)
Con todo el cariño [3] **de tu hermano (hermana)** (*one boy or girl signs*)

For friends (also for the family) the following, with many possible variations, are suitable:

Un abrazo de tu (su) amiga que te (le) quiere
Tuyo (Suyo) afectísimo (afmo.) [4] *or* **Tuya (Suya) afectísima (afma.)**
Cariñosos saludos [5] **de tu amigo (amiga)**
(Con el cariño de) tu buen amigo (buena amiga)
Sinceramente *or* **Afectuosamente** [6]

In the first few letters to a Spanish friend one normally uses the polite forms of address; as the correspondence continues more familiar forms may be used.

D. SALUTATIONS FOR BUSINESS LETTERS OR THOSE ADDRESSED TO STRANGERS

Appropriate salutations, equivalent to "My dear Sir," "Dear Sir," "Dear Madam," "Gentlemen," etc., are:

Muy señor (Sr.) mío: (*from one person to one gentleman*)
Muy señor nuestro: (*from a firm to one gentleman*)
Muy señores (Sres.) míos: (*from one person to a firm*)
Muy señores nuestros: (*from a firm to a firm*)
Muy señora (Sra.) mía: (*from one person to a woman*)
Muy señorita nuestra: (*from a firm to a young woman*)

---

[1] **Queridísima,** *Dearest.*   [2] When **querer** has a personal object it means *to love.*   [3] **cariño,** *affection.*   [4] **Tuyo (Suyo) afectísimo,** *Affectionately yours.*   [5] **Cariñosos saludos,** *Affectionate greetings.*   [6] **Afectuosamente,** *Affectionately, Sincerely.*

Formulas which may be used in less formal letters are:

Estimado (Apreciado) señor: Dear Sir:
Muy distinguida señorita: Dear Miss:
Muy estimado Sr. Salas: Dear Mr. Salas:
Estimada amiga (Isabel): Dear Friend (Betty):
Mi distinguido amigo (colega): Dear Friend (Colleague):

E. CONCLUSIONS FOR INFORMAL SOCIAL AND BUSINESS LETTERS

Common forms equivalent to "Sincerely yours," "Cordially yours," "Affectionately yours," are:

Suyo afectísimo (afmo.) or **Suyos afectísimos (afmos.)**
Queda [1] **(Quedo) suyo afmo. (suya afma.)**
Le saluda cariñosamente (muy atentamente)
Con todo cariño (afecto)
Se despide afectuosamente tu amigo
Sinceramente (suyo) or **Atentamente**

Other phrases which may accompany these formulas are:

Dé (Da) mis mejores (afectuosos) recuerdos a toda su (tu) familia
Give my best (affectionate) regards to all your family
Salude afectuosamente de mi parte a su esposa
Give my affectionate (cordial) greetings to your wife
Con mis mejores deseos para usted y los suyos, me despido
With best wishes for you and your family, I am (remain)

F. THE BODY OF BUSINESS LETTERS

The Spanish business letter usually begins with a brief sentence which indicates the purpose of the letter. A few examples, with English translations, follow. Note that the sentences cannot always be translated word for word:

Acabo (Acabamos) de recibir su carta del 10 de septiembre.
I (We) have just received your letter of September 10.
Le doy a usted las gracias por el pedido que se sirvió hacerme . . .
Thank you for the order which you kindly placed with me . . .

---

[1] **Queda** is in the third person if the signee is the subject. Also note the next example.

He recibido con mucho agrado su amable carta . . .

I was very glad to receive your (good) letter . . .

Le acusamos recibo de su atenta [1] del 2 del corriente . . .

We acknowledge receipt of your letter of the 2nd (of this month) . . .

Mucho agradeceremos a Ud.[2] tener la bondad de remitirnos un número de muestra . . .

We shall be very grateful if you will kindly send us a sample number . . .

Mucho agradeceré a usted el mandarme . . .

I shall thank you if you will send me . . .

Tengo el agrado de dirigirme a Ud. para agradecerle el envío de . . .

I have the pleasure of writing to thank you for sending me . . .

Le envío giro postal por $3.00 . . .

I am sending you a postal money order for $3.00 . . .

Con fecha 8 del actual me permití escribir a Ud., informándole . . .

On the 8th (of this month) I took the liberty of writing to you, informing you . . .

Muy atentamente suplico a usted se sirva [3] darme a vuelta de correo el precio . . .

Kindly (I ask that you be good enough to) give me by return mail the price . . .

Some proper conclusions which might accompany such salutations are:

Muy agradecidos por la buena atención que se dignará Ud. prestar a la presente, saludamos a Ud. con nuestro mayor aprecio y consideración.

Thanking you for your kind attention to this letter, we remain, very truly yours,

Aprovecho esta oportunidad para quedar de usted como su atento y seguro servidor.

I take this opportunity to remain, sincerely yours,

En espera de su envío y con gracias anticipadas, quedo de Ud. atto. S. S.[4]

Awaiting the shipment and thanking you in advance, I remain, sincerely yours,

Aprovechamos esta ocasión para ofrecernos sus attos. y ss. ss.

We take advantage of this opportunity to remain, yours truly,

---

[1] **Carta** is often replaced with **favor, grata, atenta.**　[2] **Usted(es)** may also be abbreviated **Ud(s)**. Since **usted** is technically a noun (coming from **vuestra merced**), the object pronoun **le** may be omitted before the verb. This practice is noted particularly in letter writing.　[3] **Que** is frequently omitted after such verbs as **rogar, pedir, suplicar, esperar.**　[4] **Seguro servidor** (*sing.*) may be abbreviated to: *S. S.* or *s. s.;* **seguros servidores** (*pl.*) to *SS. SS., Ss. Ss.,* or *ss. ss.* **Atto.** = **atento; attos.** = **atentos.**

A la espera de sus noticias que agradezco de antemano, tengo el gusto de ofrecerme su s. s. y amigo.

Awaiting the information for which I thank you in advance, I remain, sincerely,

Quedamos de ustedes afmos. attos. y Ss. Ss.

We remain, very truly yours,

Nos (Me) es grato saludar a usted(es).

Sincerely yours,

Atentamente le saluda su agradecido s. s.

Sincerely yours,

Le saluda muy cordialmente su servidor y amigo.

Cordially yours,

Me repito [1] su afmo. s. s. *or* **Nos repetimos sus afmos. ss. ss.**

I (We) remain, sincerely,

As noted above, the Spanish conclusion usually requires more than a mere "Very truly yours," or "Sincerely yours." However, there is a tendency nowadays to shorten conclusions of business letters, particularly as correspondence continues with an individual or firm.

Great care must be taken to be consistent in the agreement of salutations and conclusions of letters, keeping in mind whether the letters are addressed to a man or a woman, or to a firm, and whether the letters are signed by one person or by an individual for a firm.

[1] After the first letter (where **aprovecho** was probably used) **me repito** is a good follow-up.

ROBERT WILLIAM HINDS

G. SAMPLE LETTERS

The following letters translated freely from Spanish to English will show how natural, idiomatic phrases in one language convey the same idea in another. Read the following letters aloud for practice, and be able to write any of them from dictation. The teacher may want to test comprehension by asking questions in Spanish on the content of the letters. At the end of this section are listed some words and phrases, not all of which are used in the sample letters, which should be useful in composing original letters.

1

12 de marzo de 1956

Librería de Porrúa Hnos. y Cía.
Apartado 7990
México, D. F.

Muy señores míos:

Tengo el gusto de avisarles a ustedes que acabo de recibir su atenta del 8 del actual y el ejemplar de su catálogo con la lista de precios que se sirvieron remitirme por separado.

Sírvanse ustedes enviarme a la mayor brevedad posible la lista de libros que envío anexo. También hallarán adjunto un cheque por pesos 96,40 [1] en pago de la factura del 20 del pasado.

Quedo de ustedes su atto. y S. S.

March 12, 1956

Porrúa Brothers and Co., Bookstore
Post Office Box 7990
Mexico City

Gentlemen:

I am glad to inform you that I have just received your letter of March 8 and the copy of your catalogue with the list of prices which you kindly sent me under separate cover.

Please send me as soon as possible the list of books which I am including (in this letter). Also you will find enclosed a check for $96.40 (96.40 pesos) in payment of your bill of February 20 (of the 20th of last month).

Sincerely yours,

---

[1] Read **noventa y seis pesos, cuarenta centavos.** While the comma between the dollars and cents has largely been replaced in Spanish by a period, it is still used. The English comma is often written as a period in Spanish: **pesos** 1.250,35.

2

16 de marzo de 1956

Muy señor nuestro:

Acusamos recibo de su favor del 12 del presente, en que hallamos adjunto su cheque por pesos 96,40, que abonamos en su cuenta, y por el cual le damos a usted las gracias.

Hoy le enviamos a vuelta de correo el pedido de libros que se sirvió hacernos, cuyo importe cargamos en su cuenta.

En espera de sus nuevos gratos pedidos, nos es gusto ofrecernos sus afmos. attos. y ss. ss.

March 16, 1956

Dear Sir:

We acknowledge receipt of your letter of March 12, in which we found enclosed your check for 96.40 pesos, which we are crediting to your account, and for which we thank you.

Today we are sending by return mail the order for books which you kindly made of us (sent us), the amount of which we are charging to your account.

Awaiting other kind orders from you, we remain, sincerely yours,

3

Agosto 30 de 1955

Muy señores nuestros:

Con la presente remitimos a ustedes nuestro cheque No. 856 por Dls.[1] 45,00, a su favor y cargo del Banco ——, de New York, N. Y., como pago del anuncio que se sirvieron publicar en su revista —— de agosto del año en curso.

Con gusto nos repetimos sus Afmos. y Ss. Ss.

30 August 1955

Gentlemen:

In this letter we are sending you our check Number 856 for $45.00 (U.S.), drawn in your favor on the —— Bank of New York, N. Y., in payment for the advertisement which you kindly published in your magazine —— in August of this year.

Very sincerely yours,

[1] **Dls. = Dólares** (U.S.).

USEFUL VOCABULARY

abonar to credit
adjunto, –a enclosed
anexo, –a enclosed
avisar to advise, inform
cargar to charge
el **catálogo** catalogue
certificar to register
comunicar to inform, tell
dirigir to address, direct
el **ejemplar** copy
el **envío** shipment, remittance
la **factura** bill, invoice
la **firma** signature
el **folleto** folder, pamphlet
el **franqueo** postage
el **giro** draft
grato, –a kind, pleased

el **importe** cost, amount
las **noticias** news, information
la **muestra** sample
ofrecer(se) to offer, be, offer one's services
el **pago** payment
el **pasado** last month
el **pedido** order
permitirse to take the liberty (to)
el **recibo** receipt
referir(se) (ie) (a) to refer (to)
remitir to remit, send
el **saldo** balance
servirse (i) to be so kind as to
la **solicitud** request
suplicar to beg, ask

a cargo de drawn on, charged to
acusar recibo de to acknowledge receipt of
a favor de Vd. (a su favor) in your favor
a la mayor brevedad posible as soon as possible
anticipar las gracias to thank in advance
a vuelta de correo by return mail
de acuerdo con in compliance with
de antemano in advance, beforehand
del corriente (actual) of the present month
en casa de in care of, c/o
en contestación a in reply to
en espera de awaiting
en su cuenta to one's account
estar encargado de to be in charge of
giro postal money order
hacer un pedido to place (give) an order
lista de correos general delivery
lista de precios price list
no doblar do not fold
(nos) es grato (we) are pleased to
paquete postal parcel post
por separado under separate cover
sírva(n)se + *inf*. to please, be pleased to
tener el agrado (gusto) de to be pleased to
vender al contado (fiado) to sell for cash (on credit)

EXERCISES

A. Address envelopes to the following:

1. Mr. Richard Castillo
10 Santa Ana Square
Madrid, Spain

2. Mrs. Louis Ortiz
25 Bolívar Avenue
Lima, Peru

3. Professor George Medina
Box 546
Buenos Aires, Argentina

4. López Brothers
45 Madero Street
Mexico City

B. Write the following date lines and salutations, then read aloud:

1. Buenos Aires, December 10, 1954; Dear Mr. Aguilar: 2. Bogotá, January 1, 1949; Dear Mrs. Rivas: 3. La Paz, October 12, 1957; Dear Miss Ortega: 4. Mexico City, July 14, 1955; Dear Mother: 5. Sevilla, April 20, 1960; Dear Vincent: 6. Barcelona, August 15, 1956; Dear daughter:

C. Write in Spanish:

1. Dear Sir: (from one person) 2. Dear Sir: (from a firm) 3. Dear Madam: (from one person) 4. Gentlemen: (from one person) 5. Gentlemen: (from a firm) 6. My dear Madam: (to a young woman)

D. Observe and translate into good business English:

1. He recibido su atenta carta del 9 de octubre.
2. Acabo de recibir el libro que se sirvió usted enviarme.
3. Le doy a Ud. las gracias por el pedido que se sirvió hacerme.
4. Tengo el gusto de comunicarle que me fué muy grato recibir su atenta del 16 del corriente.
5. De acuerdo con su solicitud, le remitimos hoy . . .
6. Adjunta le remitimos una muestra.
7. Ruego a ustedes tengan la bondad de darme informes . . .
8. Su carta del 11 del corriente fué referida a nuestro gerente.
9. Tengo el gusto de referirme a su atenta carta del 31 del pasado.
10. Acusamos a usted recibo de su giro postal por la cantidad de . . .

E. Give approximate translations for the following conclusions and indicate whether the signature would be that of an individual or a firm:

1. Aprovechamos esta ocasión para ofrecernos sus atentos y ss. ss.
2. Aprovecho esta oportunidad para quedar de usted como su afectísimo y s. s.
3. Me pongo a las órdenes de ustedes para todo lo que pueda servirles.

4. En espera de sus noticias, quedo a sus órdenes y le saludo muy cordialmente.

5. Nos repetimos (*or* Quedamos) de Ud. attos. y Ss. Ss.

6. Anticipándoles las gracias, quedamos suyos afmos. amigos y attos. ss. ss.

7. Muy cordialmente le saluda su afmo.

8. Le saluda muy cordialmente su servidor y amigo.

9. Esperando poder servirles en otra ocasión, nos repetimos, atentamente.

10. Agradeciéndoles su atención, saluda a Uds. muy atentamente.

F. Give the Spanish for:

1. by return mail. 2. to acknowledge receipt of. 3. under separate cover. 4. to place an order. 5. in care of. 6. in payment of the invoice. 7. as soon as possible. 8. a registered letter. 9. by air mail. 10. to thank in advance. 11. to credit to one's account. 12. to address a letter. 13. the 10th of the present month. 14. Please send. 15. I am pleased to inform you.

G. Translate into Spanish the following letters or parts of letters:

1.
                                                          April 25, 1957

Dear Mr. Ortega:

We have just received your letter of April 20, and under separate cover we are sending you the catalogue and list of prices which you asked for.

Upon receiving your order, we shall send shipment by return mail. Thanking you in advance, we remain,

                              Sincerely yours,

2.
                                                          May 1, 1957

Dear Miss López:

In reply to your letter of April 27, I am pleased to send you by air mail the information which you requested . . .

Please give my best regards to your brother Charles.

                                          Sincerely yours,

3.
                                                          March 16, 1956

Dear Sir:

Thank you for your letter of the 12th of this month, in which we found enclosed your check for $25.00 which we are crediting to your account.

As soon as possible we shall send you the order of books which you kindly sent us. Next week we hope to receive from Spain a good supply of the books which you need. We shall charge the amount to your account.

Awaiting other kind orders, we remain,

                                          Sincerely yours,

H. Suggestions for original letters in Spanish:

1. Write to a foreign student, describing some of your daily activities. Try to use words which you have had in this text.

2. Write to a member of your family, describing some shopping you have done.

3. Assume that you are the Spanish secretary for an American exporting firm. Write a reply to a Spanish American firm which has asked for a recent catalogue and prices.

4. Write an acknowledgment of receipt of the information by the Spanish American firm. Indicate that an order will follow soon.

5. Write to an individual, thanking him for his check which has been received in payment of an invoice of a certain date. Give the balance which remains in his account.

APPENDICES

APPENDIX A

ME GUSTAN TODAS

Me gus - tan to-das, me gus - tan to-das, me gus - tan

to - das en ge - ne - ral. Pe-ro e - sa ru - bia, pe-ro e - sa

ru - bia, pe - ro e - sa ru - bia me gus - ta más.

VILLANCICO DE NAVIDAD

La Vir - gen la-va_____ pa - ña - les_____ y los

tien-de_en el ro - me - ro_____ y los pa - ja - ri - tos

can-tan y el a - gua pa-sa co - rrien-do, pas - to - res lle -

gad_____ es - ta sí que_es u-na no-che bue-na la no - che

bue - na de Na - vi - dad._____

ALLÁ EN EL RANCHO GRANDE [1]

A - llá en el ran-cho gran-de A - llá don-de vi - ví - a,

Ha - bía u-na ran-che - ri - ta Que a-le - gre me de-

cí - a, Que a - le - gre me de - cí - a,

Te voy a ha - cer tus cal - zo-nes, Co-mo los u-

sa el ran - che - ro; Te los co - mien - zo de

la - na, Te los a - ca - bo de cue - ro.

Fine

D.S.

[1] Copyright Edward B. Marks Music Corporation. Used by permission.

LAS MAÑANITAS

Es - tas son las ma - ña - ni - tas que can-
Si el se - re - no de la es - qui - na me qui-

ta - ba el Rey Da - vid, pe - ro no e - ran tan bo-
sie - ra ha-cer fa - vor, de a - pa - gar su lin - ter-

ni - tas, co - mo las can - tan a - quí.
ni - ta, mien - tras que pa - sa mi a - mor.

Des - pier - ta, mi bien, des - pier - ta, mi -

ra que ya a-ma - ne - ció, ya los pa - ja - ri - llos

can - tan, ya la lu - na se o - cul - tó.

CANTO DE ROMERÍA

Allegro con grazia

Tú e - res al - ta y del - ga - da co - mo tu ma -

dre, mo - re - na, sa - la - da, co - mo tu ma - dre.

Ben - di - ta sea la ra - ma que al tron - co sa -
Yo de a - mo - res me mue - ro des - de que te

le, mo - re - na, sa - la - da, que al tron - co sa - le.
vi, mo - re - na, sa - la - da, des - de que te vi.

Fine

D.S.

To - da la no - che es - toy ni - ña pen - san - do en ti.

LA GOLONDRINA

Andante

¿A - dón-de_i - rá, ve - loz y fa - ti - ga - da,

la go - lon - dri - na que de_a-quí se va?_____ Oh, si_en el

ai - re ge - mi - rá_ex-tra - via - da, bus - can-do_a-

bri - go_y no lo_en-con - tra - rá. Jun - to_a mi

le _____ cho le pon-dré su ni_____ do,

en don - de pue - da_____ la_es - ta - ción_____ pa -

sar; tam - bién yo_es - toy_____ en la re - gión per -

di - do, ¡oh cie - lo san - to! sin po - der vo - lar._____

ADELITA

Allegretto

A - de - li - ta se lla - ma la jo - ven a quien yo

quie - ro y no pue-do ol-vi-dar; en el mun - do yo

ten - go u-na ro - sa, que con el tiem - po la

Estribillo

voy a cor - tar. Si A-de - li - ta qui -

sie - ra ser mi es-po - sa, si A-de - li - ta fue -

ra mi mu - jer, le com - pra - ría un

ves - ti - do de se - da pa-ra lle - var - la a bai -

1. 2. *Fine*

lar al cuar - tel._____ Si A-de - _____

ÁBREME LA PUERTA

Vivo

Él

Á - bre-me la puer-ta, do - ra - do cla - vel, á - bre-me la

Ella

puer - ta que te ven - go a ver. Si vie - nes so - li - to

só - lo u - na luz en - cen - de - ré. Só - lo

por ver a mi a - man - te to - do el mun - do ro - dea - ré.

Los dos

Por ver a mi a - man - te, por ver a mi a - mor,

Por ver a la pren - da de mi co - ra - zón.

ADIÓS MUCHACHOS [1]

Poco allegro

A - diós, mu - cha - chos, com - pa - ñe - ros de mi

vi - da, ba - rra que - ri - da de a - que - llos

tiem - pos, me to - ca a mí hoy em - pren - der la re - ti -

ra - da; de - bo a - le - jar - me de mi bue - na mu - cha -

---

[1] Copyright Edward B. Marks Music Corporation. Used by permission.

cha - da.   A - diós, mu - cha - chos, ya me voy y me re -

sig - no;   con - tra el des - ti - no   na - die la

ta - lla,   se ter - mi - na - ron pa - ra mí to - das las

fa - rras,   mi cuer - po en - fer - mo no re - sis - te

Fine

más.   A - cu - den a mi men - te   re - cuer - dos de o - tros

tiem - pos, de los be - llos mo - men - tos que an - ta - ño dis - fru -

té   cer - qui - ta de mi ma - dre, san - ta vie -

ji - ta,   y de mi no - vie - ci - ta   que tan - to ji - do la -

tré.   Se a - cuer - dan que e - ra her - mo - sa, más be - lla que u - na

dio - sa,   y   que   e - brio de a - mor   le   dí   mi   co - ra -

zón,   mas   el   Se - ñor,   ce - lo - so   de   sus   en -

can - tos,   hun - dién - do - me en el   llan - to   me   la   lle - vó   A - diós mu -

TRANSLATION OF SONGS [1]

Me gustan todas (*I Like All the Girls*)

I like all the girls, I like all the girls, in general I like them all. But that blonde, that blonde, but that blonde (is the one) I like best.

Villancico de Navidad (*Christmas Carol*)

The Virgin is washing baby clothes and laying them to dry on the rosemary bush; the little birds are singing as the water rushes by. Shepherds, come, this is indeed a holy night, the holy night of Christmas.

Allá en el rancho grande (*There on the Big Ranch*)

There on the big ranch where once I used to live, there was a little farm girl who happily told me (*repeat*): I am going to make your breeches like those the rancher wears; I'll start them with wool, I'll trim them with hide.

Las mañanitas (*Early Morning Song*)

This is the early morning song which King David used to sing, but it was not quite so pretty as (the one) they sing here.

If the night watchman on the corner would only do me the favor of putting out his lantern while my love passes by.

Awake, my love, awake. See, the dawn has come, the little birds are singing, and the moon has gone to rest.

[1] No attempt has been made at a literal or poetic translation of these songs.

Canto de romería (*Picnic Song*)

You are tall and slender like your mother, charming brunette, just like your mother. Blessed be the branch which resembles the trunk, charming brunette, which resembles the trunk. I have been dying of love ever since I saw you, charming brunette, ever since I saw you. All night long, dear, I think of you.

La golondrina (*The Swallow*)

Whither can the swallow be bound which is leaving here, swiftly though weary? Oh, if it wails, when lost in the air, looking for shelter unable to find it!

Near my bed I shall put its nest, where it can spend the whole season. I too am lost in this region, oh merciful heaven! unable to fly.

Adelita (*Adelita*)

Adelita is the name of the girl whom I love and cannot forget; in the world I have a rose, which in time I am going to pick.

If Adelita would like to be my bride, if Adelita were my wife, I would buy her a silk dress to take her to a dance at the barracks.

Ábreme la puerta (*Open the Door for Me*)

(*He*) Open the door for me, radiant carnation, open the door for me because I am coming to see you. (*She*) If you come all alone, I shall burn only one light. (*He*) Just to see my sweetheart I shall go all around the world. (*Both*) To see my sweetheart, to see my love, to see the darling of my heart.

Adiós muchachos (*Good-bye, Boys*)

Good-bye, boys, companions of all my life, beloved gang of those early days, it is my turn today to undertake my withdrawal (from this world); I must leave my fine gang. Good-bye, boys, I'm leaving now and I'm resigned; no one can win against destiny, all revelries are ended for me, my sickly body will resist no longer. There come to my mind memories of other days, of the beautiful moments which I once enjoyed near my mother, saintly dear little old lady, and my darling sweetheart whom I idolized so much. You remember that she was beautiful, more beautiful than a goddess, and that intoxicated with love I gave her my heart, but the Lord, jealous of her charms, took her from me, plunging me into tears. Good-bye, boys . . .

APPENDIX B

FRASES PARA LA CLASE (*Classroom Expressions*)

A number of expressions and grammatical terms which may be used in the classroom are listed below. They are not included in the end vocabularies unless used in the preceding lessons. Other common expressions are used in the text.

Voy a pasar lista.	I am going to call the roll.
Presente.	Present.
¿ Qué lección tenemos hoy ?	What lesson do we have today ?
Tenemos la lección primera (dos).	We have Lesson One (Two).
¿ En qué página empieza ?	On what page does it begin ?
¿ Qué línea (renglón) ?	What line ?
(La lectura) empieza en la página . . .	(The reading) begins on page . . .
Al principio de la página.	At the beginning of the page.
En el medio (Al pie) de la página.	In the middle (At the bottom) of the page.
Abra Vd. su libro.	Open your book.
Cierren Vds. sus libros.	Close your books.
Lea Vd. en español.	Read in Spanish.
Empiece Vd. a leer.	Begin to read.
Siga Vd. leyendo.	Continue (Go on) reading.
Traduzca Vd. al español (inglés).	Translate into Spanish (English).
Repítalo Vd.	Repeat it.
Pronuncie Vd.	Pronounce.
Basta.	That is enough, That will do.
Vayan (Pasen) Vds. a la pizarra.	Go (Pass) to the blackboard.
Escriban Vds. (al dictado).	Write (at dictation).
Corrijan Vds. las oraciones (frases).	Correct the sentences.
Vuelva(n) Vd(s). a su(s) asiento(s).	Return to your seat(s).
Siénte(n)se Vd(s).	Sit down.
Haga(n) Vd(s). el favor de (+ *inf.*)	Please (+ *inf.*)
Está bien.	All right.
¿ Qué significa la palabra . . . ?	What does the word . . . mean ?
¿ Cómo se dice . . . ?	How does one say . . . ?
¿ Quién quiere hacer una pregunta ?	Who wants to ask a question ?
Escuchen Vds. bien.	Listen carefully.
Preparen Vds. para mañana.	Prepare for tomorrow.
Ha sonado el timbre.	The bell has rung.
La clase ha terminado.	The class has ended.
Vds. pueden marcharse.	You may leave (You are excused).

GRAMMATICAL TERMS

el adjetivo	adjective
demostrativo	demonstrative
posesivo	possessive
el adverbio	adverb
el artículo	article
definido	definite
indefinido	indefinite
el cambio ortográfico	change in spelling
la capitalización	capitalization
la cláusula	clause
la comparación	comparison
el comparativo	comparative
el complemento	object
directo	direct
indirecto	indirect
la composición	composition
la concordancia	agreement
la conjugación	conjugation
la conjunción	conjunction
la consonante	consonant
el diptongo	diphthong
el género	gender
masculino	masculine
femenino	feminine
el gerundio	present participle
el infinitivo	infinitive
la interjección	interjection
la interrogación	interrogation, question
el modo indicativo (subjuntivo)	indicative (subjunctive) mood
el nombre (sustantivo)	noun, substantive
el nombre propio	proper name
el numeral cardinal (ordinal)	cardinal (ordinal) numeral
el número	number
singular	singular
plural	plural
la palabra (negativa)	(negative) word
las partes de la oración	parts of speech
el participio pasado	past participle
la persona	person
primera	first
segunda	second
tercera	third
la posición	position
el predicado	predicate

la preposición	preposition
el pronombre	pronoun
interrogativo	interrogative
personal	personal
relativo	relative
la pronunciación	pronunciation
la puntuación	punctuation
la radical (raíz)	stem
el significado	meaning
la sílaba	syllable
última	last
penúltima	next to the last
el subjuntivo	subjunctive
el sujeto	subject
el superlativo (absoluto)	(absolute) superlative
la terminación	ending
el tiempo	tense
el tiempo simple (compuesto)	simple (compound) tense
condicional (de indicativo)	conditional (indicative)
condicional perfecto	conditional perfect
futuro (perfecto)	future (perfect)
imperfecto	imperfect
perfecto	perfect (present perfect)
pluscuamperfecto	pluperfect
presente (de subjuntivo)	present (subjunctive)
pretérito	preterit
el triptongo	triphthong
el verbo	verb
auxiliar	auxiliary
impersonal	impersonal
irregular	irregular
reflexivo	reflexive
regular	regular
(in)transitivo	(in)transitive
la vocal	vowel
la voz	voice
activa	active
pasiva	passive

SIGNOS DE PUNTUACIÓN (*Punctuation Marks*)

,	coma	( )	(el) paréntesis
;	punto y coma	« »	comillas
:	dos puntos	´	acento
.	punto final	¨	(la) diéresis

...	puntos suspensivos	~	(la) tilde
¿ ?	signo(s) de interrogación	-	(el) guión
¡ !	signo(s) de admiración	—	raya

ABBREVIATIONS AND SIGNS

adj.	adjective	*Mex.*	Mexican
adv.	adverb	*m.*	masculine
cond.	conditional	*obj.*	object
conj.	conjunction	*p.p.*	past participle
dir.	direct	*part.*	participle
f.	feminine	*pers.*	person
fam.	familiar	*pl.*	plural
i.e.	that is	*prep.*	preposition
imp.	imperfect	*pres.*	present
imper.	imperative	*pret.*	preterit
impers.	impersonal	*pron.*	pronoun
ind.	indicative	*reflex.*	reflexive
indef.	indefinite	*sing.*	singular
indir.	indirect	*subj.*	subjunctive
inf.	infinitive	*trans.*	transitive
lit.	literally	*U.S.*	United States

( ) Words in parentheses are explanatory or they are to be translated in the exercises.

— In the Spanish Usage section a dash indicates a change in speaker; in the general vocabularies it indicates a word repeated, while in the exercises it usually is to be supplied by some specific grammatical form.

+ = followed by.

APPENDIX C

REGULAR VERBS

hablar, *to speak* **comer,** *to eat* **vivir,** *to live*

PRESENT PARTICIPLE

hablando, *speaking* **comiendo,** *eating* **viviendo,** *living*

PAST PARTICIPLE

hablado, *spoken* **comido,** *eaten* **vivido,** *lived*

THE SIMPLE TENSES

INDICATIVE MOOD

PRESENT

I speak, do speak, am speaking, etc.	*I eat, do eat, am eating, etc.*	*I live, do live, am living, etc.*
hablo	como	vivo
hablas	comes	vives
habla	come	vive
hablamos	comemos	vivimos
habláis	coméis	vivís
hablan	comen	viven

IMPERFECT

I was speaking, used to speak, spoke, etc.	*I was eating, used to eat, ate, etc.*	*I was living, used to live, lived, etc.*
hablaba	comía	vivía
hablabas	comías	vivías
hablaba	comía	vivía
hablábamos	comíamos	vivíamos
hablabais	comíais	vivíais
hablaban	comían	vivían

PRETERIT

I spoke, did speak, etc.	*I ate, did eat, etc.*	*I lived, did live, etc.*
hablé	comí	viví
hablaste	comiste	viviste
habló	comió	vivió

hablamos	comimos	vivimos
hablasteis	comisteis	vivisteis
hablaron	comieron	vivieron

FUTURE

I shall (will) speak, etc.	*I shall (will) eat, etc.*	*I shall (will) live, etc.*
hablaré	comeré	viviré
hablarás	comerás	vivirás
hablará	comerá	vivirá
hablaremos	comeremos	viviremos
hablaréis	comeréis	viviréis
hablarán	comerán	vivirán

CONDITIONAL

I should (would) speak, etc.	*I should (would) eat, etc.*	*I should (would) live, etc.*
hablaría	comería	viviría
hablarías	comerías	vivirías
hablaría	comería	viviría
hablaríamos	comeríamos	viviríamos
hablaríais	comeríais	viviríais
hablarían	comerían	vivirían

SUBJUNCTIVE MOOD

PRESENT

(that) I may speak, etc.	*(that) I may eat, etc.*	*(that) I may live, etc.*
hable	coma	viva
hables	comas	vivas
hable	coma	viva
hablemos	comamos	vivamos
habléis	comáis	viváis
hablen	coman	vivan

—ra IMPERFECT

(that) I might speak, etc.	*(that) I might eat, etc.*	*(that) I might live, etc.*
hablara	comiera	viviera
hablaras	comieras	vivieras
hablara	comiera	viviera

habláramos	comiéramos	viviéramos
hablarais	comierais	vivierais
hablaran	comieran	vivieran

—se IMPERFECT

(that) I might speak, etc.	(that) I might eat, etc.	(that) I might live, etc.
hablase	comiese	viviese
hablases	comieses	vivieses
hablase	comiese	viviese
hablásemos	comiésemos	viviésemos
hablaseis	comieseis	vivieseis
hablasen	comiesen	viviesen

IMPERATIVE

speak	eat	live
habla (tú)	come (tú)	vive (tú)
hablad (vosotros)	comed (vosotros)	vivid (vosotros)

THE COMPOUND TENSES

PERFECT INFINITIVE

haber hablado (comido, vivido), *to have spoken (eaten, lived)*

PERFECT PARTICIPLE

habiendo hablado (comido, vivido), *having spoken (eaten, lived)*

INDICATIVE MOOD

PRESENT PERFECT	PLUPERFECT	PRETERIT PERFECT
I have spoken, eaten, lived, etc.	I had spoken, eaten, lived, etc.	I had spoken, eaten, lived, etc.
he has ha hemos habéis han } hablado comido vivido	había habías había habíamos habíais habían } hablado comido vivido	hube hubiste hubo hubimos hubisteis hubieron } hablado comido vivido

FUTURE PERFECT

I shall (will) have spoken, etc.

habré
habrás
habrá
habremos } hablado
habréis } comido
habrán } vivido

CONDITIONAL PERFECT

I should (would) have spoken, etc.

habría
habrías
habría
habríamos } hablado
habríais } comido
habrían } vivido

SUBJUNCTIVE MOOD

PRESENT PERFECT

(that) I may have spoken, etc.

haya
hayas
haya
hayamos } hablado
hayáis } comido
hayan } vivido

−ra AND −se PLUPERFECT

(that) I might have spoken, etc.

hubiera *or* hubiese
hubieras *or* hubieses
hubiera *or* hubiese
hubiéramos *or* hubiésemos } hablado
hubierais *or* hubieseis } comido
hubieran *or* hubiesen } vivido

IRREGULAR PAST PARTICIPLES OF REGULAR AND STEM−CHANGING VERBS

abrir:	**abierto**	escribir:	**escrito**
cubrir:	**cubierto**	morir:	**muerto**
descubrir:	**descubierto**	resolver:	**resuelto**
devolver:	**devuelto**	romper:	**roto**
envolver:	**envuelto**	volver:	**vuelto**

COMMENTS CONCERNING FORMS OF VERBS

INFINITIVE	PRES. PART.	PAST PART.	PRES. IND.	PRETERIT
decir	**diciendo**	**dicho**	**digo**	**dijeron**
IMP. IND.	PROGRESSIVE TENSES	COMPOUND TENSES	PRES. SUBJ.	IMP. SUBJ.
decía	**estoy,** etc. **diciendo**	**he,** etc. **dicho**	**diga**	**dijera** **dijese**
FUTURE **diré**			IMPERATIVE **di** decid	
CONDITIONAL **diría**				

a. From five forms (infinitive, present participle, past participle, first person singular present indicative, and third person plural preterit) all other forms may be derived.

b. The first and second persons plural of the present indicative of all verbs are regular except in the cases of **haber, ir, ser.**

c. The third person plural is formed by adding –**n** to the third person singular in all tenses except the preterit and in the present indicative of **ser.**

d. All familiar forms (second person singular and plural) end in –**s,** except the second person singular preterit and the imperative.

e. The imperfect indicative is regular in all verbs except **ir (iba), ser (era), ver (veía).**

f. If the first person singular preterit ends in unaccented –**e,** the third person singular ends in unaccented –**o;** the other endings are regular, except that after **j** the ending for the third person plural is –**eron.** Eight verbs of this group, excluding those which end in –**ducir,** have a u-stem preterit (**andar, caber, estar, haber, poder, poner, saber, tener**); four have an i-stem (**decir, hacer, querer, venir**); **traer** has a regular stem with the above endings. (The third person plural preterit forms of **decir** and **traer** are **dijeron** and **trajeron,** respectively. The third person singular form of **hacer** is **hizo.**) **Ir** and **ser** have the same preterit, while **dar** has second-conjugation endings in this tense.

g. The conditional always has the same stem as the future. Only twelve verbs have irregular stems in these tenses. Five drop **e** of the infinitive ending (**caber, haber, poder, querer, saber**); five drop **e** or **i** and insert **d** (**poner, salir, tener, valer, venir**); and two (**decir, hacer**) retain the Old Spanish stems **dir–, har– (far–).**

h. The stem of the present subjunctive of all verbs is the same as that of the first person singular present indicative, except for **dar, estar, haber, ir, saber, ser.**

i. The imperfect subjunctive of all verbs is formed by dropping –**ron** of the third person plural preterit and adding the –**ra** or –**se** endings.

j. The singular imperative is the same in form as the third person singular present indicative, except in the case of ten verbs (**decir, di; haber, he; hacer, haz; ir, ve; poner, pon; salir, sal; ser, sé; tener, ten; valer, val (vale); venir, ven**). The plural imperative is always formed by dropping final –**r** of the infinitive and adding –**d.** (Remember that the imperative is used only for familiar affirmative commands.)

k. The compound tenses of all verbs are formed by using the various tenses of the auxiliary verb **haber** with the past participle.

IRREGULAR VERBS

(Participles are given with the infinitive; tenses not listed are regular.)

1. **andar,** andando, andado, *to go, walk*

PRETERIT	anduve	anduviste	anduvo	anduvimos	anduvisteis
	anduvieron				
IMP. SUBJ.	anduviera, etc.			anduviese, etc.	

2. **caber,** cabiendo, cabido, *to fit, be contained in*

PRES. IND.	quepo	cabes	cabe	cabemos	cabéis	caben
PRES. SUBJ.	quepa	quepas	quepa	quepamos	quepáis	quepan
FUTURE	cabré	cabrás, etc.		COND.	cabría	cabrías, etc.
PRETERIT	cupe	cupiste	cupo	cupimos	cupisteis	cupieron
IMP. SUBJ.	cupiera, etc.			cupiese, etc.		

3. **caer, cayendo,** caído, *to fall*

PRES. IND.	caigo	caes	cae	caemos	caéis	caen
PRES. SUBJ.	caiga	caigas	caiga	caigamos	caigáis	caigan
PRETERIT	caí	caíste	cayó	caímos	caísteis	cayeron
IMP. SUBJ.	cayera, etc.			cayese, etc.		

4. **dar,** dando, dado, *to give*

PRES. IND.	doy	das	da	damos	dais	dan
PRES. SUBJ.	dé	des	dé	demos	deis	den
PRETERIT	dí	diste	dió	dimos	disteis	dieron
IMP. SUBJ.	diera, etc.			diese, etc.		

5. **decir, diciendo, dicho,** *to say, tell*

PRES. IND.	digo	dices	dice	decimos	decís	dicen
PRES. SUBJ.	diga	digas	diga	digamos	digáis	digan
IMPERATIVE	di			decid		
FUTURE	diré	dirás, etc.		COND.	diría	dirías, etc.
PRETERIT	dije	dijiste	dijo	dijimos	dijisteis	dijeron
IMP. SUBJ.	dijera, etc.			dijese, etc.		

6. **estar,** estando, estado, *to be*

PRES. IND.	estoy	estás	está	estamos	estáis	están
PRES. SUBJ.	esté	estés	esté	estemos	estéis	estén
PRETERIT	estuve	estuviste	estuvo	estuvimos	estuvisteis	es-tuvieron
IMP. SUBJ.	estuviera, etc.			estuviese, etc.		

7. **haber,** habiendo, habido, *to have* (auxiliary)

PRES. IND.	he	has	ha	hemos	habéis	han
PRES. SUBJ.	haya	hayas	haya	hayamos	hayáis	hayan
IMPERATIVE	he				habed	
FUTURE	habré	habrás, etc.		COND. habría habrías, etc.		
PRETERIT	hube	hubiste	hubo	hubimos	hubisteis	hubieron
IMP. SUBJ.	hubiera, etc.				hubiese, etc.	

8. **hacer,** haciendo, **hecho,** *to do, make*

PRES. IND.	hago	haces	hace	hacemos	hacéis	hacen
PRES. SUBJ.	haga	hagas	haga	hagamos	hagáis	hagan
IMPERATIVE	haz				haced	
FUTURE	haré	harás, etc.		COND. haría harías, etc.		
PRETERIT	hice	hiciste	hizo	hicimos	hicisteis	hicieron
IMP. SUBJ.	hiciera, etc.				hiciese, etc.	

9. **ir,** yendo, ido, *to go*

PRES. IND.	voy	vas	va	vamos	vais	van
PRES. SUBJ.	vaya	vayas	vaya	vayamos	vayáis	vayan
IMPERATIVE	ve				id	
IMP. IND.	iba	ibas	iba	íbamos	ibais	iban
PRETERIT	fuí	fuiste	fué	fuimos	fuisteis	fueron
IMP. SUBJ.	fuera, etc.				fuese, etc.	

10. **oír,** oyendo, oído, *to hear*

PRES. IND.	oigo	oyes	oye	oímos	oís	oyen
PRES. SUBJ.	oiga	oigas	oiga	oigamos	oigáis	oigan
IMPERATIVE	oye				oíd	
PRETERIT	oí	oíste	oyó	oímos	oísteis	oyeron
IMP. SUBJ.	oyera, etc.				oyese, etc.	

11. **poder, pudiendo,** podido, *to be able*

PRES. IND.	puedo	puedes	puede	podemos	podéis	pueden
PRES. SUBJ.	pueda	puedas	pueda	podamos	podáis	puedan
FUTURE	podré	podrás, etc.		COND. podría podrías, etc.		
PRETERIT	pude	pudiste	pudo	pudimos	pudisteis	pudieron
IMP. SUBJ.	pudiera, etc.				pudiese, etc.	

12. **poner,** poniendo, **puesto,** *to put, place*

PRES. IND.	**pongo**	pones	pone	ponemos	ponéis	ponen
PRES. SUBJ.	**ponga**	**pongas**	**ponga**	**pongamos**	**pongáis**	**pongan**
IMPERATIVE	**pon**				poned	
FUTURE	**pondré**	**pondrás,** etc.		COND.	**pondría**	**pondrías,** etc.
PRETERIT	**puse**	**pusiste**	**puso**	**pusimos**	**pusisteis**	**pusieron**
IMP. SUBJ.	**pusiera,** etc.				**pusiese,** etc.	

Like **poner:** componer, *to compose;* proponer, *to propose;* suponer, *to suppose.*

13. **querer,** queriendo, querido, *to wish, want*

PRES. IND.	**quiero**	**quieres**	**quiere**	queremos	queréis	**quieren**
PRES. SUBJ.	**quiera**	**quieras**	**quiera**	queramos	queráis	**quieran**
FUTURE	**querré**	**querrás,** etc.		COND.	**querría**	**querrías,** etc.
PRETERIT	**quise**	**quisiste**	**quiso**	**quisimos**	**quisisteis**	**quisieron**
IMP. SUBJ.	**quisiera,** etc.				**quisiese,** etc.	

14. **saber,** sabiendo, sabido, *to know*

PRES. IND.	**sé**	sabes	sabe	sabemos	sabéis	saben
PRES. SUBJ.	**sepa**	**sepas**	**sepa**	**sepamos**	**sepáis**	**sepan**
FUTURE	**sabré**	**sabrás,** etc.		COND.	**sabría**	**sabrías,** etc.
PRETERIT	**supe**	**supiste**	**supo**	**supimos**	**supisteis**	**supieron**
IMP. SUBJ.	**supiera,** etc.				**supiese,** etc.	

15. **salir,** saliendo, salido, *to go out, leave*

PRES. IND.	**salgo**	sales	sale	salimos	salís	salen
PRES. SUBJ.	**salga**	**salgas**	**salga**	**salgamos**	**salgáis**	**salgan**
IMPERATIVE	**sal**				salid	
FUTURE	**saldré**	**saldrás,** etc.		COND.	**saldría**	**saldrías,** etc.

16. **ser,** siendo, sido, *to be*

PRES. IND.	**soy**	**eres**	**es**	**somos**	**sois**	**son**
PRES. SUBJ.	**sea**	**seas**	**sea**	**seamos**	**seáis**	**sean**
IMPERATIVE	**sé**				sed	
IMP. IND.	**era**	**eras**	**era**	**éramos**	**erais**	**eran**
PRETERIT	**fuí**	**fuiste**	**fué**	**fuimos**	**fuisteis**	**fueron**
IMP. SUBJ.	**fuera,** etc.				**fuese,** etc.	

17. **tener,** teniendo, tenido, *to have*

PRES. IND.	**tengo**	**tienes**	**tiene**	tenemos	tenéis	**tienen**
PRES. SUBJ.	**tenga**	**tengas**	**tenga**	**tengamos**	**tengáis**	**tengan**
IMPERATIVE	**ten**				tened	
FUTURE	**tendré**	**tendrás,** etc.		COND.	**tendría**	**tendrías,** etc.	
PRETERIT	**tuve**	**tuviste**	**tuvo**	**tuvimos**	**tuvisteis**	**tuvieron**
IMP. SUBJ.	**tuviera,** etc.				**tuviese,** etc.	

Like **tener:** contener, *to contain;* detener, *to stop;* obtener, *to obtain.*

18. **traer, trayendo,** traído, *to bring*

PRES. IND.	**traigo**	traes	trae	traemos	traéis	traen
PRES. SUBJ.	**traiga**	**traigas**	**traiga**	**traigamos**	**traigáis**	**traigan**
PRETERIT	**traje**	**trajiste**	**trajo**	**trajimos**	**trajisteis**	**trajeron**
IMP. SUBJ.	**trajera,** etc.				**trajese,** etc.	

Like **traer:** atraer, *to attract.*

19. **valer,** valiendo, valido, *to be worth*

PRES. IND.	**valgo**	vales	vale	valemos	valéis	valen
PRES. SUBJ.	**valga**	**valgas**	**valga**	**valgamos**	**valgáis**	**valgan**
IMPERATIVE	**val (vale)**				valed	
FUTURE	**valdré**	**valdrás,** etc.		COND.	**valdría**	**valdrías,** etc.	

20. **venir, viniendo,** venido, *to come*

PRES. IND.	**vengo**	**vienes**	**viene**	venimos	venís	**vienen**
PRES. SUBJ.	**venga**	**vengas**	**venga**	**vengamos**	**vengáis**	**vengan**
IMPERATIVE	**ven**				venid	
FUTURE	**vendré**	**vendrás,** etc.		COND.	**vendría**	**vendrías,** etc.	
PRETERIT	**vine**	**viniste**	**vino**	**vinimos**	**vinisteis**	**vinieron**
IMP. SUBJ.	**viniera,** etc.				**viniese,** etc.	

21. **ver,** viendo, **visto,** *to see*

PRES. IND.	**veo**	ves	ve	vemos	veis	ven
PRES. SUBJ.	**vea**	**veas**	**vea**	**veamos**	**veáis**	**vean**
IMP. IND.	**veía**	**veías**	**veía**	**veíamos**	**veíais**	**veían**

VERBS WITH CHANGES IN SPELLING

Changes in spelling are required in certain verbs in order to preserve the sound of the final consonant of the stem. The changes occur in only seven forms: in the first four types below the change is in the first person singular preterit, and in the remaining types in the first person singular present indicative, while all types change throughout the present subjunctive.

	a	o	u	e	i
Sound of *k*	ca	co	cu	que	qui
Sound of *g*	ga	go	gu	gue	gui
Sound of *th*	za	zo	zu	ce	ci
Sound of *h*	ja	jo	ju	ge, je	gi, ji
Sound of *gw*	gua	guo		güe	güi

1. Verbs ending in –**car** change **c** to **qu** before **e**: **buscar,** *to look for.*

PRETERIT **busqué** buscaste buscó, etc.
PRES. SUBJ. **busque busques busque busquemos busquéis bus-**
quen

Like **buscar:** acercarse, *to approach;* atacar, *to attack;* colocar, *to place;* convocar, *to convoke;* dedicar, *to dedicate;* evocar, *to evoke;* indicar, *to indicate;* marcar, *to mark;* mascar, *to chew;* practicar, *to practice;* predicar, *to preach;* publicar, *to publish;* sacar, *to take out;* significar, *to mean;* tocar, *to play* (music).

2. Verbs ending in –**gar** change **g** to **gu** before **e**: **llegar,** *to arrive.*

PRETERIT **llegué** llegaste llegó, etc.
PRES. SUBJ. **llegue llegues llegue lleguemos lleguéis lleguen**

Like **llegar:** apagar, *to turn off;* colgar (ue),[1] *to hang;* entregar, *to hand;* jugar (ue), *to play* (a game); navegar, *to sail;* negar (ie), *to deny;* pagar, *to pay;* pegar, *to beat;* rogar (ue), *to beg, ask.*

3. Verbs ending in –**zar** change **z** to **c** before **e**: **gozar,** *to enjoy.*

PRETERIT **gocé** gozaste gozó, etc.
PRES. SUBJ. **goce goces goce gocemos gocéis gocen**

Like **gozar:** abrazar, *to embrace;* almorzar (ue), *to take lunch;* analizar, *to analyze;* bautizar, *to baptize;* caracterizar, *to characterize;* comenzar (ie), *to commence, begin;* cruzar, *to cross;* empezar (ie), *to begin;* lanzar, *to hurl;* organizar, *to organize;* realizar, *to realize.*

[1] See pages 380–382 for stem changes.

4. Verbs ending in **–guar** change **gu** to **gü** before **e**: **averiguar,** *to find out.*

PRETERIT **averigüé** averiguaste averiguó, etc.

PRES. SUBJ. **averigüe averigües averigüe averigüemos averigüéis averigüen**

5. Verbs ending in **–ger** or **–gir** change **g** to **j** before **a** and **o**: **coger,** *to pick, catch.*

PRES. IND. **cojo** coges coge, etc.

PRES. SUBJ. **coja cojas coja cojamos cojáis cojan**

Like **coger**: dirigir, *to direct;* escoger, *to select;* proteger, *to protect;* recoger, *to pick up;* surgir, *to surge.*

6. Verbs in **–guir** change **gu** to **g** before **a** and **o**: **distinguir,** *to distinguish.*

PRES. IND. **distingo** distingues distingue, etc.

PRES. SUBJ. **distinga distingas distinga distingamos distingáis distingan**

Like **distinguir**: conseguir (i), *to get;* perseguir (i), *to pursue;* seguir(i), *to follow.*

7. Verbs ending in **–cer** or **–cir** preceded by a consonant change **c** to **z** before **a** and **o**: **vencer,** *to overcome.*

PRES. IND. **venzo** vences vence, etc.

PRES. SUBJ. **venza venzas venza venzamos venzáis venzan**

Like **vencer**: convencer, *to convince.*

8. Verbs ending in **–quir** change **qu** to **c** before **a** and **o**: **delinquir,** *to be guilty.*

PRES. IND. **delinco** delinques delinque, etc.

PRES. SUBJ. **delinca delincas delinca delincamos delincáis delincan**

VERBS WITH SPECIAL ENDINGS

1. Verbs ending in **–cer** or **–cir** following a vowel insert **z** before **c** in the first person singular present indicative and throughout the present subjunctive: **conocer,** *to know* (person).

PRES. IND. **conozco** conoces conoce, etc.

PRES. SUBJ. **conozca conozcas conozca conozcamos conozcáis conozcan**

Like **conocer:** agradecer, *to be thankful for;* aparecer, *to appear;* crecer, *to grow;* establecer, *to establish;* nacer, *to be born;* ofrecer, *to offer;* parecer, *to seem;* pertenecer, *to belong;* reconocer, *to recognize.*

2. Verbs ending in **–ducir** have the same changes as **conocer,** with additional changes in the preterit and imperfect subjunctive: **conducir,** *to conduct, drive.*

PRES. IND. **conduzco** conduces conduce, etc.

PRES. SUBJ. **conduzca conduzcas conduzca conduzcamos conduzcáis conduzcan**

PRETERIT **conduje condujiste condujo condujimos condujisteis condujeron**

IMP. SUBJ. **condujera,** etc. **condujese,** etc.

Like **conducir:** producir, *to produce.*

3. Verbs ending in **–uir** (except **–guir**) insert **y** before **i,** and change unaccented **i** between vowels to **y: construir,** *to construct.*

PARTICIPLES **construyendo** construido

PRES. IND. **construyo construyes construye** construimos construís **construyen**

PRES. SUBJ. **construya construyas construya construyamos construyáis construyan**

IMPERATIVE **construye** construid

PRETERIT construí construiste **construyó** construimos construisteis **construyeron**

IMP. SUBJ. **construyera,** etc. **construyese,** etc.

Like **construir:** contribuir, *to contribute.*

4. Certain verbs ending in **–er** preceded by a vowel replace unaccented **i** of the ending by **y: creer,** *to believe.*

PARTICIPLES **creyendo** creído

PRETERIT creí creíste **creyó** creímos creísteis **creyeron**

IMP. SUBJ. **creyera,** etc. **creyese,** etc.

Like **creer:** leer, *to read.*

5. Some verbs ending in **–iar** require a written accent on the **i** in the singular and third person plural in the present indicative and present subjunctive and in the singular imperative: **enviar,** *to send.*

PRES. IND.	envío	envías	envía	enviamos	enviáis	envían
PRES. SUBJ.	envíe	envíes	envíe	enviemos	enviéis	envíen
IMPERATIVE	envía				enviad	

Like **enviar:** variar, *to vary.*

However, such common verbs as **anunciar,** *to announce;* **apreciar,** *to appreciate;* **estudiar,** *to study;* **iniciar,** *to initiate;* **limpiar,** *to clean;* **pronunciar,** *to pronounce*, do not have the accented **i.**

6. Verbs ending in **–uar** have a written accent on the **u** in the same forms as verbs in section 5: **continuar,** *to continue.*

PRES. IND.	continúo	continúas	continúa	continuamos	continuáis
	continúan				
PRES. SUBJ.	continúe	continúes	continúe	continuemos	continuéis
	continúen				
IMPERATIVE	continúa				continuad

STEM-CHANGING VERBS

CLASS I (–ar, –er)

Many verbs of the first and second conjugations change the stem vowel **e** to **ie** and **o** to **ue** when the vowels **e** and **o** are stressed, *i.e.*, in the singular and third person plural of the present indicative and present subjunctive and in the singular imperative.   Class I verbs are designated: **cerrar (ie), volver (ue).**

cerrar, *to close*

PRES. IND.	cierro	cierras	cierra	cerramos	cerráis	cierran
PRES. SUBJ.	cierre	cierres	cierre	cerremos	cerréis	cierren
IMPERATIVE	cierra					

Like **cerrar:** atravesar, *to cross;* comenzar, *to commence;* despertar, *to awaken;* empezar, *to begin;* encerrar, *to enclose;* gobernar, *to govern;* negar, *to deny;* pensar, *to think;* recomendar, *to recommend;* sentarse, *to sit down.*

perder, *to lose*

PRES. IND.	pierdo	pierdes	pierde	perdemos	perdéis	pierden
PRES. SUBJ.	pierda	pierdas	pierda	perdamos	perdáis	pierdan
IMPERATIVE	pierde					

Like **perder:** defender, *to defend;* encender, *to light;* entender, *to understand.*

contar, *to count*

PRES. IND.	**cuento**	**cuentas**	**cuenta**	contamos	contáis	**cuentan**
PRES. SUBJ.	**cuente**	**cuentes**	**cuente**	contemos	contéis	**cuenten**
IMPERATIVE	**cuenta**					

Like **contar:** acordarse, *to remember;* acostarse, *to go to bed;* almorzar, *to take lunch;* colgar, *to hang;* costar, *to cost;* demostrar, *to demonstrate;* encontrar, *to find;* mostrar, *to show;* probarse, *to try on;* recordar, *to remember;* rogar, *to beg, ask;* sonar, *to sound, ring;* soñar, *to dream;* volar, *to fly.*

volver,[1] *to return*

PRES. IND.	**vuelvo**	**vuelves**	**vuelve**	volvemos	volvéis	**vuelven**
PRES. SUBJ.	**vuelva**	**vuelvas**	**vuelva**	volvamos	volváis	**vuelvan**
IMPERATIVE	**vuelve**					

Like **volver:** devolver, *to give back;* doler, *to ache;* envolver, *to wrap up;* llover, *to rain;* mover, *to move;* resolver, *to resolve.*

jugar, *to play* (a game)

PRES. IND.	**juego**	**juegas**	**juega**	jugamos	jugáis	**juegan**
PRES. SUBJ.	**juegue**	**juegues**	**juegue**	juguemos	juguéis	**jueguen**
IMPERATIVE	**juega**					

CLASS II (–ir)

Certain verbs of the third conjugation have the changes in the stem indicated below. Class II verbs are designated: **sentir (ie), dormir (ue).**

PRES. IND.	1, 2, 3, 6	$\left.\right\}$ **e > ie**	PRES. PART.		$\left.\right\}$ **e > i**
PRES. SUBJ.	1, 2, 3, 6	**o > ue**	PRETERIT	3, 6	**o > u**
IMPERATIVE	Sing.		PRES. SUBJ.	4, 5	
			IMP. SUBJ.	1, 2, 3, 4, 5, 6	

sentir, *to feel*

PRES. PART.	**sintiendo**					
PRES. IND.	**siento**	**sientes**	**siente**	sentimos	sentís	**sienten**
PRES. SUBJ.	**sienta**	**sientas**	**sienta**	**sintamos**	**sintáis**	**sientan**
IMPERATIVE	**siente**					
PRETERIT	sentí	sentiste	**sintió**	sentimos	sentisteis	**sintieron**
IMP. SUBJ.	**sintiera,** etc.				**sintiese,** etc.	

Like **sentir:** advertir, *to warn;* convertir, *to convert;* divertirse, *to amuse oneself;* herir, *to wound;* preferir, *to prefer;* referir, *to refer.*

[1] The past participles of **volver, devolver, resolver** are: **vuelto, devuelto, resuelto.**

dormir, *to sleep*

PRES. PART.	**durmiendo**					
PRES. IND.	**duermo**	**duermes**	**duerme**	dormimos	dormís	**duermen**
PRES. SUBJ.	**duerma**	**duermas**	**duerma**	**durmamos**	**durmáis**	**duerman**
IMPERATIVE	**duerme**					
PRETERIT	dormí	dormiste	**durmió**	dormimos	dormisteis	**durmieron**
IMP. SUBJ.	**durmiera,** etc.				**durmiese,** etc.	

Like **dormir:** morir,[1] *to die.*

CLASS III (–ir)

Certain verbs in the third conjugation change **e** to **i** in all forms in which changes occur in Class II verbs. These verbs are designated: **pedir (i).**

pedir, *to ask*

PRES. PART.	**pidiendo**					
PRES. IND.	**pido**	**pides**	**pide**	pedimos	pedís	**piden**
PRES. SUBJ.	**pida**	**pidas**	**pida**	**pidamos**	**pidáis**	**pidan**
IMPERATIVE	**pide**					
PRETERIT	pedí	pediste	**pidió**	pedimos	pedisteis	**pidieron**
IMP. SUBJ.	**pidiera,** etc.				**pidiese,** etc.	

Like **pedir:** conseguir, *to get;* despedirse, *to take leave;* perseguir, *to pursue;* repetir, *to repeat;* seguir, *to follow;* servir, *to serve;* vestir, *to dress.*

reír, *to laugh*

PARTICIPLES	**riendo**				reído	
PRES. IND.	**río**	**ríes**	**ríe**	**reímos**	**reís**	**ríen**
PRES. SUBJ.	**ría**	**rías**	**ría**	**riamos**	**riais**	**rían**
IMPERATIVE	**ríe**				reíd	
PRETERIT	reí	reíste	**rió**	reímos	reísteis	**rieron**
IMP. SUBJ.	**riera,** etc.				**riese,** etc.	

[1] Past participle: **muerto.**

VOCABULARY

VOCABULARY

A

a to, at, in, from, *etc.*

abandonar to abandon

abierto *p.p. of* **abrir** *and adj.* open, opened

abrazar to embrace

abreviado, –a abbreviated

el **abrigo** overcoat, topcoat

abril April

abrir to open

la **abuela** grandmother

el **abuelo** grandfather; *pl.* grandparents

abundante abundant

el **abuso** abuse

acá here (*often after verbs of motion*)

acabar to end, finish, complete

  acabar de + *inf.* to have just + *p.p.*

  acabar por + *inf.* to end up by + *pres. part.*

el **accidente** accident

la **acción** action

el **aceite** oil

la **aceituna** olive

aceptar to accept

la **acera** sidewalk

acerca de about, concerning

acercarse (a + *obj.*) to approach

acompañado, –a (de) accompanied (by)

acompañar to accompany

aconsejar to advise

acordarse (ue) (de + *obj.*) to remember, recall

acostarse (ue) to go to bed

acostumbrar to be accustomed to, be in the habit of

el **acto** act

actual *adj.* present

el **acueducto** aqueduct

el **acuerdo** agreement

  de acuerdo con in accordance with

  estar de acuerdo to agree, be in agreement

la **acusación** (*pl.* **acusaciones**) accusation

acusar to accuse; acknowledge

además *adv.* furthermore, besides

  además de *prep.* besides, in addition to

adiós good-bye

adjunto, –a enclosed

admirar to admire

el **adobe** *brick made of clay and straw*

adonde to which, where

adoptar to adopt

adorar to adore, worship

adornar (de, con) to adorn (with), decorate

adquiere *pres. of* **adquirir**

adquirir (ie) to acquire

el **adulto** adult

el **adversario** adversary

aéreo, –a air

  (por) correo aéreo (by) air mail

  vía aérea air mail

el **aeropuerto** airport

afectísimo, –a: su — y s.s. sincerely yours

afeitarse to shave

la **afición** fondness

aficionado, –a (a) fond (of)

  ser aficionado, –a (a) to be fond (of)

el **aficionado** fan

afmo. (afma.) = afectísimo (–a)

africano, –a African

afuera *adv.* outside

el **agente** agent

ágil agile

agosto August

agradable agreeable, pleasant

agradecer to be grateful for, thank for

el **agravio** wrong

agrícola (*m. and f.*) agricultural, farm

el **agricultor** agriculturist

la **agricultura** agriculture

agrio, –a sour

el **agua** (*f.*) water

el **aguacate** avocado, alligator pear

385

aguardar to wait (for), await

el **águila** (*f.*) eagle

Agustín Augustine

ahí there (*near person addressed*)

ahora now

    ahora mismo right now, right away

el **aire** air

    al aire libre open-air, in the open air

aislado, –a isolated

al = a + el to the

    al + inf. on (upon) + *pres. part.*

Alberto Albert

la **alcoba** bedroom

alegrarse (**de** + *obj.*) to be glad (to)

    ¡ **cuánto me alegro** (**de**) ! how glad
    I am (to) !

    me alegro (**mucho**) **de** I am (very)
    glad to

alegre joyful, cheerful, lively

la **alegría** joy

la **alfalfa** alfalfa

la **alfombra** rug

algo something, anything

el **algodón** cotton

alguien someone, somebody, anybody

algún *used for* **alguno** *before m. sing.
nouns*

alguno, –a some, any, someone; *pl.*
    some

el **aliado** ally

el **alimento** food

alistarse to enlist

el **alma** (*f.*) soul, heart

almorzar (**ue**) to take (have, eat) lunch

el **almuerzo** lunch

    para el almuerzo for lunch

    tomar el almuerzo to take (have,
    eat) lunch

alquilar to rent

el **altar** altar

alto, –a high, tall, upper

la **altura** altitude, height

la **alumna** pupil, student (*girl*)

el **alumno** pupil, student (*boy*)

allá there (*often after verbs of motion*)

allí there, over there

amable kind

el **amante** lover

amarillo, –a yellow

el **ambiente** atmosphere

América America

    la América del Sur South America

americano, –a American

la **amiga** friend (*f.*)

el **amigo** friend

la **amistad** friendship

el **amo** master

el **amor** love; *pl.* love affairs

Ana Ann, Anna, Anne

el (la) **análisis** analysis

analizar to analyze

anciano, –a old

ancho, –a wide, broad

Andalucía Andalusia (*southern part of
Spain*)

andaluz, –uza Andalusian

andante: caballero —, knight errant

andar to walk, go

    andando el tiempo as time passed

    anduvo enamorado (he) was in love

el **andén** (*pl.* **andenes**) station platform

los **Andes** Andes

la **anécdota** anecdote

el **ángel** angel

el **anillo** ring

el **animal** animal

el **aniversario** anniversary

anoche last night

anochecer: al —, at nightfall

ante *prep.* before, in the presence of

antes *adv.* before, formerly

    antes de *prep.* before (*time*)

    antes (**de**) **que** *conj.* before

anticipar las gracias to thank in
    advance

antiguo, –a ancient, old

    lo antiguo what is old

Antón, Antonio Anthony

anunciar to announce

el **anuncio** advertisement

añadir to add

el **año** year

al año siguiente (in) the following year
a los dos años after two years
¿ cuántos años tiene (él) ? how old is (he)?
tener . . . años to be . . . years old
apagar to turn off
el **aparato de radio (televisión)** radio (television) set
aparecer to appear, rise
apenas scarcely, hardly
aplaudir to applaud
el **apogeo** height
el **apóstol** apostle
apreciar to appreciate
aprender (a + *inf*.) to learn (to)
aprovechar to take advantage of
aproximarse a to approximate, approach
aquel, aquella (–os, –as) those (*distant*)
aquél, aquélla (–os, –as) that (one), those; the former
aquello *neuter pron.* that
aquí here
por aquí around here, this way
el **árbol** tree
la **arcada** arcade
la **arena** sand
la **argamasa** mortar
Argel Algiers (*in North Africa*)
la **Argentina** Argentina
argentino, –a Argentine
el **arma (*f*.)** arm; *pl.* arms, armor
las armas (de fuego) firearms
armado, –a (de) armed (with)
armar to arm
armar caballero to dub (as a) knight
el **armario** wardrobe, chest
la **armonía** harmony
el **arquitecto** architect
la **arquitectura** architecture
arrebatado, –a carried away
arrojar to throw, hurl; *reflex.* throw oneself
el **arroz** rice
el **arte** art; skill, artifice, craft
las artes arts

el **artículo** article
artículo de costumbres article of customs and manners
artificial artificial
el **artista (*also* la artista)** artist
artístico, –a artistic
Arturo Arthur
el **ascensor** elevator
asegurar to assure
asentar (ie) por to take service as
así so, thus; as much
así, así so-so
así como just as, as well as
así es que *conj.* so, thus
así que *conj.* as soon as
el **asiento** seat
asimilarse to be assimilated
asistir a to attend
asombrar to amaze, be amazing
el **aspecto** aspect
astuto, –a astute, clever
atacar to attack
el **ataque** attack
la **atención** attention
la **atenta** letter
atentamente sincerely yours
atento, –a attentive, kind
sus atentos ss. ss. sincerely yours
atraer to attract
atravesar (ie) to cross
atreverse (a + *inf*.) to dare (to)
atto(s). = atento(s)
el **aumento** increase
aun, aún even, still
aunque although, even though
auténtico, –a authentic
el **autobús (*pl.* autobuses)** bus
autobús de las diez ten-o'clock bus
el **autor** author
la **autoridad** authority
avanzado, –a advanced
la **avenida** avenue
la **aventura** adventure
el **avión (*pl.* aviones)** (air)plane
avión de las once eleven-o'clock plane

en avión by plane
por avión by air mail
avisar to advise, warn
ayer yesterday
   ayer (por la tarde) yesterday (after-
    noon)
la ayuda aid
   ayudar (a + *inf.*) to help, aid
el azteca Aztec
el azúcar sugar
azul blue
   los azules the blues

B

la bahía bay
bailar to dance
el baile dance
bajar (de + *obj.*) to go down (stairs),
   get off *or* out (of)
bajo *prep.* under, beneath, below
bajo, −a low, lower
   piso bajo first floor
el balcón (*pl.* balcones) balcony
Baltasar Balthasar (*one of the Three
   Wise Men*)
el ballet ballet
la banana banana
el banano banana tree
el banco bank
la banda band
la bandera banner, flag
bañarse to bathe, take a bath
el baño bath
   cuarto de baño bathroom
   traje de baño bathing suit
barato, −a cheap
Bárbara Barbara
la barbaridad barbarity, ferocity
la barbarie barbarity, lack of culture
bárbaro, −a barbarous, barbarian
el barco boat
el barril barrel
el barrio district
el barro clay
basado, −a based

la base base, basis
el básquetbol basketball
bastante *adj. and pron.* enough, sufficient; *adv.* quite, quite a bit, rather
bastar to be enough, be sufficient
la batalla battle
el baúl trunk
bautizar to baptize
beber to drink
la bebida drink
el béisbol baseball
Belén Bethlehem
bello, −a beautiful, pretty
la bendición blessing
besar to kiss
el beso kiss
la Biblia Bible
la biblioteca library
bien *adv.* well
   más bien (que) rather (than)
el biftec beefsteak
el billete bill, bank note; ticket
   billete de (diez) dólares (ten-)dollar
   bill
blanco, −a (*also noun*) white
   los blancos the whites
la blusa blouse
las boleadoras *lariat with balls at one end*
el boleto ticket (*Mex.*)
la bolsa purse, bag
la bombilla small tube
la bondad kindness
   tener la bondad de (+ *inf.*) to have
    the kindness to, please
bondadoso, −a kind
bonito, −a pretty, beautiful
el bosque woods, forest
botánico, −a botanical
el botones bellboy (*Mex.*)
el boxeo boxing
el Brasil Brazil
bravo, −a fierce
el brazo arm
breve brief, short
la broma trick, joke
   dar bromas a to play tricks on

brotar to burst forth
la **brutalidad** brutality
buen *used for* **bueno** *before m. sing. nouns*
bueno *adv.* well, well now, all right
bueno, –a good
   lo bueno the good, what is good
   muy buenas good afternoon
el **burlador** deceiver
el **burro** burro, donkey
la **busca** search
buscar to look for, seek

C

cabal complete, right
caballerías: novela (libro) de —,
   novel (book) of chivalry
el **caballero** knight
   armar caballero to dub (as a) knight
   caballero andante knight errant
el **caballo** horse
   a caballo on horseback
   montar a caballo to ride horseback
la **cabeza** head
   me duele la cabeza I have a head-
     ache, my head aches
   tener dolor de (la) cabeza to have a
     headache
el **cacahuete** peanut
el **cacao** cacao
el **cacique** Indian chief
cada (*invariable*) each, every
el **cadáver** cadaver, body
caer to fall; *reflex.* fall, fall down
el **café** café; coffee
   café solo black coffee
la **caída** fall
la **calabaza** gourd, pumpkin, squash
la **calavera** skull
el **calcetín** (*pl.* **calcetines**) sock
la **calidad** quality
caliente *adj.* warm, hot
calmarse to calm oneself, become calm
el **calor** heat, warmth
   hacer (mucho) calor to be (very)
     warm (*weather*)

   tener (mucho) calor to be (very)
     warm (*living beings*)
la **calle** street
la **cama** bed, berth
la **cámara** camera
la **camarera** waitress
el **camarero** waiter
cambiar to change, exchange
   cambiarse de ropa to change clothes
el **cambio** change
   en cambio on the other hand
el **camello** camel
caminar to walk, go, travel
el **camino** road, way
   Camino Real King's (Royal) Highway
   en camino de casa on the way home
el **camión** (*pl.* **camiones**) truck
la **camisa** shirt
el **camote** sweet potato
la **campana** bell
la **campanada** stroke (*of clock or bell*)
el **campesino** countryman, peasant
el **campo** country, field
   campo de turismo tourist camp, motel
   casa de campo country house
el **canal** canal
la **canción** (*pl.* **canciones**) song
cansado, –a tired
cansar to tire
cantar to sing
la **cantidad** quantity, amount
la **caña de azúcar** sugar cane
el **cañón** (*pl.* **cañones**) cannon; canyon
la **capacidad** capacity
la **capilla** chapel
la **capital** capital
el **capitán** captain
capturar to capture
la **cara** face
el **carácter** (*pl.* **caracteres**) character
la **característica** characteristic
caracterizar to characterize
la **cárcel** jail, prison
Caribe Caribbean
el **cariño** affection
Carlos Charles

Carlota Charlotte
Carmen Carmen
el **carnaval** carnival
la **carne** meat
el **carnero** sheep
caro, –a expensive, dear
Carolina Caroline
la **carrera** career; race
　carrera de caballos horse race
la **carretera** highway
la **carta** letter; card (*playing*)
　jugar a las cartas to play cards
el **cartaginés** (*pl.* **cartagineses**) Cartha-
　ginian
la **cartera** wallet, billfold
el **cartón** (*pl.* **cartones**) *painting or draw-
　ing on strong paper*
la **casa** house, home; firm
　a casa de (Roberto) to (Robert's)
　en casa at home
　en casa de (mi tía) at (my aunt's)
　(ir) a casa (to go) home
　por casa around (near) home
　salir de casa to leave home
　casarse (con + *obj.*) to marry, get mar-
　ried (to)
la **cáscara** bark
　casi almost
el **caso** case
　castaño, –a dark, brown, brunette
　castellano, –a (*also noun*) Castilian
el **castellano** Castilian (*language*)
Castilla Castile
　Castilla la Nueva New Castile
　Castilla la Vieja Old Castile
el **castillo** castle
　castizo, –a pure
la **catedral** cathedral
　católico, –a Catholic
　catorce fourteen
la **causa** cause
　causar to cause
el **cautivo** captive
la **caza** hunting
la **cebolla** onion
　celebrar to celebrate, hold

　célebre famous, celebrated
el **celta** Celt
el **cementerio** cemetery
la **cena** supper
　cenar to eat supper
　Ceniza: Miércoles de —, Ash Wednes-
　day
el **centavo** cent
los **centenares** hundreds
　central central
el **centro** center, downtown
　(estar) en el centro (to be) down-
　town
　(ir) al centro (to go) downtown
　cerca *adv.* near, close, nearby
　cerca de *prep.* near
el **cerdo** pig
la **ceremonia** ceremony
　cerrar (ie) to close
　certeza: con —, for sure
la **cerveza** beer
la **cesta** racket
el **cielo** sky, heaven
　científico, –a scientific
　ciento (cien) one (a) hundred
　ciento (dos) a hundred (two)
　cierto, –a (a) certain, true
　cinco five
　cincuenta fifty
el **cine** movie(s)
el **círculo** circle
la **cita** date, appointment
la **ciudad** city
　civil civil
la **civilización** civilization
　civilizador, –ora civilizing
el **clamor** clamor
Clara Clara
　claramente clearly
la **claridad** clarity
　claro, –a clear
　claro que *conj.* certainly
　¡ claro que no ! certainly not ! of
　course not !
la **clase** class, classroom; kind
　clase (de español) (Spanish) class

dar clases to teach
clásico, –a classic
clavar to fix
el **clima** climate
cobrar to cash; collect; gain
la **coca** *a plant whose leaves are chewed as a stimulant*
la **cocaína** cocaine
la **cocina** kitchen
el **coche** car
  en coche by car
el **coche cama** Pullman
codicioso, –a covetous, greedy
coger to catch; gather, pick (up), take
colaborar to collaborate
la **colección** (*pl.* **colecciones**) collection
colgar (ue) to hang
colocar to place, put
colombiano, –a Colombian, Columbian
Colón Columbus
la **colonia** colony, district
colonial colonial
la **colonización** colonization
el **color** color
  a colores in color(s)
  ¿ de qué color es ? what color is ?
el **colorido** coloring, color
colorado, –a red
combatir to combat
la **comedia** play, comedy
el **comedor** dining room
comenzar (ie) (a + *inf*.) to begin, commence (to)
comer to eat, dine, have dinner; *reflex.* eat up
comercial *adj.* commercial, business
el **comerciante** merchant, trader
el **comercio** commerce, trade
cometer to commit
la **comida** meal, dinner, food
como as, since, like
  tan ... como as (so) ... as
  ¿ cómo ? how ? what ?
  ¡ cómo no ! of course! certainly!
cómodo, –a comfortable
el **compañero** companion

la **compañía** company
  en compañía de accompanied by
compararse to be compared
completamente completely
completo, –a complete
complicado, –a complicated
componer to compose
la **composición** (*pl.* **composiciones**) composition, theme
el **compositor** composer
la **compra** purchase
  ir de compras to go shopping
comprar to buy, purchase
comprender to understand, comprehend; comprise, include, cover, embrace
compuesto *p.p. of* **componer**
compuso *pret. of* **componer**
común: por lo —, commonly, generally
comunicar to inform
con with
conceder to concede, grant
el **conde** count
condenar to condemn
la **condesa** countess
la **condición** (*pl.* **condiciones**) condition
conducir to conduct, drive (*a car*)
la **confederación** confederation
la **conferencia** conference
el **confeti** confetti
la **confianza** confidence, trust
la **conflagración** conflagration
el **conflicto** conflict
la **confusión** confusion
la **conga** conga (*a dance*)
el **congreso** congress
  conjunto: en —, as a whole
conmemorar to commemorate
conmigo with me
conocer to know, be acquainted with; meet
  dar a conocer to make known
conocido, –a known, recognized
el **conocimiento** knowledge
la **conquista** conquest
el **conquistador** conqueror

conquistar to conquer
la **consecuencia** consequence
conseguir (i) to get, obtain, succeed in, attain
conservar to conserve, keep, preserve
considerar to consider
consigo with himself (herself, etc.)
consistir en to consist of (in)
el **conspirador** conspirator
construir to construct, build
construyeron, construyó *pret. of* **construir**
el **cónsul** consul
consumir to consume, eat
contar (ue) to count; tell, relate
　contar con to count on
contemporáneo, –a contemporary
contener to contain
contento, –a happy, pleased, glad, satisfied
contestar to answer, reply
contienen *pres. of* **contener**
contigo with you (*fam.*)
el **continente** continent
continuar to continue
contra against
contrario, –a contrary
　por lo contrario on the contrary
contrastar to contrast
el **contraste** contrast
la **contribución** contribution
contribuir to contribute
contribuyeron *pret. of* **contribuir**
convencer to convince
convencido, –a (de que) convinced (that)
convencional conventional
la **conversación** (*pl.* **conversaciones**) conversation
convertir (ie) to convert; *reflex.* be converted
convirtieron, convirtió *pret. of* **convertir**
convocar to call, convoke
el **corazón** heart
la **corbata** necktie

cordialmente cordially
la **cordillera** cordillera, mountain range
el **corredor** corridor
el **correo** mail
　casa de correos post office
　echar al correo to mail
　por correo aéreo by air mail
correr to run, race
corresponder to correspond
la **corrida (de toros)** bullfight
corriente: del —, of the present month
cortar to cut
la **corte** court
cortés courteous
el **cortesano** courtier
la **cortesía** courtesy
corto, –a short
la **cosa** thing
cosechar to harvest
la **costa** coast
costar (ue) to cost
la **costumbre** custom
　novela (artículo) de costumbres novel (article) of customs and manners
el **costumbrismo** literature of customs and manners
el **costumbrista** writer of articles of customs and manners
la **creación** creation
creador, –ora creative
el **creador** creator
crear to create
crecer to grow, increase
crédulo, –a credulous
creer to believe, think
　creer que sí (no) to believe so (not)
la **crema** cream
creyó *pret. of* **creer**
la **criada** maid
el **criado** servant
criar to grow
el **criollo** creole (*son of Spaniards born in the New World*)
el **cristianismo** Christianty
cristiano, –a Christian

Cristo Christ
Cristóbal Christopher
crítico, —a critical
el **crucifijo** crucifix
crudo, —a crude, stark
cruel cruel
la **crueldad** cruelty
la **cruz** cross
cruzar to cross
el **cuaderno** notebook
el **cuadro** picture, scene, vivid description
cual: el —, la — (los, las cuales) that, which, who, whom
 lo cual which (fact)
¿ **cuál?** which (one)? what?
cualquier any
cuando when
¿ **cuándo?** when?
cuanto: en —, *conj.* as soon as
 cuanto antes at once, immediately, as soon as possible
 en cuanto a *prep.* as for
cuanto, —a all that (who); *pl.* all those who (which)
 unos (—as) cuantos (—as) a few, some
¿ **cuánto, —a?** how much (many)?
 ¿ **a cuántos estamos?** what is the date?
 ¿ **cuánto tiempo?** how long?
¡ **cuánto (+** *verb***)!** how!
¡ **cuánto, —a!** how much (many)!
cuarenta forty
la **Cuaresma** Lent
cuarto, —a fourth
el **cuarto** quarter; room
 cuarto de baño bathroom
cuatro four
cuatrocientos, —as four hundred
cubano, —a Cuban
cubierto, —a (de) *p.p. of* **cubrir** *and adj.* covered (with)
cubrir to cover
la **cuchara** spoon
el **cuchillo** knife
la **cuenta** account, bill

 darse cuenta de to realize
 tener en cuenta to bear in mind
el **cuentista** short story writer
el **cuento** short story, tale
el **cuero** leather
el **cuerpo** body
la **cuestión** question
la **cueva** cave
el **cuidado** care
 con cuidado carefully
 tener cuidado (de) to be careful (to)
cuidar to take care of, look after
cultivar to cultivate
el **cultivo** cultivation
 campo de cultivo cultivated field
culto, —a cultured, cultivated
la **cultura** culture
cultural cultural
la **cumbre** summit
el **cumpleaños** birthday
cumplir to fulfill, keep (*one's word*)
 cumplir (doce) años to reach one's (twelfth) birthday
el **cura** priest
el **curandero** medicine man
curar to cure
curvo, —a curved
cuyo, —a whose
el **Cuzco** Cuzco

Ch

charlar to chat
el **cheque** check
el **chicle** chicle (*used for making chewing gum*)
el **chico** small boy; *pl.* children
el **chile** chili
chileno, —a Chilean
la **chimenea** chimney, fireplace
el **chocolate** chocolate

D

la **dama** lady
la **danza** dance

el **daño** harm, damage
    hacer daño a to harm, hurt
    hacerse daño to hurt oneself
  dar to give
    dar a to face
    dar a conocer to make known
    dar clases to teach
    dar un paseo to take a walk (ride)
    darse prisa to hurry
    lo damos a we are offering it for
  datar to date
  de of, from, about, by, to, with; in (*after a superlative*); than (*before numerals*)
  debajo de below, under, beneath
  deber to owe, be indebted for; must, should, ought to
    debe de ser (it) must be
  debido a due to
  debiera (I) ought to, should
la **decadencia** decadence
  decidir to decide
  décimo, –a tenth
  decir to say, tell, speak
    es decir that is to say
    oír decir que to hear that
  decisivo, –a decisive
  declarar to declare
la **decoración** decoration
  decorar to decorate
  dedicar to dedicate
    dedicarse a to dedicate (devote) oneself to
el **dedo** finger
el **defecto** defect
  defender (ie) to defend
  defenderse de to defend oneself from (against)
la **defensa** defense
  definitivamente definitely
  dejar *trans.* to leave (behind); let, allow, permit
    no dejar de + *inf.* not to fail to
  del = de + el of the
  delgado, –a thin
  delicioso, –a delightful
  demás *adj. and pron.* (the) rest, others

  demasiado *adj. and adv.* too, too much (many)
la **democracia** democracy
  democrático, –a democratic
  demostrar (ue) to demonstrate, show
el **dentista** dentist
  dentro de *prep.* within, in
el **departamento** apartment
el **dependiente** clerk
el **deporte** sport
  derecho, –a right
    a la derecha to (on) the right
el **derecho** right
  derivar to derive
  derrotar to defeat, rout
el **desaliento** discouragement
  desarrollar to develop
el **desarrollo** development
  desayunarse to eat (take) breakfast
el **desayuno** breakfast
    tomar el desayuno to take (eat) breakfast
  descansar to rest
el **descontento** discontent, dissatisfaction
  describir to describe
  descubierto, –a *p.p. of* **descubrir** *and adj.* discovered
el **descubridor** discoverer
el **descubrimiento** discovery
  descubrir to discover
  desde from, since
  desear to desire, wish, want
el **deseo** desire, wish
    tener grandes deseos de to be very anxious to
el **desfile** parade
la **desgracia** misfortune
    por desgracia unfortunately
  deshacer to right, undo
  desierto, –a deserted
el **desierto** desert
  designar to designate
la **desilusión** disillusion
  desilusionado, –a disillusioned
  desinflado, –a flat
  despacio slowly

el **despacho** office
  despacho de billetes ticket office
despedirse (i) (de + *obj*.) to say good-
  bye (to), take leave (of)
el **despertador** alarm clock
  despertar (ie) to awaken, wake up;
    reflex. wake up (oneself)
despierto, –a awake
después *adv.* afterwards, later
  después de *prep.* after
  después que *conj.* after
  poco después shortly afterward
  poco después de shortly after
destacarse to stand out
desterrado, –a exiled, banished
destinado, –a destined
la **destreza** skill
la **destrucción** destruction
destruir to destroy
destruyó *pret. of* **destruir**
desunido, –a disunited
detenerse to stop
determinado, –a definite
determinar to determine, decide
detrás *adv.* behind
  detrás de *prep.* behind
la **deuda** debt
devolver (ue) to return, give back
  (te lo) devuelvo I'll return (it to you)
devorar to devour, eat
D. F. = Distrito Federal Federal District
el **día** day
  al día siguiente (on) the following day
  hoy día nowadays
  buenos días good morning (day)
  todos los días every day
el **dialecto** dialect
dialogado, –a dialogue
diario, –a daily
dibujar to draw, paint
el **dibujo** drawing
el **diccionario** dictionary
diciembre December
Diego James
diez ten
  diez (y seis) (six)teen

difícil difficult, hard
difundirse to be diffused (scattered)
la **dignidad** dignity
digno, –a worthy
el **dinero** money
Dios God
  ¡ Dios mío ! heavens!
  ¡ por Dios ! for heaven's sake!
el **dios** god
el **diplomático** diplomat
directamente directly
el **director** director
dirigir to direct
  dirigirse a to direct oneself to, go to
el **disco** record (*phonograph*)
la **discordia** discord, disagreement
dispensar to excuse, forgive
  dispense Vd. excuse me
disponerse a to make up one's mind to
la **disposición** (*pl.* **disposiciones**) disposi-
  tion, service
  estar a (su) disposición to be at
    (your) service
dispusiese *imp. subj. of* **disponer**
la **distancia** distance
  a poca distancia at a short distance
  ¿ qué distancia hay ? how far is it?
la **distinción** distinction
distinguido, –a distinguished
distinguir to distinguish; *reflex.* distinguish oneself
distinto, –a different, distinct
el **distrito** district
diverso, –a diverse, different, varied
divertir (ie) to divert, amuse; *reflex.*
  have a good time, amuse oneself
divino, –a divine
doce twelve
la **docena** dozen
el **dólar** dollar (*U.S.*)
doler (ue) to ache, pain
  me duele (la cabeza) (my head) aches
el **dolor** ache, pain, sorrow, grief
  tener dolor de (la) cabeza to have a
    headache
Dolores Dolores

doméstico, –a domestic
la dominación domination
dominar to dominate, control, subdue
Domingo Dominic
el domingo (on) Sunday
    Domingo de Ramos Palm Sunday
    Domingo de Resurrección Easter Sunday
    los domingos por la mañana Sunday mornings
dominicano, –a (*also noun*) Dominican
don Don (*title used before first names of men*)
donde where, in which
    en donde where, in which
¿ (a) dónde? where?
doña Doña (*title used before first names of women*)
dormir (ue) to sleep; *reflex.* fall asleep, go to sleep
    dormir la siesta to take a nap
Dorotea Dorothy
dos two
    los (las) dos the two, both
doscientos, –as two hundred
el drama drama, theater
dramático, –a dramatic
el dramaturgo dramatist
la duda doubt
    sin duda doubtless, without a doubt
dudar to doubt
dudoso, –a doubtful
la dueña chaperone
el dueño owner
los dulces sweets, candy
durante during, for
durar to last

E

e and (*used for* y *before* i–, hi– *but not* hie–)
económico, –a economic
el Ecuador Ecuador
echar to throw (into), pour, put (in)
    echar al correo to mail

echar por tierra to throw to the ground
la edad age
    Edad Media Middle Ages
el edificio building
Eduardo Edward
el educador educator
el efecto effect
¿ eh? eh? right? won't I? etc.
la ejecución execution
ejemplar *adj.* exemplary
el ejemplo example
    por ejemplo for example
ejercitarse en to practice
el ejército army
el (*pl.* los) the
    el (los) de that (those) of, the one(s) of (with, in)
    el (los) que that, who, which, he (those) who (whom), the one(s) who (that, which)
él he, him (*after prep.*)
elegante elegant
el elemento element
Elena Helen
elevado, –a elevated, high
elevar to elevate, raise; *reflex.* rise, elevate oneself
ella she, her (*after prep.*)
ello *neuter* it
ellos, –as they, them (*after prep.*)
embargo: sin —, nevertheless, however
el emblema emblem
eminente eminent, prominent
la emoción emotion
emocionarse (mucho) to become (very) excited
el emperador emperor
empezar (ie) (a + *inf.*) to begin (to)
la empleada employee, clerk (*woman*)
el empleado employee
emplear to employ, use
emprender to undertake
en in, on, at, into, of, by
enamorado, –a enamoured
    anduvo enamorado (he) was in love

enamorarse (de + *obj.*) to fall in love (with)

el enano dwarf

el encarcelamiento imprisonment

encender (ie) to light

encerrar (ie) to enclose, include

encima de *prep.* on top of

encontrar (ue) to meet; find; *reflex.* be, be found

 encontrarse con to meet, run across

el enemigo enemy

enérgico, –a energetic

enero January

enfermar to fall (be taken) ill (sick)

enfermo, –a ill, sick

enfrente *adv.* in front, opposite

la enhorabuena congratulations

enorme enormous, great, huge

Enrique Henry

enriquecer to enrich

la ensalada salad

el ensayista essayist

el ensayo essay

la enseñanza teaching

enseñar (a + *inf.*) to teach, show

entender (ie) to understand

enteramente entirely

el entierro burial

entonces then, at that time

entrar (en + *obj.*) to enter

entre between, among

entregar to hand (over), give

 entregarse a to give oneself to, surrender

el entremés (*pl.* entremeses) *a short farce*

entusiasmado, –a enthusiastic

el entusiasmo enthusiasm

enviar to send

la envidia envy

envidioso, –a envious

envolver (ue) to wrap (up)

épico, –a epic

la Epifanía Epiphany (*January 6*)

episódico, –a episodic

la época period, epoch

el equipaje baggage

el equipo team

el erudito learned man, scholar

la escalera stairway

escapar(se) to escape

el escaparate show window

la escena scene

la esclavitud slavery

el esclavo slave

escoger to choose, select

esconder to hide

escribir to write

escrito, –a *p.p. of* escribir *and adj.* written

el escritor writer

la escritora writer (*woman*)

escuchar to listen (to)

el escudero squire

la escuela school

 escuela superior high school

 (ir) a la escuela (to go) to school

el escultor sculptor

la escultura sculpture

ese, esa (–os, –as) *adj.* that, those (*nearby*)

ése, ésa (–os, –as) *pron.* that (one), those

la esencia essence

el esfuerzo effort

eso *neuter pron.* that

 por eso because of that, therefore

el espacio space

España Spain

español, –ola Spanish

el español Spanish (*language*)

 (lección) de español Spanish (lesson)

especial special

especialmente especially

el espectáculo spectacle

el espectador spectator

el espejo mirror

espera: en — de awaiting

esperar to wait, wait for; hope

 esperar que sí to hope so

el espíritu spirit

espiritual spiritual

la espiritualidad spirituality

espléndido, –a splendid
la espontaneidad spontaneity
espontáneo, –a spontaneous
la esposa wife
el esposo husband
el esqueleto skeleton
la esquina corner (*street*)
establecer to establish, settle; *reflex.* settle, establish oneself
el establecimiento establishment, settlement
el establo stable
la estación (*pl.* estaciones) season; station
el estadio stadium
el estàdo state, condition
   los Estados Unidos United States
estallar to burst forth
la estancia stay; ranch
el estante (para libros) bookcase
estar to be
   ¿ a cuántos estamos ? what is the date ?
   está (muy) bien that's fine, excellent
   estamos a (dos de mayo) it is (May 2)
   estar para to be about to
este, esta (–os, –as) *adj.* this, these
el este east
éste, ésta (–os, –as) *pron.* this (one), these; the latter
el estilo style
estimar to esteem
el estimulante stimulant
esto *neuter pron.* this
estrecho, –a narrow, tight
la estrella star
la estructura structure
el (la) estudiante student
estudiar to study
el estudio study
etcétera and so forth, etcetera
eterno, –a eternal
Europa Europe
europeo, –a (*also noun*) European
evocar to evoke, call up

exactamente exactly
exacto, –a exact
el examen (*pl.* exámenes) examination, test
examinar to examine
exceder to exceed
excelente excellent
la excepción exception
exclamar to exclaim
la excursión excursion, trip
la existencia existence, life
existir to exist, be
el éxito success
   tener (mucho) éxito to be (very) successful
la expansión expansion
la expedición (*pl.* expediciones) expedition
la experiencia experience
explicar to explain
la exploración (*pl.* exploraciones) exploration
el explorador explorer
explorar to explore
la explotación exploitation
explotar to exploit
la exportación exportation
expresar to express
la expresión expression
expulsar to expel
extendido, –a extended
extenso, –a extensive, large
extranjero, –a strange, foreign
el extranjero foreigner, stranger
extraño, –a strange
   lo extraño what is strange
extraordinario, –a extraordinary

F

la fábrica factory
fabuloso, –a fabulous
fácil easy
fácilmente easily
facturar to check (*baggage*)
falso, –a false

la **falta** lack
    faltar to lack, be lacking
la **fama** fame, reputation, name
la **familia** family
    famoso, –a famous
el **fanatismo** fanaticism
    fantástico, –a fantastic
la **fatiga** fatigue
el **favor** favor
    favor de + *inf.* please + *verb*
    hága(me) Vd. *or* **hágan(me) Vds. el**
        favor de + *inf.* please + *verb*
    por favor please (*at end of request*)
la **fe** faith
    febrero February
la **fecha** date
    Federal Federal
la **felicitación** congratulation(s)
    felicitar to congratulate
    Felipe Philip
    feliz (*pl.* **felices**) happy
    ¡ **Feliz Navidad !** Merry Christmas!
    femenino, –a feminine
el **fenicio** Phoenician
el **fénix** phoenix, model
la **feria** fair
    Fernando Ferdinand
el **ferrocarril** railroad
    estación de ferrocarril railroad station
    fértil fertile
    festivo, –a festive
la **ficción** fiction
la **fiebre** fever
    fiel faithful
la **fiesta** fiesta, festival
la **figura** figure, person
la **figurita** small figure
    filipino, –a Philippine
    filosófico, –a philosophical
el **filósofo** philosopher
el **fin** end
    a fines de at the end of
    en fin in short
    y fines de and the end of
    por fin at last, finally

    fino, –a fine
    Firme: Tierra —, Mainland
el **flamenco** Flemish
el **flan** custard
la **flor** flower
    florecer to flourish
el **fondo** background, substance, bottom, depth
el **fonógrafo** phonograph, record player
la **forma** form
la **formación** formation
    formar to form, make up
la **fortaleza** fortress, fort
la **fortuna** fortune (*money*)
la **foto** photo
la **fotografía** photograph
    fracasar to fail
el **fracaso** failure
el **fraile** friar
    francés, –esa French
el **francés** French (*language*)
    Francia France
    franciscano, –a (*also noun*) Franciscan
    Francisco Francis, Frank
la **franqueza** frankness
la **frase** sentence
    Fray Friar (*title*)
    frente a *prep.* in front of
    fresco, –a (*also noun*) cool, fresh
    hacer fresco to be cool (*weather*)
    pinturas al fresco fresco paintings
el **frijol** kidney bean
    frío, –a cold
el **frío** cold
    hacer (mucho) frío to be (very) cold (*weather*)
    tener frío to be cold (*living beings*)
    frito, –a fried
la **frontera** frontier
el **frontón** (handball) court
    frutal *adj.* fruit
las **frutas** fruit
el **fruto** fruit, product
el **fuego** fire
    arma de fuego firearm
    Danza del Fuego Fire Dance

la **fuente** fountain, source
fuera de *prep.* outside (of)
fuerte strong
fuertemente strongly
la **fuerza** force, strength; *pl.* forces
la **fuga** flight
el **fugitivo** fugitive
fumar to smoke
el **fundador** founder
fundar to found, settle
el **fusil** rifle, gun
el **fútbol** football
la **futilidad** futility
futuro, –a future

G

el **gallo** cock
   misa del gallo midnight Mass
la **gana** desire
   de buena gana willingly
   tener muchas ganas de to be very eager to (desirous of)
el **ganado** cattle, livestock
ganar to earn, win, gain
el **garaje** garage
la **gasolina** gasoline
Gaspar *one of the Three Wise Men*
gastar to waste, use, spend (*money*)
gauchesco, –a gaucho, of (pertaining to) the gaucho
el **gaucho** gaucho, South American cowboy
la **generación** generation
general general
   en (por lo) general in general, generally
el **general** general
generalmente generally
el **género** genre, (literary) type; sort
la **generosidad** generosity
generoso, –a generous
el **genio** genius; nature
la **gente** people
la **geografía** geography
el **gerente** manager
el **gigante** giant

el **giro** draft
   giro postal money order
la **gloria** glory
   Sábado de Gloria Holy Saturday
glorioso, –a glorious
el **glotón** glutton
el **gobernador** governor
gobernarse (ie) to govern oneself
el **gobierno** government
el **golf** golf
el **golfo** gulf
el **golpe** blow
   golpe de muerte death blow
la **goma de mascar** chewing gum
gótico, –a Gothic
gozar (de + *obj.*) to enjoy
grabar to cut, carve, engrave
la **gracia** grace, charm
gracias thanks, thank you
   anticipar las gracias a to thank in advance
   dar (las) gracias a to thank
gracioso, –a witty, amusing
la **gramática** grammar
gran *adj.* great (*used for* **grande** *before a sing. noun*)
grande large, big, great
el **grano** grain
grato, –a kind
   me (fué) grato I (was) pleased
Grecia Greece
el **greco** Greek (*applied only to persons*)
el **griego** Greek
gritar to shout
el **grito** cry, shout
   a gritos loudly
grotesco, –a grotesque
el **grupo** group
el **guacamole** guacamole (*salad*)
el **guajolote** turkey (*Mex.*)
el **guante** glove
guapo, –a handsome
guardar to keep, guard
   guardar cama to stay in bed
la **guerra** war
guerrero, –a warlike

guiar to guide, lead
Guillermo William
la **guitarra** guitar
el **guitarrista** guitar player
gustar to be pleasing to, like
  gustar más (que) to like better (than), prefer (to)
  me gustaría I should like
el **gusto** pleasure
  con mucho gusto gladly, with great pleasure
  mucho gusto en conocer(le) (I am) pleased *or* glad to know (you)
  tener (mucho) gusto en + *inf.* to be (very) glad to + *verb*

H

la **Habana** Havana
haber (*auxiliary*) to have
  haber de + *inf.* to be to, be supposed to
  había there was (were)
  habrá there will be
  habría there would be
  hay there is (are)
  hay (había) que + *inf.* it is (was) necessary to, one must (should)
  hubo there was (were)
  no hay de qué you are welcome, don't mention it
  ¿ qué hay de nuevo? what's new?
la **habitación** (*pl.* habitaciones) room
el **habitante** inhabitant
habitar to inhabit, live in
habla: de — española Spanish-speaking
hablador, –ora talkative
hablar to talk, speak
  oír hablar de to hear of
hacer to do, make; be (*weather*)
  hace (dos semanas) (two weeks) ago
  hace (una hora) que (habla) he has been talking for (an hour)
  hacer regalos to make (give) gifts
  hacer un pedido to place an order
  hacer un viaje to take (make) a trip

hacer una pregunta to ask a question
hacerse + *noun* to become, make oneself
hacerse daño to hurt oneself
hága(n)me Vd(s). el favor de + *inf.* please + *verb*
hacia toward(s)
la **hacienda** hacienda, ranch
hallar to find; *reflex.* to find oneself, be, be found
el **hambre** (*f.*) hunger
  tener hambre to be hungry
la **harina** flour
hasta *prep.* until, to; *adv.* even
  hasta que *conj.* until
hay there is (are)
  no hay de qué you are welcome, don't mention it
  ¿ qué hay de nuevo? what's new? what do you know?
la **hazaña** deed
hecho *p.p. of* **hacer**
el **helado** ice cream, sherbet
la **herida** wound
herir (ie) to wound; *reflex.* wound (hurt) oneself
  mal herido badly wounded
la **hermana** sister
el **hermanito** little brother
el **hermano** brother
hermosísimo, –a very pretty (beautiful)
hermoso, –a pretty, beautiful
el **héroe** hero
la **heroína** heroine
el **hidalgo** nobleman
el **hielo** ice
el **hierro** iron
la **hija** daughter
el **hijo** son; *pl.* children
hispánico, –a Hispanic
hispano, –a Hispanic
hispanoamericano, –a (*also noun*) Spanish American
la **historia** history, story
el **historiador** historian
histórico, –a historical

la **hoja** leaf
¡ **hola** ! hello !
el **hombre** man
　　¡ **hombre** ! man (alive) !
el **honor** honor
la **honra** honor
　　honrado, –a honest, honorable
　　honrar to honor
la **hora** hour, time (*of day*)
　　¿ **a qué hora** ? at what time ?
　　¿ **qué hora es** ? what time is it ?
　　ser hora de to be time to
　　horrible horrible
el **horror** horror
la **hostilidad** hostility
el **hotel** hotel
　　hoy today
　　hoy día nowadays
　　hubo *pret. of* **haber** there was (were)
el **huevo** egg
　　huevos pasados por agua soft-boiled
　　　eggs
　　huevos rancheros eggs ranch style
　　huir to flee
el **hule** rubber
la **humanidad** humanity; *pl.* humanities
el **humanista** humanist
　　humano, –a human
la **humildad** humility
　　humilde humble, lowly
el **huracán** hurricane
　　huye *pres. of* **huir**

I

　　ibérico, –a Iberian
el **ibero** Iberian
la **ida** departure
　　billete de ida y vuelta round-trip
　　　ticket
la **idea** idea
　　ideal *adj.* ideal
el **ideal** ideal
el **idealismo** idealism
　　idealista idealistic
la **iglesia** church

　　a la iglesia to church
la **ignorancia** ignorance
　　igual equal
　　es igual it's all the same, it doesn't
　　　matter
　　igual que the same as
　　sin igual matchless, without equal
　　igualar to equal
　　ilustre illustrious, famous
la **imagen** (*pl.* **imágenes**) image
　　imaginario, –a imaginative; imaginary
　　imaginarse to imagine
　　imaginativo, –a imaginative
el **imitador** imitator
　　imitar to imitate
el **imperio** empire
la **importancia** importance
　　importante important
　　imposible impossible
la **imprenta** printing
la **impresión** (*pl.* **impresiones**) impression
　　impresionante impressive
el **impulso** impulse
　　inca *adj.* Inca
el **inca** Inca
el **incienso** incense
　　incomparable incomparable
la **independencia** independence
　　independiente independent
la **India** India
　　indianista of (pertaining to) the Indian
　　indicar to indicate
　　indígena *adj.* native
el (la) **indígena** native, Indian
　　indio, –a (*also noun*) Indian
el **individualismo** individualism
　　individualista *adj.* individualistic
la **índole** character, nature
la **industria** industry
　　industrial industrial
　　Inés Inez, Agnes
la **infanta** daughter of royalty
　　infinito, –a infinite
la **influencia** influence
　　influir (en) to influence, have influence
　　　(on)

los **informes** information, data
el **ingenio** genius
  ingenioso, –a ingenious
  Inglaterra England
  inglés, –esa English
el **inglés** English (*language*)
    (**profesor**) **de inglés** English (teacher)
  iniciar to initiate, start
la **injusticia** injustice
  inmediatamente immediately
  inmortal immortal
la **innovación** (*pl.* **innovaciones**) innovation
  innumerable innumerable, numberless
el **inocente** person easily duped
  Día de los Inocentes *December 28, equivalent to April Fool's Day*
el **insecto** insect
  insistir (**en** + *obj.*) to insist on
la **inspiración** inspiration
la **institución** (*pl.* **instituciones**) institution
el **instrumento** instrument, tool
la **ínsula** island
  integrar to integrate
el **intelecto** intellect
  intelectual *adj.* intellectual
el **intelectual** intellectual, learned person
  inteligente intelligent
la **intención** intention
  tener intención de to intend, plan
el **interés** interest
  interés en (**por**) interest in
  interesante interesting
  interesar to interest
  interesarse por (**en**) to be interested in, be concerned with
el **interior** interior
  internacional international
la **interpretación** interpretation
  interpretar to interpret
el **intérprete** interpreter
  intrínseco, –a intrinsic
la **introducción** introduction
  inútil useless
  invadir to invade

la **invasión** invasion
el **invasor** invader
la **invención** (*pl.* **invenciones**) invention
  inventivo, –a inventive
el **invierno** winter
el **invitado** guest
  invitar (**a** + *inf.*) to invite (to)
  ir (**a** + *inf.*) to go (to); *reflex.* go away, leave (for)
  ir a pie to walk, go on foot
la **ironía** irony
la **irregularidad** irregularity
  Isabel Isabel, Elizabeth, Betty
la **isla** island
el **istmo** isthmus
  Italia Italy
  italiano, –a Italian
el **italiano** Italian (*language*)
  izquierdo, –a left
  a la izquierda to (on) the left

J

el **jabón** soap
  Jaime James, Jim
  jamás ever, never
el **jardín** (*pl.* **jardines**) garden
el **jefe** chief, leader
  Jesucristo: antes de —, B.C.
  jesuita *adj.* Jesuit
el **jesuita** Jesuit
  Jesús Jesus
la **jícara** cup
el **jitomate** tomato (*Mex.*)
  Jorge George
  José Joseph, Joe
  joven (*pl.* **jóvenes**) young
    el joven young man
    los jóvenes young people
la **joya** jewel
la **joyería** jewelry shop
  Juan John
  Juanita Jane, Juanita
  Juanito Johnny
el **juego** game
el **jueves** (on) Thursday

el **jugador** player
jugar (**ue**) (**a** + *obj.*) to play (*a game*)
el **juguete** toy, plaything
el **juicio** judgment, mind
julio July
junio June
junto a near, close (to)
junto con with, along with
la **justicia** justice
justo, –a just
la **juventud** youth

K

el **kilómetro** kilometer ($\frac{5}{8}$ *mile*)

L

la (*pl.* **las**) the
la(s) de that (those) of, the one(s) of (with, in)
la(s) que who, that, which, she who, the one(s) who (that, whom, which), those who (which, whom)
la *obj. pron.* her, it (*f.*), you (*formal f.*)
la **labor** (*also pl.*) labor, work
el **labrador** farmer, peasant ·
labrador vecino a peasant (who was a) neighbor
la **labradora** farm girl
el **lado** side
al lado de beside, at (on) the side of
al otro lado on the other side
el **lago** lake
la **lágrima** tear
la **lana** wool
lanzar to throw, hurl
el **lápiz** (*pl.* **lápices**) pencil
largo, –a long
a lo largo de along
las *pron.* them (*f.*), you (*formal f.*) (*also see* **la**)
la **lástima** pity
es lástima it is a pity
¡ qué lástima ! what a pity !
la **lata** (tin) can

el **látigo** whip
el **latín** Latin
latino, –a Latin
la América Latina Latin America
latinoamericano, –a Latin American
lavar to wash; *reflex.* wash (oneself)
le *pron.* him, you (*formal*); to him, her, it, you
la **lección** (*pl.* **lecciones**) lesson
lección (de español) (Spanish) lesson
la **lectura** reading
la **leche** milk
leer to read
la **legumbre** vegetable
lejano, –a distant, far
lejos *adv.* far, distant
a lo lejos in the distance
lejos de *prep.* far from
la **lengua** language
el **lenguaje** language, style
les *pron.* to them, you (*formal pl.*)
las **letras** letters, learning
levantar to raise, lift; *reflex.* get up, rise (up)
la **ley** law
la **leyenda** legend
el **liberal** liberal (person)
la **libertad** liberty, freedom
el **libertador** liberator
la **libra** pound
libre free
al aire libre open-air, in the open air
el **librito** small (little) book
el **libro** book
el **lienzo** canvas
ligero, –a light
limitarse to limit oneself
el **limón** (*pl.* **limones**) lemon
la **limonada** lemonade
limpiar to clean
limpio, –a clean
el **linaje** lineage
lírico, –a lyric
la **lista** list; menu
listo, –a ready
la **litera** litter

literario, –a literary

la **literatura** literature

el **litro** liter (*slightly more than a quart*)

lo *m. and neuter article* the; what is; *pron.* it

    lo que what, that which

loco, –a crazy

la **locura** madness

lograr to attain, get, obtain, succeed in

los the

    los de those of, the ones of (with, in)

    los que who, that, which, the ones *or* those who (that, whom, which)

los *pron.* them, you (*formal*)

la **lucha** struggle

luchar to struggle, fight

luego then, next, later

    hasta luego until later, see you later

    luego que *conj.* as soon as

el **lugar** place

    en (primer) lugar in the (first) place

    tener lugar to take place

Luis Louis

la **luna de miel** honeymoon

el **lunes** (on) Monday

la **luz** (*pl.* **luces**) light

Ll

llamado, –a called

llamar to call; knock; *reflex.* be called, be named

    ¿ cómo se llama (él) ? what is (his) name?

    se le llama it is called

el **llanero** plainsman

la **llanta** tire

    llanta de repuesto (refacción) spare tire (*Mex.*)

la **llanura** plain

la **llave** key

la **llegada** arrival

llegar (**a** + *obj.*) to arrive (at), reach, come (to)

    llegar a ser to become

llenar (**de**) to fill (with)

lleno, –a (**de**) full (of), filled (with)

llevar to take, carry, bear; *reflex.* take away, take with oneself

llorar to weap, cry

llover (**ue**) to rain

la **lluvia** rain

M

el **machete** machete (*long knife*)

la **madera** wood

    de madera wooden

la **madre** mother

    madre patria motherland

maestra: obra —, masterpiece

la **maestría** mastery, skill

el **maestro** master

magnífico, –a magnificent, fine

Magos: Reyes —, Wise Men (Kings), Magi

el **maíz** maize, corn

majestuoso, –a majestic

mal *adv.* badly, dangerously

mal *used for* **malo** *before m. sing. nouns*

el **mal** evil, harm

la **malaria** malaria

la **maleta** suitcase

malo, –a bad

    lo malo the bad, what is bad

la **mamá** mother, mama

la **manada** flock

mandar to send, order

manejar to drive (*Mex.*)

la **manera** manner, way

    de manera que *conj.* so, so that

    de una manera (solemne) in a (solemn) way

el **mango** handle

la **manifestación** (*pl.* **manifestaciones**) manifestation

la **mano** hand

    a manos de into the hands of

    de manos de from the hands of

la **manta** blanket

la **mantequilla** butter

manual manual

mañana *adv.* tomorrow
  mañana por la mañana tomorrow morning
  pasado mañana day after tomorrow
la **mañana** morning
  (el domingo) por la mañana (Sunday) morning
  por (de) la mañana in the morning
el **mapa** map
la **máquina de escribir** typewriter
la **maquinaria** machinery
el **mar** sea
la **maravilla** marvel
  maravilloso, –a marvelous
la **marca** brand, kind
  marcar to mark
la **marcha** march, journey
  poner(se) en marcha to start
  marchar to march; *reflex.* go away, leave
  marcharse a to leave for, go to
Margarita Margaret
María Mary
Marta Martha
el **martes** (on) Tuesday
  marzo March
  más more, most
  la más conocida the best known
  no . . . más que only
  (no) . . . nada más (not) . . . anything else
  no volver más not to return again
  nunca más never again
  un rato más a while longer
las **masas** masses (*people*)
  mascar to chew
la **máscara** mask
  matar to kill
el **mate** maté (*a green South American tea*); gourd
el **matrimonio** marriage
  máximo, –a maximum
el **maya** Maya
  mayo May
  mayor greater, older, greatest, oldest
  la mayor parte de most of

me me, to me, (to) myself
la **medalla** medal
la **media** stocking
  mediados: entre — de between the middle of
la **medianoche** midnight
  a la medianoche at midnight
la **medicina** medicine
el **médico** doctor
la **medida** measure
  a la medida to measure
  a medida que as
  medio, –a (a) half
  en media hora in a half hour
  Edad Media Middle Ages
el **medio** medium, means, environment
  por medio de by means of
el **mediodía** noon
  al mediodía at noon
  mediterráneo, –a Mediterranean
  mejicano, –a Mexican
Méjico Mexico
la **mejilla** cheek
  mejor better, best
  lo mejor the best thing (part)
el **mejoramiento** betterment, improvement
  mejorar to improve, better
la **melancolía** melancholy
Melchor Melchior (*one of the Three Wise Men*)
la **melodía** melody
la **memoria** memory
  mencionar to mention
la **menina** Little Lady in Waiting
  menor smaller, younger, smallest, youngest
  menos less, fewer, least; except
  a menos que *conj.* unless
  por lo menos at least
la **mentira** lie
  parecer mentira to seem impossible (incredible)
  menudo: a —, often, frequently
el **mercado** market
  merecido, –a merited, deserved

el **mes** month
    al mes a (per) month
la **mesa** table, desk
el **mesero** waiter (*Mex.*)
la **meseta** tableland, plateau
la **mesita** small table
el **mestizo** mestizo (*person of white and Indian blood*)
el **metal** metal
    meter to put (in)
el **método** method
el **metro** meter (*39.3 inches*)
    metropolitano, –a metropolitan
    mexicano, –a Mexican
    México Mexico
la **mezcla** mixture
    mezclado, –a mixed
    mezclar to mix
    mi my
    mí me, myself (*after prep.*)
el **miedo** fear
    tener miedo (de que) to be afraid (that)
    mientras (que) *conj.* while, as long as
el **miércoles** (on) Wednesday
    Miércoles de Ceniza Ash Wednesday
    Miguel Michael
    mil a (one) thousand
    mil cosas many things
el **milagro** miracle
el **milímetro** millimeter
    militar *adj.* military
el **militar** military man
el **millón** (*pl.* **millones**) million
    un millón de a (one) million
la **mina** mine
el **mineral** mineral
el **minuto** minute
    mío, –a *adj.* my, of mine
    (el) mío *pron.* mine
la **mirada** look, glance
    mirar to look at
la **mirra** myrrh
la **misa** Mass
    misa del gallo midnight Mass
    miserable miserable

la **miseria** misery, poverty
la **misión** (*pl.* **misiones**) mission
el **misionero** missionary
    Misisipí Mississippi
    mismo, –a same, very, very same; (him)self, itself
    ahora mismo right now, right away
    el mismo . . . que the same . . . as
    ellos mismos they themselves
    lo mismo the same thing
    místico, –a mystic
    Misurí Missouri
la **mitad** half
    Moctezuma Montezuma
la **moda** style, fashion
    a la última moda in the latest style
    estar (muy) de moda to be (very) stylish *or* fashionable
el **modelo** model
el **modernismo** modernism
    modernista modernist
    moderno, –a modern
    lo moderno the modern, what is modern
la **modista** dressmaker
el **modo** manner, means, way
    de modo que *conj.* so, so that
    de todos modos at any rate
el **mole** mole (*a sauce*)
    molestar to bother, molest
el **molino de viento** windmill
el **momento** moment
    en este (ese) momento at this (that) moment
la **monarquía** monarchy
la **moneda** money, coin, currency
la **montaña** mountain
    montañoso, –a mountainous
    montar to mount, ride
    montar a caballo to ride horseback
el **monumento** monument
    moreno, –a brown, dark
    morir (ue) to die
el **moro** Moor
el **mostrador** counter
    mostrar (ue) to show

el **motor** motor
  mover (ue) to move
    mueve a risa (it) moves one to laughter
el **movimiento** movement
  mozo, –a young
la **muchacha** girl
el **muchacho** boy
  muchísimo, –a very much (many)
  mucho *adv.* much, hard, a great deal
  mucho, –a much, many; very
    otros muchos many other(s)
los **muebles** furniture
la **muerte** death
    condenar a muerte to condemn to death
    dar la muerte a to kill
    golpe de muerte death blow
  muerto *p.p. of* **morir** *and adj.* dead, died
    los muertos the dead
la **muestra** sample
la **mujer** woman
la **mula** mule
la **multitud** multitude
el **mundo** world
    todo el mundo everybody, the whole world
  mural *adj.* mural, of the walls
  murió *pret. of* **morir**
el **museo** museum
la **música** music
  musical musical
el **músico** musician
  muy very

N

  nacer to be born
  nacido, –a born
el **nacimiento** birth; manger scene
la **nación** nation
  nacional national
  nada nothing, (not) . . . anything
    de nada don't mention it, you're welcome, not at all

  (no) . . . nada más (not) . . . anything else
  nadar to swim
    ir a nadar to go swimming, take a swim
  nadie no one, nobody, (not) . . . anybody (anyone)
  Napoleón Napoleon
la **naranja** orange
el **naranjo** orange tree
  narrar to narrate, tell
  narrativo, –a narrative
la **natación** swimming
el (la) **natural** native
la **naturaleza** nature
  naturalmente naturally
la **navaja** knife
la **nave** boat
  navegar to sail
la **Navidad** Christmas
    (día) de Navidad Christmas (day)
    ¡ Feliz Navidad ! Merry Christmas!
  necesario, –a necessary
la **necesidad** necessity, need
  necesitar to need
  negar (ie) to deny
    negarse a to refuse
los **negocios** business
    (viaje) de negocios business (trip)
  negro, –a black; Negro
el **negro** Negro
  nervioso, –a nervous
  nevado, –a snow-covered
  ni neither, nor, (not) . . . or
    ni . . . ni neither . . . nor, (not) . . . either . . . or
el **nicaragüense** native of Nicaragua
la **nieve** snow
  ningún *used for* **ninguno** *before m. sing. nouns*
  ninguno, –a no, none, no one, (not) . . . any (anybody)
la **niña** little girl
el **niño** little boy, child; *pl.* children
  no no, not
  noble noble

la **nobleza** nobility
la **noche** night, evening
 buenas noches good evening (night)
 de la noche in the evening, at night,
  P.M.
 de noche at night
 (**el sábado**) **por la noche** (Saturday)
  night
 esta noche tonight
 pasar una noche to spend an evening
 por la noche in the evening
 todas las noches every night
la **nochebuena** Christmas Eve
 nombrar to name, call
el **nombre** name
 dar nombre a to name
 en nombre de in the name of
el **nopal** prickly-pear tree, cactus
 noroeste (*also m. noun*) northwest
el **norte** north
 al norte de in (to) the north of
 la América del Norte North America
 norteamericano, –a (North) American
  (*of the U.S.*)
 nos us, to us, (to) ourselves
 nosotros, –as we, us (*after prep.*), ourselves
 notable notable, famous
 notar to note, observe
la **noticia** notice, information; *pl.* news
 sus noticias news from you
 novecientos, –as nine hundred
la **novela** novel, romance, tale
 novela de caballerías novel of
  chivalry
el **novelista** novelist
 noveno, –a ninth
 noventa ninety
la **novia** fiancée, sweetheart
 noviembre November
el **novio** fiancé, sweetheart
la **nube** cloud
 nuestro, –a *adj.* our, of ours
 (**el**) **nuestro** *pron.* ours
 Nueva York New York
 nueve nine

 nuevo, –a new
 de nuevo again, anew
 ¿ **qué hay de nuevo?** what's new?
  what do you know?
la **nuez** (*pl.* **nueces**) nut
el **número** number, size
 numeroso, –a numerous
 nunca never, (not) . . . ever

O

 o or, either
el **objeto** object
la **obra** work(s)
 obra maestra masterpiece
el **obrero** workman
 observar to observe
 obtener to obtain, get
 obtuvo *pret. of* **obtener**
la **ocasión** (*pl.* **ocasiones**) occasion, opportunity
 occidental occidental, western
el **océano** ocean
 octavo, –a eighth
 octubre October
 ocultar (**a**) to hide (from)
 ocupado, –a busy, occupied
 ocupar to occupy
 ocurrir to occur, happen
 ochenta eighty
 ocho eight
 ochocientos, –as eight hundred
el **oeste** west
 oficial (*also m. noun*) official
la **oficina** office
el **oficio** craft, trade
 ofrecer to offer
la **ofrenda** offering
 oír to hear, listen
 oír decir que to hear that
 oír hablar de to hear of
 ¡ **ojalá que!** would that! I wish that!
el **ojo** eye
 olvidar to forget
 olvidarse (**de** + *obj.*) to forget
la **olla** jar

once eleven
la **onda** wave
la **ópera** opera
oponerse a to oppose, face
la **oportunidad** opportunity
    tener oportunidad de to have an
    opportunity to
el **optimismo** optimism
optimista *adj.* optimistic
opuesto, –a opposite
la **oración** prayer
la **orden** (*pl.* **órdenes**) order, command
    a sus órdenes (las órdenes de uste-
    des) at your service
ordenar to order; ordain
la **organización** organization
organizar to organize
oriental *adj.* oriental, eastern
el **Oriente** Orient
el **origen** origin, beginning, source
    dar origen a to begin, start
original *adj.* original
la **originalidad** originality
originar(se) to originate
el **oro** gold
    (es) de oro (it is) gold
    Siglo de Oro Golden Age
la **orquesta** orchestra
os you (*fam. pl.*), to you, (to) yourselves
el **otoño** fall, autumn
    día de otoño fall day
otro, –a other, another
    otros (muchos) (many) other(s)
la **oveja** sheep

P

Pablo Paul
pacífico, –a pacific, peaceful
el **padre** father; priest; *pl.* parents
pagar to pay, pay for
la **página** page
el **país** country (*nation*)
el **paisaje** landscape, countryside
la **paja** straw
el **pájaro** bird

la **palabra** word
el **palacio** palace
el **palo** stick, club
la **pampa** pampa, plain (*of Argentina*)
el **pan** bread
    pan tostado toast
    panamericano, –a Pan American
el **panecillo** roll
el **panorama** panorama
el **paño** cloth
la **papa** potato (*America*)
el **papá** father, dad, papa
el **papel** paper; role
el **paquete** package
el **par** pair
    (quince dólares) el par (fifteen dol-
    lars) a pair
    para *prep.* for, to, in order to, by
    estar para to be about to
    para que *conj.* in order that
    ¿ para qué ? why ? for what purpose ?
el **parabrisas** windshield
parado, –a standing
el **Paraguay** Paraguay
paraguayo, –a Paraguayan
pararse to stop
parecer to appear, seem
    parecer mentira to seem impossible
    (incredible)
    parecerse a to resemble
    ¿ qué le (te) parece . . . ? what do
    you think of . . . ?
el **parecer** appearance
    de muy buen parecer very good-
    looking
parecido, –a similar
la **pared** wall
la **pareja** pair, couple
el **parque** park
la **parte** part
    de (mi) parte for (me), on (my) part
    en gran parte to a great extent
    la mayor parte de most of, the greater
    part of
    la tercera parte one (a) third
    por (la) mayor parte for the most part

por (en) todas partes everywhere, through (in) all parts
particular particular, special
  nada de particular nothing special
la **partida** match, game
el **partido** match, game
  partir (de + obj.) to leave, depart
  pasado, –a past, last
    pasado mañana day after tomorrow
el **pasado** past
  del pasado of last month
  pasar to pass, spend (*time*), come in; happen
    pasar por aquí to pass (come) this way
    pase(n) Vd(s). come in
  ¡ **que lo pase(s) bien !** good-bye ! may you fare well !
la **Pascua Florida** Easter
  Felices Pascuas Merry Christmas
  pasear to walk, stroll
el **paseo** walk, ride, stroll; boulevard
  dar un paseo to take a walk (ride)
la **pasión** passion
el **paso** step; float
el **pastel** pastry, pie
el **pastor** shepherd
  pastoril *adj.* pastoral
la **patata** potato (*Spain*)
el **patio** patio, courtyard
el **pato** duck
  patológico, –a pathological
la **patria** fatherland, native country
  madre patria motherland
el **patrón** patron, patron saint, protector
  santo patrón patron saint
el **payador** gaucho singer
el **pecho** breast, chest
el **pedido** order
  hacer un pedido to place an order
  pedir (i) to ask, ask for, request
  Pedro Peter
  pegar to beat
la **película** film
el **peligro** danger
  peligroso, –a dangerous

el **pelo** hair
  (tienen) el pelo castaño (they have) dark hair, (their) hair is dark
la **pelota** handball, ball
la **pena** trouble, sorrow
  valer la pena to be worth while
la **península** peninsula
  penoso, –a laborious, hard
el **pensador** thinker
el **pensamiento** thought
  pensar (ie) to think; **+ inf.** intend
    pensar en + obj. to think of (about)
la **pensión** boardinghouse
la **peña** rock
  peor worse, worst
  pequeño, –a small, little (*size*)
  perder (ie) to lose, miss
la **pérdida** loss
  perezoso, –a lazy
la **perfección** perfection
  perfeccionar to perfect
  perfectamente fine, perfect(ly)
    perfectamente bien fine, very well
el **periódico** newspaper
el **periodista** journalist
el **período** period
la **perla** pearl
  permanecer to remain
  permanente permanent
el **permiso** permission
  con su permiso with your permission, excuse me
  dar permiso para to give permission to
  permitir to permit, allow
  pero but
el **perro** dog
la **persecución** persecution
  perseguir (i) to pursue
  persiguió *pret. of* perseguir
la **persona** person
  por persona per (for each) person
  personal personal
la **personalidad** personality
  persuadir to persuade
  pertenecer to belong

el **Perú** Peru
  peruano, –a Peruvian
  perverso, –a perverse, evil
  pesado, –a heavy
  pesar: a — de in spite of
la **pesca** fishing
el **pescado** fish
el **pesimismo** pessimism
el **peso** peso, dollar (*Mex.*)
el **petróleo** petroleum, oil
el **pianista** pianist
el **piano** piano
  picaresco, –a picaresque
el **pícaro** rogue
el **pico** peak, beak
el **pie** foot
  a pie on foot
  ir a pie to walk, go on foot
la **piedra** stone
  casa de piedra stone house
la **pierna** leg
la **pieza** piece (*of music*), drama, play
  pintar to paint
el **pintor** painter
  pintoresco, –a picturesque
la **pintura** painting
la **piñata** *jar filled with sweets and toys*
el **pirata** pirate
los **Pirineos** Pyrenees
la **piscina** swimming pool
el **piso** floor, story
  piso bajo first floor
la **pizarra** (black)board
el **placer** pleasure
el **plan** plan, scheme
la **planta** plant
la **plata** silver
  (reloj) de plata silver (watch)
el **plátano** plantain (banana) tree
el **platillo** dish (*food*)
el **plato** plate, dish
la **playa** beach
la **plaza** plaza, square
la **plaza (de toros)** bull ring
la **pluma** pen
la **población** population

el **poblador** populator, settler
  pobre (*also noun*) poor
el **pobrecito** poor (little) boy
la **pobreza** poverty
  poco, –a *adj., pron., and adv.* little (*quantity*); *pl.* (a) few
  a poca distancia at a short distance
  al poco tiempo after a short time
  poco a poco little by little
  poco después shortly afterward
  poco después de shortly after
  un poco (de) a little (of)
  unos (–as) pocos (–as) a few
  poder to be able, can
  puede ser que it may be that
el **poderío** power, dominion
  poderosamente powerfully
  poderoso, –a powerful
el **poema** poem
la **poesía** (*also pl.*) poetry
el **poeta** poet
  poético, –a poetic
la **poetisa** poetess
la **policía** police
la **política** politics, policy
  político, –a political
el **político** politician
el **polo** polo
el **polvo** powder
el **pollo** chicken
  poner to put, place, put on, set (put) up; turn on (*phonograph*); *reflex.* put on
  poner el sello a to stamp
  ponerse + *adj.* to become
  poner(se) en marcha to start
  popular popular
la **popularidad** popularity
  por for, during, in, through, by, around, in exchange for, for the sake of, per, as, because of
  por aquí this way, around here
  por mes per (a) month
  ¿ por qué ? why ? for what reason ?
  porque *conj.* because, for
el **portal** doorway

el **portero** janitor, doorkeeper
Portugal Portugal
portugués, –esa Portuguese
el **portugués** Portuguese (*language*)
la **posada** inn; *religious celebration* (*Mex.*)
posado, –a resting
la **posesión** possession
posible possible
postal: giro —, money order
el **postre** dessert
la **práctica** practice
practicar to practice
práctico, –a practical
el **precio** price
¿ **qué precio tiene?** what is the price of (it)?
precioso, –a precious, beautiful, darling
precisamente precisely
la **precisión** precision
preciso, –a necessary
predicar to preach
predilecto, –a favorite
predominar to predominate
preferir (ie) to prefer
la **pregunta** question
hacer una pregunta (a) to ask a question (of)
preguntar to ask (*a question*)
prehispánico, –a pre-Hispanic
el **premio** prize
la **preocupación** preoccupation
preparado, –a prepared, ready
preparar to prepare
la **presentación** presentation, introduction
presentar to present, introduce
el **presidente** president
prestar to lend, perform (*a service*)
el **prestigio** prestige
la **prevención** (*pl.* **prevenciones**) preparation
la **prima** cousin (*f.*)
la **primavera** spring
primer *used for* **primero** *before m. sing. nouns*
primero *adv.* first
primero, –a first

primitivo, –a primitive
el **primo** cousin (*m.*)
principal principal, main
principalmente principally, mainly
el **principio** beginning
al principio at first, at the beginning
a principios de at the beginning of
desde principios de from the beginning of
la **prisa** haste
darse prisa to hurry
de prisa quickly
tener mucha prisa to be in a big hurry
el **prisionero** prisoner
el **privilegio** privilege
probable probable
probablemente probably
probarse (ue) to try on
el **problema** problem
la **procesión** (*pl.* **procesiones**) procession
proclamar to proclaim
la **producción** production
producir to produce
el **producto** product
produjeron *pret. of* **producir**
profesional professional
el **profesor** teacher (*man*)
profesor (de español) (Spanish) teacher
la **profesora** teacher (*woman*)
profundamente deeply, soundly
la **profundidad** depth, profundity
profundo, –a profound, deep
el **programa** program
progresar to progress, move forward
progresivo, –a progressive
el **progreso** progress
prohibir to prohibit, forbid
la **promesa** promise
prometer to promise
pronto soon, quickly
de pronto suddenly
lo más pronto posible as soon as possible
pronunciar to pronounce
la **propaganda** propaganda

el **propietario** proprietor
la **propina** tip
propio, –a own, one's own, original
proponer to propose
proporcionar to offer
el **propósito** purpose, inclination
a propósito by the way
propuso *pret. of* **proponer**
la **prosa** prose
la **prosperidad** prosperity
próspero, –a prosperous
el **protagonista** protagonist, central figure
la **protección** protection
el **protector** protector
proteger to protect
protestar to protest
la **provincia** province
la **provisión** (*pl.* **provisiones**) provision
el **proyecto** project, plan
psicológico, –a psychological
publicar to publish
público, –a public
el **pueblo** village, town, people, nation, pueblo
de pueblo en pueblo from village to village
el **puente** bridge
la **puerta** door
de puerta en puerta from door to door
el **puerto** port
pues well, well then, then, since
puesto que *conj.* since
el **puesto** position, job, place
la **pulsera** bracelet, band (*watch*)
pulsera de reloj watch band
el **punto** point
a punto de on the point of
en punto sharp
la **pupila** pupil (*of eye*)
el **pupitre** desk (*student*)
puro, –a pure

for; *indirect command* have, let, may, I wish (hope)
el **mismo . . . que** the same . . . as
el **(la, los, las) que** that, which, who, whom, he (she, those) who (*etc.*), the one(s) who (*etc.*)
lo que what, that which, which (fact)
sí que + *verb* indeed, certainly
¿ **qué?** what? which?
¿ **para qué?** why? for what purpose?
¿ **por qué?** why? for what reason?
¡ **qué!** what a! how!
no hay de qué you are welcome, don't mention it
quedar(se) to stay, remain
(me) queda (poco tiempo) (I) have (little time) left
me quedo con (éstos) I'll take (these)
quedar de usted como su afectísimo y s. s. to remain, sincerely yours
quemar to burn
querer to wish, want
querer a (+ *personal obj.*) to love
no quieren (ir) they will not (are unwilling to) go
no quisieron they refused
¿ **quiere Vd. (ir)?** will you (go)?
querido, –a dear
el **queso** cheese
quien who, whom, he (those) who, the one(s) who
¿ **de quién(es) es?** whose is it?
¿ **quién(es)?** who? whom?
quince fifteen
quinientos, –as five hundred
la **quinina** quinine
quinto, –a fifth
quisiera (I) should like
quitar to take off, remove (from); *reflex.* take off (oneself)
quizá(s) perhaps

Q

que *relative pron.* that, which, who, whom; when; since; *conj.* than,

R

el **radiador** radiator
la **radio** radio

Ramón Raymond
Ramos: Domingo de —, Palm Sunday
rancheros: huevos —, eggs ranch style
rápidamente rapidly
rápido, –a rapid, fast
el **rato** while, short time
la **raza** race (*human*), nation
la **razón** reason
   con razón rightly
   tener razón to be right
  reaccionar to react
  real real, actual, royal
   Camino Real King's (Royal) Highway
la **realidad** reality
   en realidad really, truly, in fact
   (reality)
el **realismo** realism
  realista realistic
  realizado, –a realized
  realizar to realize, carry out
la **rebelión** rebellion
  recibir to receive
el **recibo** receipt
  reciente recent
  recoger to pick up
la **recomendación** recommendation
  recomendar (ie) to recommend
  reconocer to recognize
la **reconquista** reconquest
  reconquistar to reconquer
  recordar (ue) to recall, remember
  recreo: sala de —, recreation room
los **recuerdos** regards
  refacción: llanta de —, spare tire (*Mex.*)
  referir(se) (a) to refer (to)
  reflejar to reflect
el **reflejo** reflection
la **reforma** reform
el **refrán** (*pl.* **refranes**) proverb
el **refresco** cold *or* soft drink, refreshment
  refugiarse to take refuge
  regalar to give (*as a gift*)
el **regalo** gift
la **región** (*pl.* **regiones**) region
  regional regional
la **regla** rule

  regular fair
la **regularidad** regularity
  con regularidad regularly
la **reina** queen
el **reinado** reign
  reinar to reign, rule
el **reino** kingdom
  reír (i) to laugh
   reírse de to laugh at
la **reja** grating, grille
la **relación** (*pl.* **relaciones**) relation
  relatar to relate, tell
el **relato** story, tale
la **religión** religion
  religioso, –a religious
el **reloj** watch, clock
  remitir to remit, send
  renacer to be born again, spring up again
el **Renacimiento** Renaissance
  repartir(se) to divide
  repente: de —, suddenly
  repetir (i) to repeat
   nos repetimos (de Ud. attos. y ss. ss.) we remain, (sincerely yours)
el **representante** representative
  representar to represent
la **república** republic, country
  repuesto: llanta de —, spare tire
  rescatar to ransom
  reservar to reserve
el **resfriado** cold (*disease*)
  resolver (ue) to resolve, determine
  responder to respond, answer, reply
el **restaurante** restaurant
el **resto** rest; *pl.* remains
el **resultado** result, outcome
  resultar to result, turn out (to be); be
  Resurrección: Domingo de —, Easter Sunday
  retirarse to retire, withdraw
el **retrato** portrait, picture
  reunirse to meet, gather
   reunirse con to join
  revelar to reveal
la **revista** magazine, journal
la **revolución** revolution

revolucionario, -a revolutionary
revuelto, -a scrambled
el **rey** king
    Reyes Católicos Catholic King and Queen
    Reyes Magos Wise Men (Kings), Magi
ricamente richly
Ricardo Richard
rico, -a rich
el **río** river
la **riqueza** (*also pl.*) riches, wealth
la **risa** laughter
    mueve a risa (it) moves one to laughter
el **ritmo** rhythm
Roberto Robert
rodeado, -a (de) surrounded (by)
rodear to surround
la **rodilla** knee
    ponerse de rodillas to kneel
rogar (ue) to ask, beg
rojo, -a red
el **rojo** red (*color*)
    los rojos the reds
romance *adj.* romance
el **romance** ballad
romano, -a (*also noun*) Roman
el **romanticismo** romanticism
romántico, -a (*also noun*) romantic
la **romería** pilgrimage, excursion
romper to break
la **ropa** clothes, clothing
    cambiarse de ropa to change clothes
la **rosa** rose
rubio, -a fair, blond
el **ruido** noise
las **ruinas** ruins
la **rumba** rumba
rural rural
la **ruta** route, way, direction

S

el **sábado** (on) Saturday
    el sábado por la noche Saturday night
    Sábado de Gloria Holy Saturday

saber to know, know how (to)
    no (lo) sé I don't know
sacar to take (out)
el **sacerdote** priest
el **sainete** *one-act farce*
la **sala** living room
    sala de recreo recreation room
la **salida** departure
salir (de + *obj.*) to leave, go (come) out; *reflex.* set out
    salir a la calle to go out into the street
    salir de casa to leave home
la **salsa** sauce
saltar to jump (out)
la **salud** health
saludar to greet, speak to
el **Salvador** Savior
El **Salvador** Salvador
salvaje *adj.* savage, wild
salvar to save
la **samba** samba (*a dance*)
san *used for* **santo** *before m. saint name not beginning with* **To-, Do-**
la **sangre** blood
la **santa** saint (*f.*)
santo, -a holy, saint
el **santo** saint
    día de Todos los Santos All Saints' Day
    santo patrón patron saint
la **sátira** satire
satisfacer to satisfy
se *pron. used for* **le, les** to him, her, it, them, you (*formal*); *reflex.* (to) himself, herself, *etc.*; *reciprocal pron.* each other, one another; *indef. subject* one, people, you, *etc.*
seco, -a dry
la **secretaria** secretary
secreto, -a secret
el **secreto** secret
la **sed** thirst
    tener sed to be thirsty
seguida: en —, at once, immediately
seguir (i) to follow, continue, go on
    seguido, -a de followed by

según according to (what), as
segundo, –a second
seguro, –a sure, certain, safe
   estar seguro, –a (de que) to be sure (that)
seis six
seiscientos, –as six hundred
la selva forest
el sello stamp
la semana week
semejante similar
la semilla seed
sencillo, –a simple
   billete sencillo one-way ticket
sentado, –a seated
sentar to seat, set; *reflex.* sit down
   sentar bien (a uno) to fit (one)
el sentido sense, judgment, reason, feeling
el sentimiento sentiment, feeling
sentir (ie) to feel regret, be sorry
   lo siento (mucho) I am (very) sorry
   sentirse bien to feel well
señalar to point out
señor sir, Mr.
   los señores (Pidal) Mr. and Mrs. (Pidal)
   señores viajeros travelers
el señor gentleman
señora madam, Mrs.
la señora woman, lady, mistress
señorita Miss
la señorita Miss, young lady
separado, –a separated
septiembre September
séptimo, –a seventh
ser to be
   así es que *conj.* so, thus
   es que the fact is (that)
   somos seis de familia there are six of us in the family
el ser being
el sereno night watchman
la serie series
la serpentina serpentine
la serpiente serpent

el servicio service
   estar al servicio de to be in the service of
el servidor servant
la servilleta napkin
servir (i) to serve; *reflex.* be so kind as to, be pleased to
   ¿ en qué puedo servirle(s) ? what can I do for you ?
   ¿ para qué sirven los amigos ? what are friends (good) for ?
   servir de to serve as
sesenta sixty
setecientos, –as seven hundred
setenta seventy
el seudónimo pseudonym
sexto, –a sixth
si if, whether
sí yes
   (creer que) sí (to believe) so
   sí (que) + *verb* indeed, certainly
sí *reflex. pron.* himself, herself, yourself (*formal*), themselves, yourselves
siempre always
   para siempre forever
la sierra mountain range
la siesta nap
   dormir la siesta to take a nap
siete seven
el siglo century
   Siglo de Oro Golden Age
el significado meaning
significar to signify, mean
siguiente following
siguió, siguieron *pret. of* seguir
silvestre wild
la silla chair
el sillón (*pl.* sillones) armchair
el símbolo symbol
la simpatía sympathy
   simpático, –a charming, likable, "nice"
sin *prep.* without
   sin embargo nevertheless, however
   sin que *conj.* without
la sinceridad sincerity
   sinfónico, –a symphony

sino but
　no . . . sino only
　sino que but
la **síntesis** synthesis
sirve, sirven *pres. of* **servir**
el **sistema** system
el **sitio** site, place
la **situación** situation
　situado, –a situated
　soberbio, –a proud
　sobre on, upon, about, concerning
el **sobre** envelope
la **sobrina** neice
　socarrón, –ona crafty, sly
　social *adj.* social
la **sociedad** society
el **sofá** sofa, davenport
el **sol** sun
　hace (hacía) *or* **hay (había) sol** it is
　　(was) sunny, the sun is (was) shining
　tomar el sol to take a sun bath
　solamente only
el **soldado** soldier
　solemne solemn
　solicitar to solicit, ask for, beg
la **solicitud** request
　solo, –a alone
　café solo black coffee
　sólo *adv.* only
la **sombra** shade, shadow
　a la sombra in the shade
el **sombrero** hat
　someterse to submit, be subjected
　sonar (ue) to sound, ring
　sonreír (i) to smile (at)
　soñar (ue) con to dream of
la **sopa** soup
　sórdido, –a sordid
　sorprender to surprise
la **sorpresa** surprise
el **sótano** basement
　Sr. = **señor**
　Sra. = **señora**
　Srta. = **señorita**
　s(s). s(s). = **seguro(s) servidor(es)**
　　yours truly

su his, her, your, its, their
subir (a + *obj.*) to go up, get into, climb
　(up, into)
suceder to happen
sucio, –a dirty
la **sucursal** branch (*business*)
sudamericano, –a South American
el **sueldo** salary
el **suelo** ground, floor
el **sueño** sleep, dream
　tener sueño to be sleepy
la **suerte** luck
　tener (mucha) suerte to be (very)
　　lucky
suficiente sufficient, enough
sufrir to suffer, endure
Suiza Switzerland
superar to surpass, excel
superior: escuela —, high school
suponer to suppose
supremo, –a supreme
supuesto: por —, of course
el **sur** south
　el Mar del Sur Southern Sea
　la América del Sur South America
surgir to surge, appear, arise
el **suroeste** southwest
el **suspiro** sigh
sutil subtle
suyo, –a *adj.* his, her, your (*formal*),
　their, of his (hers, yours, theirs)
(el) suyo *pron.* his, hers, yours, theirs

T

el **tabaco** tobacco
el **taco** taco
la **táctica** tactics
tal such, such a
　con tal que *conj.* provided that
　¿ qué tal ? how goes it? how are
　　you?
　¿ qué tal (el aceite) ? how's *or* what
　　about (the oil)?
　tal vez perhaps
también also, too

tampoco neither, (not) . . . either
  ni (yo) tampoco nor (I) either
tan *adv.* so, as
  tan . . . como as (so) . . . as
  un (viaje) tan (largo) such a (long trip)
el **tango** tango
el **tanque** tank
tanto *adj. and pron.* as (so) much (many); *adv.* so (as) much
  por lo tanto therefore, consequently
  tanto, –a . . . como as (so) much (many) . . . as, both . . . and
el **tapiz** (*pl.* **tapices**) tapestry
tardar to delay, be long
  tardar (mucho) en + *inf.* to delay (much) in, be (very) long in, take (long) . . . to
tarde *adv.* late
la **tarde** afternoon
  buenas tardes good afternoon
  de (por) la tarde in the afternoon
  (mañana) por la tarde (tomorrow) afternoon
  toda la tarde all afternoon
  todas las tardes every afternoon
la **tarjeta** card (*postal*)
el **taxi** taxi
la **taza** cup
  taza para café coffee cup
te *pron.* you (*fam.*), to you, (to) yourself
el **té** tea
el **teatro** theater
la **técnica** technique
técnico, –a technical
el **techo** roof
la **teja** tile
el **tejado** roof of tiles
la **tela** cloth, fabric
telefonear to telephone
el **teléfono** telephone
el **telegrama** telegram
  poner un telegrama to send a telegram
la **televisión** television
el **tema** theme, subject

temer to fear
la **temperatura** temperature
la **tempestad** tempest, storm
temprano early
la **tendencia** tendency
el **tenedor** fork
tener to have (*possess*)
  tener muchas ganas de to be very eager to (desirous of)
  tener (mucho) gusto en to be (very) glad to
  tener . . . que (llevar) to have . . . to (carry)
  tener . . . pies de largo (ancho) to be . . . feet long (wide)
  tener que + *inf.* to have to, must
  aquí (lo) tiene Vd. here (it) is
  ¿ qué precio tiene ? what is the price of (it) ?
  ¿ qué tiene (Vd.) ? what's the matter with (you) ?
  Vd. lo tiene you have it, of course (*reply to* **con su permiso**)
el **tenis** tennis
el **teólogo** theologian
la **teoría** theory
tercer *used for* **tercero** *before m. sing. nouns*
tercero, –a third
el **tercio** third
Teresa Teresa
terminar to end, finish
el **término** term
la **terraza** terrace
el **terreno** land, ground
terrible terrible
el **territorio** territory
la **tertulia** party, social gathering
el **tesoro** treasure
ti *pron.* you (*fam.*), yourself
la **tía** aunt
el **tiempo** time (*in general sense*); weather
  a tiempo on time
  a un tiempo at one (the same) time
  al mismo tiempo at the same time
  al poco tiempo after (in) a short time

con el tiempo in (in the course of) time

¿ cuánto tiempo (hace)? how long (is it)?

hacer buen (mal) tiempo to be good (bad) weather

hacer calor (frío, fresco) to be warm (cold, cool)

más tiempo longer

mucho tiempo a long time

¿ qué tiempo hace? what kind of weather is it?

tener tiempo para to have time to (for)

la **tienda** store, shop

tierno, –a tender

la **tierra** land, earth

Tierra Firme Mainland

el **timbre** doorbell

tímido, –a timid

la **tintorería** cleaning shop

el **tío** uncle; *pl.* uncle(s) and aunt(s)

típico, –a typical

el **tipo** type

tirar to throw

el **título** title

la **toalla** towel

el **Toboso** *a Spanish village*

el **tocador** dressing table

tocar to touch, play (*music*), ring

tocar a (uno) to fall to (one's) lot, be (one's) turn

todavía still, yet

todavía no not yet

todo, –a all, everything; *pron.* everything

sobre todo especially, above all

toda la (tarde) all (afternoon), the whole (afternoon)

todas las tardes (noches) every afternoon (evening, night)

todos los días every day

la **tolerancia** tolerance

tomar to take, drink

tomar el almuerzo (desayuno) to take *or* eat lunch (breakfast)

tomar el sol to take a sun bath

lo tomo I'll take it

Tomás Thomas, Tom

el **tomate** tomato

el **torero** bullfighter

el **toro** bull

la **torre** tower

la **torta** flat pancake

la **tortilla** tortilla, corn pancake (*Mex.*); omelet (*Spain*)

tostado, –a toasted

pan tostado toast

total total, complete

trabajador, –ora industrious

trabajar to work

la **tradición** (*pl.* **tradiciones**) tradition

tradicional traditional

el **tradicionalismo** traditionalism

la **traducción** (*pl.* **traducciones**) translation

traer to bring

trágico, –a tragic

la **traición** treason, treachery

traicionar to betray

el **traidor** traitor

el **traje** suit, costume

tratar to treat, try

tratar de + *inf.* to try to, deal with

el **trato** dealing

través: a — de across, through

trece thirteen

treinta thirty

tremendo, –a tremendous

el **tren** train

al tren all aboard

en tren by train

tres three

trescientos, –as three hundred

la **tribu** tribe

el **tributo** tribute

el **trigo** wheat

triste sad

triunfar to triumph

tropical tropical

tu your (*fam.*)

tú you (*fam.*)

el **tubo** tube
la **tumba** tomb
turismo: campo de —, tourist camp,
    motel
el (la) **turista** tourist
tuvieron *pret. of* **tener**
tuyo, –a *adj.* your (*fam.*), of yours
    (**el**) **tuyo** *pron.* yours

U

Ud(s). = usted(es)
último, –a last (*in a series*), latest, most
    recent, ultimate
    en los últimos años in recent years
    por último finally
un, una, uno a, an, one
único, –a only, unique
la **unidad** unity
unido, –a united
la **unificación** unification
la **unión** union
unirse to unite
    unirse a to join
universal universal
la **universidad** university
uno, –a *adj. and pron.* one
unos, –as some, a few, about (*quantity*)
urgente urgent
el **Uruguay** Uruguay
el **uruguayo** Uruguayan
usar to use, wear
el **uso** use
usted you (*formal*)
útil useful
la **uva** grape

V

la **vaca** cow
las **vacaciones** vacation
la **vainilla** vanilla
valenciano, –a Valencian
valer to be worth
    valer la pena to be worth while (the
        trouble)
    valer más to be better

valiente valiant, brave
el **valor** valor, courage; value
el **valle** valley
vamos we are going, let's go
    vamos a + *inf.* we are going to, let's
        (+ *verb*)
vano, –a vain
variado, –a varied
variar to vary, change
la **variedad** variety
varios, –as various, several
vasco, –a (*also noun*) Basque
vascongado, –a Basque
el **vaso** glass
Vd(s). = usted(es)
vecino, –a neighboring, near by
el **vecino** neighbor
la **vegetación** vegetation
veinte twenty
    veinte (y uno) twenty(-one)
veintidós twenty-two
veintinueve twenty-nine
veintiocho twenty-eight
veintiuno twenty-one
la **vela** candle
la **velocidad** speed
vencer to conquer, overcome
vendar to bandage
el **vendaval** windstorm
vender to sell
Venecia Venice
venerado, –a venerated, worshipped
venezolano, –a Venezuelan
venir (**a +** *inf.*) to come (to); *reflex.*
    come
    venir a ser to become
    venir por to come for
    (**la semana**) **que viene** next (week)
la **venta** sale; inn
la **ventana** window
la **ventanilla** ticket window
el **ventero** innkeeper
ver to see; *reflex.* be, be seen
    a ver let's see
    nos vemos we'll be seeing each other
el **verano** summer

la **verbena** *night festival on the eve of a saint's day*
la **verdad** truth
   es verdad it is true
   ¿ no es verdad ? isn't he ? don't you ? *etc.*
  verdaderamente really, truly
  verdadero, –a true, real
  verde green
   el verde green (one)
la **vergüenza** shame
el **vestido** dress
  vestir (i) to dress; *reflex.* dress (oneself), get dressed
la **vez** (*pl.* **veces**) time (*in a series*), occasion
  a la vez at the same time
  a veces at times, sometimes
  alguna vez some time, ever (*in a question*)
  algunas veces sometimes
  cada vez más more and more
  de vez en cuando from time to time, occasionally
  dos veces twice
  en vez de instead of
  muchas veces many times, often
  otra vez again
  por primera (tercera) vez for the first (third) time
  tal vez perhaps
  una vez once
  viajar to travel
el **viaje** trip
  hacer un viaje to take (make) a trip
  viaje de negocios business trip
el **viajero** traveler
  ¡ señores viajeros ! travelers !
  Vicente Vincent
el **vicio** vice, bad habit
la **víctima** victim
la **victoria** victory
  victorioso, –a victorious
la **vida** life
  viejo, –a old
   los viejos old people

el **viento** wind
  hacer (mucho) viento to be (very) windy
el **viernes** (on) Friday
  Viernes Santo Holy (Good) Friday
el **vigor** vigor, strength
  vigoroso, –a vigorous
el **villancico** carol
el **villano** peasant, villager
el **vino** wine
la **violencia** violence
el **violoncelista** violoncellist, cellist
la **Virgen** Virgin
el **virrey** viceroy
el **visigodo** Visigoth
la **visión** vision, foresight
la **visita** visit
  visitar to visit, call on
la **víspera** eve
  víspera de la Navidad Christmas Eve
  víspera del Año Nuevo New Year's Eve
la **vista** sight, view
  en vista de que in view of the fact that
  hasta la vista until I see you
  visto *p.p. of* **ver**
  vivir to live
  vivo, –a alive, living
   los vivos the living
  volar (ue) to fly
el **volcán** (*pl.* **volcanes**) volcano
el **voluntario** volunteer
  volver (ue) to return, come back
   volver a (verla) (to see her) again
   volverse (loco) to become *or* go (crazy)
  vosotros, –as you (*fam. pl.*), yourselves
la **voz** (*pl.* **voces**) voice
el **vuelo** flight
la **vuelta** return, change (*money*)
  a vuelta de correo by return mail
  estar de vuelta to be back
  vuestro, –a *adj.* your (*fam. pl.*), of yours
  (el) vuestro *pron.* yours

Y

y and

ya already, now

ya no no longer

la **yerba mate** *tree whose leaves are used to make maté*

yo I

la **yuca** yucca

Z

la **zapatería** shoe store

el **zapato** shoe

VOCABULARY

A

a, an un, una; *often untranslated*
  a (month) por *or* al (mes)
able: be —, poder
aboard: all —, al tren
about *prep.* de, acerca de, en, sobre; *adj.*
  (*approximately*) unos, –as, (*probability*)
  use future tense
  be about to estar para
accompany acompañar
account: credit to one's —, abonar en su
  cuenta
ache doler (ue)
  my head aches me duele la cabeza
acknowledge acusar
  acknowledge receipt acusar recibo
across: run —, encontrarse (ue) con
address dirigir
advance: thank in —, anticipar las
  gracias a
advise aconsejar (*requires indir. obj. of a*
  person)
afraid: be — (of) tener miedo (de)
after *prep.* después de; *conj.* después que;
  (*in time*) y
afternoon la tarde
  all (the) afternoon toda la tarde
  every afternoon todas las tardes
  good afternoon buenas tardes
  in the afternoon por la tarde; (*when the*
  hour is given) de la tarde
  yesterday afternoon ayer por la tarde
afterward(s) *adv.* después, luego
  shortly afterward poco después
again otra vez; más; volver a + *inf.*
agent el agente
ago: (an hour) —, hace (una hora)
agree estar de acuerdo
agriculture la agricultura
air mail: by —, por correo aéreo, vía
  aérea
airport el aeropuerto

alarm clock el despertador
all todo, –a
  all that todo lo que, cuanto, –a
  all aboard al tren
allow dejar, permitir (*both verbs require indir.*
  obj. of a person)
almost casi
alone solo, –a
along por
already ya
also también
always siempre
A.M. de la mañana
America América
  South America la América del Sur
  Spanish America la América Española
American *adj. and noun* norteamericano, –a
  Latin American latinoamericano, –a
amount el importe
ancient antiguo, –a
and y
Ann, Anna, Anne Ana
anniversary el aniversario
another otro, –a
answer contestar
anxious: be (very) —, tener (grandes)
  deseos de
any *adj. and pron.* alguno, (*before m. sing.*
  nouns) algún, (*after negative*) ninguno,
  ningún; *often not translated*
anybody, anyone alguien, (*after negative or*
  comparative) nadie
anything algo, (*after negative*) nada
apartment el departamento
approach acercarse (a + *obj.*)
April abril
Argentina la Argentina
arm el brazo
around por
  around home por casa
arrive llegar (a + *obj.*)
Arthur Arturo
as como, tan

424

as + *adj. or adv.* + **as** tan . . . como
as if como si
as much (many) + *noun* + **as** tanto, –a . . . como
ask (*question*) preguntar; (*request, favor*) pedir (i); (*beg*) rogar (ue)
   ask a question hacer una pregunta
   ask for pedir (i)
at a, en, de
   at (Philip's) en casa de (Felipe)
August agosto
aunt la tía
avenue la avenida
await aguardar, esperar
awaiting en espera de
away: go —, irse
   right away ahora mismo

B

back: be —, estar de vuelta
bad malo, –a, (*before m. sing. nouns*) mal
badly mal
baggage el equipaje
band (*watch*) la pulsera
   watch band pulsera de reloj
bank el banco
Barbara Bárbara
Basque vasco, –a
bath el baño
   take a bath bañarse
   take a sun bath tomar el sol
bathing suit el traje de baño
bathroom el cuarto de baño
be estar, ser
   aren't you? isn't it? *etc.* ¿ (no es) verdad ?
   be able poder
   be about to estar para
   be (at Philip's) estar (en casa de Felipe)
   be to, be supposed to haber de + *inf.*
   here (it) is aquí (lo) tiene Vd.
   there is (are) hay
   there was (were) había
   there will be habrá.
   you are welcome no hay de qué

beach la playa
beautiful bonito, –a, hermoso, –a, precioso, –a
because porque
become + *adj.* ponerse; + *noun* hacerse, llegar a ser
bed: go to —, acostarse (ue)
bedroom la alcoba
before *prep.* antes de; *conj.* antes (de) que
begin comenzar (ie) (a + *inf.*), empezar (ie) (a + *inf.*)
believe creer
   believe so creer que sí
berth la cama
besides *prep.* además de
best, better mejor
   the best thing lo mejor
   like better gustar más
Betty Isabel
bill el billete
   (five-dollar) bill billete (de cinco dólares)
billfold la cartera
birthday el cumpleaños
   reach one's (seventeenth) birthday cumplir (diez y siete) años
black negro, –a
   black coffee café solo
blackboard la pizarra
blond rubio, –a
blue azul
book el libro
   little book el librito
born: be —, nacer
bother molestar
box (*post office*) el apartado
boy el muchacho
bracelet la pulsera
bread el pan
breakfast el desayuno
   take (eat) breakfast tomar el desayuno, desayunarse
bring traer
brother el hermano
   little brother el hermanito
build construir
building el edificio

bullfight la corrida de toros
bull ring la plaza de toros
bus el autobús
business *adj.* comercial
busy ocupado, –a
but pero, *(after negative)* sino
buy comprar
by a, por, de; *(time)* para; *not translated with pres. part.*
   by the way a propósito
   little by little poco a poco

C

café el café
call llamar
camera la cámara
can poder
capital la capital
car el coche
card la tarjeta, *(playing)* la carta
  play cards jugar a las cartas
care: in — of en casa de
careful: be —, tener cuidado
carefully con cuidado
Carmen Carmen
Caroline Carolina
carry llevar
  carry with oneself llevar consigo
cash cobrar
catalogue el catálogo
catch coger
celebrate celebrar
center el centro
certain cierto, –a
chair la silla
change *(money)* la vuelta; cambiar
  change clothes cambiarse de ropa
charge cargar
  charge to one's account cargar en su cuenta
Charles Carlos
charming simpático, –a
chat charlar
cheap barato, –a
check el cheque; *(baggage)* facturar

cheek la mejilla
children los hijos, los niños
church la iglesia
  to church a la iglesia
city la ciudad
Clara Clara
class la clase
  (Spanish) class clase (de español)
classroom la clase
clean *adj.* limpio, –a; limpiar
cleaning shop la tintorería
clerk el empleado, la empleada, el dependiente
climb subir (a + *obj.*)
clock: alarm —, el despertador
close cerrar (ie)
clothes la ropa
  change clothes cambiarse de ropa
cloud la nube
coffee el café
cold *adj.* frío, –a
cold el frío, *(disease)* el resfriado
  be cold *(living beings)* tener frío
  be cold *(weather)* hacer frío
  cold drink el refresco
color el color
  what color is (it)? ¿ de qué color es ?
come venir (a + *obj.*)
  come by here pasar por aquí
  come down bajar
  come for venir por
  come in pasar, entrar (en)
  may I come in? ¿ puedo entrar ?
comfortable cómodo, –a
company la compañía
composition la composición
congratulate felicitar
consequently por lo tanto
construct construir
continue continuar, seguir (i)
cool fresco, –a; *(noun with* **hacer***)*
  be cool *(weather)* hacer fresco
corner *(street)* la esquina
cost costar (ue)
could podía, pudo
count contar (ue)

country el campo, (*nation*) el país
   country house casa de campo
course: of —! ¡ cómo no! ¡ por supuesto !
courteous cortés
cousin el primo, la prima
cover: under separate —, por separado
covered (with) cubierto, –a (de)
credit abonar
   credit to one's account abonar en su
   cuenta
cross cruzar
cry llorar
custom la costumbre
cut cortar
Cuzco el Cuzco

D

dad (el) papá
dance el baile; bailar
dangerous peligroso, –a
dangerously (wounded) mal (herido)
dare (to) atreverse (a + *inf.*)
dark (*color*) castaño, –a
date la cita
daughter la hija
day el día
   day after tomorrow pasado mañana
   every day todos los días
deal: a great —, mucho
dear querido, –a
December diciembre
decide decidir
delay in tardar en + *inf.*
dentist el dentista
depart partir (de + *obj.*)
desk la mesa, (*student*) el pupitre
die morir (ue)
dining room el comedor
dinner: eat —, comer
do hacer; *not translated as an auxiliary*
   what can I do for you? ¿ en qué puedo
   servirle(s) ?
doctor el médico
dollar (*U.S.*) el dólar
   five-dollar bill billete de cinco dólares

door la puerta
doorbell el timbre
Dorothy Dorotea
doubt dudar
doubtless sin duda
down: go (come) —, bajar
   sit down sentarse (ie)
downtown el centro
   (be) downtown (estar) en el centro
   (go) downtown (ir) al centro
dress el vestido
dress (oneself), get dressed vestirse (i)
drink: cold —, el refresco
drive conducir
during durante

E

each cada (*invariable*)
each other: (see) —, (ver)se
eager: be very — to tener muchas ganas de
early temprano
earn ganar
easily fácilmente
easy fácil
eat comer, tomar
   eat breakfast tomar el desayuno, desayunarse
   eat lunch tomar el almuerzo, almorzar
   (ue)
   eat supper cenar
eight ocho
   eight hundred ochocientos, –as
eighteen diez y ocho
either o, (*after negative*) tampoco
   nor I either ni yo tampoco
   (not) . . . either . . . or (no) . . . ni . . . ni
eleven once
embrace abrazar
employee el empleado, la empleada
enclosed adjunto, –a, anexo, –a
English (*language*) el inglés
enjoy gozar (de + *obj.*)
enough bastante
enter entrar (en + *obj.*)
envelope el sobre

even though aunque
evening la noche
  in the evening por la noche, (*when hour is given*) de la noche
  spend an evening pasar una noche
ever (*after negative*) nunca
every todo, –a
  every afternoon (night) todas las tardes (noches)
  every (day) todos los (días)
everybody todo el mundo, todos
everywhere por todas partes
examination el examen (*pl.* exámenes)
examine examinar
example: for —, por ejemplo
excursion la excursión
excuse me dispense Vd.
expensive caro, –a
experience la experiencia

F

face la cara
fact: the — is that es que
factory la fábrica
fail: not to — to no dejar de + *inf.*
fall el otoño
  fall day día de otoño
fall caer
  fall down caerse
fall in love (with) enamorarse (de)
family la familia
far from lejos de
farm *adj.* agrícola (*m. and f.*)
fast rápido, –a
father el padre, (el) papá
fear temer
feel sentir (ie)
  feel well sentirse bien
few poco, –a
  a few unos, –as
fewer menos
fifteen quince
  fifteen hundred mil quinientos
fifth quinto, –a
fifty cincuenta

film la película
finally por fin
find hallar, encontrar (ue)
  find out saber
fine magnífico, –a
finger el dedo
finish terminar
firm la casa
first *adj.* primero, –a, (*before m. sing. nouns*) primer; *adv.* primero
  at first al principio
fit (one) sentar (ie) bien a (uno)
five cinco
  five hundred quinientos
flat (*tire*) desinflado, –a
flight el vuelo
floor el piso
flower la flor
fly volar (ue)
follow seguir (i)
following siguiente
fond (of) aficionado, –a (a)
  be fond of ser aficionado a
football el fútbol
for para, por
  for me (on my part) de mi parte
foreign extranjero, –a
forest el bosque
forget olvidarse (de + *obj.*)
forty cuarenta
fountain la fuente
four cuatro
fourth cuarto, –a
French (*language*) el francés
Friday el viernes
friend el amigo, la amiga
from de, desde
  from . . . until desde . . . hasta

G

game el juego, (*match*) el partido
garden el jardín (*pl.* jardines)
generally generalmente, por lo común
gentleman el señor
  gentlemen muy señores míos (nuestros)

George Jorge
get conseguir (i), obtener
  get dressed vestirse (i)
  get out of bajar de
  get up levantarse
girl la muchacha
give dar, (*as a gift*) regalar
glad: be (very) — to alegrarse (mucho) de,
  tener (mucho) gusto en
  how glad I am to! ¡ cuánto me alegro
  de !
gladly con mucho gusto
glass el vaso
glove el guante
go ir (a + *obj.*)
  go (away) irse
  go down bajar
  go downtown ir al centro
  go home ir a casa
  go out salir (de + *obj.*)
  go shopping ir de compras
  go to bed acostarse (ue)
  go (to Mary's) ir (a casa de María)
  go to sleep dormirse (ue)
  go up subir
  let's be going vámonos
  let's go vamos (a + *obj.*)
  we are going (to) vamos (a)
gold el oro
  gold (pen) (pluma) de oro
good bueno, −a, (*before m. sing. nouns*)
  buen
  good afternoon buenas tardes
  good morning buenos días
  what is good lo bueno
good-bye adiós, que lo pase(s) bien
grandfather el abuelo
grandparents los abuelos
grateful: be — for agradecer
great gran (*used before sing. noun*), *pl.*
  grandes
  a great deal mucho
greater mayor
green verde
greet saludar
guest el invitado

H

hair el pelo
half medio, −a
  a half hour media hora
  half past (five) (las cinco) y media
  two hours and a half dos horas y media
hand la mano
hand (over) entregar
handball la pelota, el jai-alai
handsome guapo, −a
happen pasar, ocurrir
happy contento, −a, feliz
hard *adv.* mucho
hat el sombrero
have tener; (*auxiliary*) haber
  have (*causative*) hacer *or* mandar + *inf.*
  have (*indir. command*) que + *pres. subj.*
  have a (very) good time divertirse (ie)
  (mucho)
  have just acabar de + *inf.*
  have left quedar a (uno)
  have to tener que + *inf.*
  have . . . to (do) tener . . . que (hacer)
he él
head la cabeza
  my head aches me duele la cabeza
headache: I have a —, me duele la cabeza
  have a headache tener dolor de (la)
  cabeza
hear oír
  hear that oír decir que
heaven's: for — sake ! ¡ por Dios !
Helen Elena
help ayudar (a + *inf.*)
Henry Enrique
her *adj.* su(s); su(s) *or* el (la, los, las) de
  ella
her *dir. obj.* la; *indir. obj.* le; *after prep.* ella
here aquí
  here (it) is aquí (lo) tiene Vd.
hers *pron.* (el) suyo, (la) suya, *etc.*, (el, la,
  los, las) de ella
  of hers *adj.* suyo, −a, de ella
him *dir. and indir. obj.* le; *after prep.* él
  with him(self) consigo

his *adj.* su(s); su(s) *or* el (la, los, las) de él; *pron.* (el) suyo, (la) suya, *etc.*, (el, la, los, las) de él
  of his *adj.* suyo, –a, de él
home la casa
  around home por casa
  at home en casa
  (to go) home (ir) a casa
  to leave home salir de casa
honeymoon la luna de miel
hope esperar
  hope so esperar que sí
  I hope that! ¡ que + *pres. subj.!*
horseback a caballo
hotel el hotel
hour la hora
house la casa
  at Joe's (house) en casa de José
  country house casa de campo
  (stone) house casa (de piedra)
how? ¿ cómo?
  how long? ¿ cuánto tiempo?
  how old is (he)? ¿ cuántos años tiene (él)?
  how much (many)? ¿ cuánto, –a?
how! + *adj. or adv.* ¡ qué!
  how! + *verb* ¡ cuánto!
however sin embargo
hundred cien(to)
  fifteen hundred mil quinientos
  hundred-dollar (bill) (billete) de cien dólares
  one hundred ten ciento diez
hungry: be —, tener hambre (*f.*)
hurry darse prisa
hurt (oneself) hacerse daño, herirse (i)

I

I yo
idea la idea
if si
  as if como si
ill enfermo, –a
imagine imaginarse
in en, por, de, a; (*after a superlative*) de
  the one in el (la) de

Inca el inca
incredible: to seem —, parecer mentira
indeed sí (que) + *verb*
inform avisar, comunicar
information los informes, las noticias
inhabitant el habitante
insist (on) insistir (en)
  insist that insistir en que
intend pensar (ie) + *inf.*
interesting interesante
introduction la presentación
invite invitar (a + *inf.*)
invoice la factura
it *dir. obj.* lo (*m. and neuter*), la (*f.*); *indir. obj.* le; (*usually omitted as subject*) él, ella; *after prep.* él (*m.*), ella (*f.*)

J

Jane Juanita
January enero
Jim Jaime
job el puesto
Joe José
John Juan
Johnny Juanito
July julio
June junio
just: have —, acabar de + *inf.*

K

keep guardar
kind amable, (*order or letter*) grato, –a
kindly: which you — sent us que Vd. ha tenido la bondad de enviarnos (se sirvió hacernos)
kiss besar
kitchen la cocina
knock llamar
know (*facts*) saber, (*be acquainted with*) conocer
  know how to saber + *inf.*
  I don't know no (lo) sé

L

lack faltar (a uno)
lake el lago

language la lengua
large grande
  very large muy grande, grandísimo, –a
last pasado, –a, (*in a series*) último, –a
  last night anoche
late tarde
later más tarde, después
Latin American latinoamericano, –a
latter: the —, éste, ésta (–os, –as)
laugh reír (i)
  laugh at reírse de
lazy perezoso, –a
learn aprender (a + *inf.*)
least menos
  at least por lo menos
leather el cuero
leave salir (de + *obj.*), partir (de + *obj.*),
  marcharse; (*trans.*) dejar
  leave home salir de casa
  take leave (of) despedirse (i) (de)
left izquierdo, –a
  I have (five dollars) left me quedan
  (cinco dólares)
  to the left a la izquierda
leg la pierna
lend prestar
less menos
lesson la lección (*pl.* lecciones)
  Spanish lesson(s) lección (lecciones) de
  español
let dejar, permitir (*both verbs require indir.
  obj. of the person*)
  let me + *verb* déjeme (permítame) Vd.
  + *inf.*
  let's (let us) + *verb* vamos a + *inf.* or
  first pl. pres. subj.
  let's go vamos
letter la carta; la atenta (grata)
library la biblioteca
life la vida
light ligero, –a
like como; gustar
  I should like quisiera, me gustaría
  like better gustar más
  would you like? ¿ le gustaría a Vd. ?
list la lista

listen to escuchar
little *adj.* (*quantity*) poco, –a; *adv.* poco
  little by little poco a poco
live vivir
living room la sala
long largo, –a
  a while longer un rato más
  how long (has he been here)? ¿ cuánto
  tiempo (hace que está aquí) ?
  longer más tiempo
look at mirar
  look at each other mirarse
look for buscar
lose perder (ie)
Louis Luis
love: fall in — (with) enamorarse (de)
lower bajo, –a
lucky: be (very) —, tener (mucha) suerte
lunch el almuerzo
  take (eat, have) lunch tomar el almuerzo, almorzar (ue)

M

machinery la maquinaria
madam señora, señorita
  (my) dear madam muy señora (señorita)
  mía, (muy) distinguida señora (señorita)
magazine la revista
maid la criada
mail echar al correo
  by air mail por correo aéreo, vía aérea
  by return mail a vuelta de correo
make hacer
  make the trip hacer el viaje
man el hombre
  man (alive)! ¡ hombre !
  the young men los jóvenes
manager el gerente
many mucho, –a
  as (so) many (. . . as) tanto, –a (. . . como)
  how many? ¿ cuánto, –a ?
map el mapa
March marzo
Margaret Margarita
market el mercado

marry, be married casarse (con + *obj.*)
Martha Marta
Mary María
matter: what's the — with (her)? ¿ qué tiene (ella)?
may (*wish, indir. command*) que + *subj.*; *sign of pres. subj.*
  may I (see it)? ¿ puedo (verlo)?
May mayo
me *dir. and indir. obj.* me; *after prep.* mí
  for me (on my part) de mi parte
  with me conmigo
meat la carne
meet encontrar (ue), encontrarse (ue) con, (*a person the first time*) conocer
Mexican mejicano, –a
Mexico Méjico, México
  Mexico City México, D. F.; la ciudad de Méjico (México)
midnight la medianoche
  at midnight a la medianoche
might *sign of imp. subj.*
million: a, one —, un millón de
mine *pron.* (el) mío, (la) mía, *etc.*
  of mine *adj.* mío, –a
Miss (la) señorita, Srta.
moment el momento
  at this moment en este momento
Monday el lunes
  on Mondays los lunes
money el dinero
month el mes
  a month al (por) mes
  of the present (this) month del corriente (actual)
more más
morning la mañana
  good morning buenos días
  in the morning de la mañana (*when the hour is given*)
  on Sunday mornings los domingos por la mañana
  tomorrow morning mañana por la mañana
most más
  most of la mayor parte de

mother la madre, (la) mamá
mountain la montaña
movie(s) el cine
Mr. (el) señor, Sr.
  Mr. and Mrs. (Díaz) los señores (Díaz)
Mrs. (la) señora, Sra.
much *adj.* mucho, –a; *adv.* mucho
  as (so) much (. . . as) tanto, –a (. . . como); *adv.* tanto
  too much demasiado
music la música
must tener que + *inf.*, haber de + *inf.*, deber; *for probability use future*
  one must hay que + *inf.*
my *adj.* mi(s), mío, –a
myself: for —, para mí

N

name: one's — is, be named llamarse
  what is (your) name? ¿ cómo se llama (Vd.)?
nap la siesta
  take a nap dormir (ue) la siesta
near *prep.* cerca de
necessary necesario, –a
necktie la corbata
need necesitar
neighbor el vecino
nervous nervioso, –a
never nunca
  never . . . again nunca . . . más (otra vez)
new nuevo, –a
  what's new? ¿ qué hay de nuevo?
newspaper el periódico
New York Nueva York
next próximo, –a
  next (year) (el año) que viene, (el año) próximo
night la noche
  at night de noche
  every night todas las noches
  last night anoche
  (Saturday) night (el sábado) por la noche
nine nueve
  nine hundred novecientos

no *adv.* no; *adj.* ninguno, –a, (*before m. sing. nouns*) ningún; *often not translated*
  nobody, no one nadie
noon el mediodía
  at noon al mediodía
nor ni
North American el norteamericano
not no
notebook el cuaderno
nothing nada
November noviembre
now ahora
  right now ahora mismo
nowadays hoy día

O

occur ocurrir
o'clock: it is one —, es la una
  it is (two) o'clock son las (dos)
  at (three) o'clock a las (tres)
  until one o'clock hasta la una
October octubre
of de; (*time*) menos
off: take —, quitarse
office la oficina, el despacho
  post office casa de correos
  ticket office despacho de billetes
often muchas veces, a menudo
old antiguo, –a, viejo, –a
  be . . . years old tener . . . años
  how old is (he)? ¿ cuántos años tiene (él) ?
older mayor
on en, sobre
  on (Mondays) los (lunes)
  on the second of June el dos de junio
once una vez
  at once en seguida, cuanto antes
one un, una, uno; *indefinite subject* se, uno
  no one nadie
  one must hay que + *inf.*
  the one in (of, with) el (la) de
  the one(s) who (which, that) los (las) que, quien(es) (*persons only*)
  one-way sencillo, –a

only solamente, no . . . más que
open abrir; *adj.* abierto, –a
opportunity la oportunidad
  have an opportunity to tener oportunidad de
or o
orchestra la orquesta
order mandar
order (*business*) el pedido
  in order that *conj.* para que
  in order to *prep.* para
other otro, –a
  (look at) each other (mirar)se
our nuestro, –a
ours *pron.* (el) nuestro, (la) nuestra, *etc.*
  of ours *adj.* nuestro, –a
overcoat el abrigo
owner el dueño

P

package el paquete
pair el par
paper el papel
parents los padres
park el parque
part la parte
  on my part de mi parte
pass pasar
past pasado, –a
  half past (five) (las cinco) y media
Paul Pablo
pay (for) pagar
payment el pago
  in payment of en pago de
pen la pluma
pencil el lápiz (*pl.* lápices)
people la gente (*requires sing. verb*); *indef. subject* se
perhaps tal vez, quizá(s)
person la persona
Peru el Perú
Peruvian peruano, –a
Philip Felipe
photo la foto
photograph la fotografía
  take photographs sacar fotografías

pick coger
picture el cuadro
pity la lástima
　it is a pity es lástima
　what a pity ! ¡ qué lástima !
place el sitio
　place an order hacer un pedido
　place oneself ponerse
plane el avión
　by plane en avión
　the ten o'clock plane el avión de las diez
platform el andén
play (*game*) jugar (ue) (a + *obj.*), (*music*) tocar
pleasant agradable, simpático, –a
please + *verb* hága(n)me Vd(s). el favor de + *inf.*, favor de + *inf.*, sírva(n)se Vd(s). + *inf.*, (*after request*) por favor
pleased: I am — to tengo el agrado (gusto) de, me es grato
　I am pleased to meet you mucho gusto en conocerle a Vd.
pleasure el placer
P.M. de la tarde (noche)
popular popular
Portuguese (*language*) el portugués
position el puesto
possible posible
　as soon as possible a la mayor brevedad posible, cuanto antes
post office la casa de correos
practice practicar
prefer preferir (ie), gustar más
prepare preparar
present: of the — month del corriente (actual)
pretty bonito, –a, hermoso, –a
　very pretty muy hermoso, –a, hermosísimo, –a
price el precio
　what is the price of (this one) ? ¿ qué precio tiene (éste) ?
probably *use future, conditional, or future perfect tense*
professor el profesor, la profesora
program el programa

pronounce pronunciar
Pullman el coche cama
pupil la alumna, el alumno
purse la bolsa
put poner
　put it on the envelope ponerlo al sobre
　put on (*oneself*) ponerse
　put on (*record*) poner

Q

quarter el cuarto
　a quarter past (**twelve**) (las doce) y cuarto
　a quarter to (**nine**) (las nueve) menos cuarto
question la pregunta
　ask a question hacer una pregunta
quickly de prisa, pronto
quite bastante

R

railroad el ferrocarril
　railroad station la estación de ferrocarril
rain llover (ue)
ranch la hacienda
rapidly rápidamente
rate: at any —, de todos modos
reach llegar (a + *obj.*)
　reach one's (**seventeenth**) **birthday** cumplir (diez y siete) años
read leer
realize darse cuenta de
recall recordar (ue)
receipt el recibo
receive recibir
recommend recomendar (ie)
record (*phonograph*) el disco
recreation room la sala de recreo
red rojo, –a
refreshment el refresco
regards los recuerdos, los saludos
registered certificado, –a
remain quedar(se)
remember recordar (ue), acordarse (ue) (de + *obj.*)

rent alquilar
reply responder, contestar
  in reply to en contestación a
request solicitar, pedir (i)
reserve reservar
respond responder, contestar
rest descansar
return volver (ue), (*give back*) devolver (ue)
  by return mail a vuelta de correo
Richard Ricardo
ride (*horseback*) montar
right derecho, –a
  be right tener razón
  on (to) the right a la derecha
  right away (now) ahora mismo
ring sonar (ue), tocar
ring: bull —, la plaza de toros
road el camino
Robert Roberto
roof el techo; el tejado
room el cuarto
  recreation room la sala de recreo
rose la rosa
round-trip de ida y vuelta
ruins las ruinas
rumba la rumba
run correr
  run across encontrarse (ue) con

S

sad triste
sake: for heaven's —! ¡ por Dios!
same mismo, –a
sand la arena
Saturday el sábado
  (on) Saturday night el sábado por la
    noche
say decir
school la escuela
  to school a la escuela
season la estación
seated sentado, –a
second segundo, –a
  on the second of June el dos de junio
secretary la secretaria

see ver
  I'll see you tomorrow le veo mañana
  let's see (vamos) a ver
  until I see you hasta la vista
seem parecer
  seem incredible parecer mentira
select escoger
sell vender
send mandar, enviar, remitir
  send for enviar (mandar) por
  send a telegram poner un telegrama
sentence la frase
separate: under — cover por separado
September septiembre
serve servir (i)
  serve as servir de
service: at your —, a sus órdenes, a su
  disposición
seven siete
seven hundred setecientos
seventeen diez y siete
seventy setenta
several varios, –as
shade la sombra
sharp en punto
shave afeitarse
she ella
shipment el envío
shirt la camisa
shoe el zapato
shopping: go —, ir de compras
shortly afterward poco después
should *sign of conditional and imp.
  subj.; (softened statement)* debiera
shout gritar
show enseñar (a + *inf.*)
show window el escaparate
silver la plata
  silver (pencil) (lápiz) de plata
since *conj.* como
sincerely yours *see section on letter writing*
sing cantar
sir señor
  dear sir muy señor mío (nuestro), estimado señor
sister la hermana

sit down sentarse (ie)
  let's sit down sentémonos, vamos a sentarnos
six seis
sixteen diez y seis
sixty sesenta
sky el cielo
sleep dormir (ue)
  go to (fall) alseep dormirse
sleepy: be —, tener sueño
slowly despacio
small pequeño, –a
snow la nieve
so (*with adj. or adv.*) tan
  so + adj. or adv. + as tan . . . como
  so many (much) tanto, –a
  so much *adv.* tanto
  so that *conj.* de modo (manera) que, para que
  (**to believe) so** (creer) que sí
sock el calcetín (*pl.* calcetines)
some *adj. and pron.* alguno, –a, (*before m. sing. nouns*) algún; *pl.* algunos, –as, unos, –as; *often not translated*
someone alguien, alguno (de ellos)
something algo
son el hijo
song la canción (*pl.* canciones)
soon pronto
  as soon as *conj.* en cuanto
  as soon as possible a la mayor brevedad posible, cuanto antes
sorry: be —, sentir (ie)
  I am very sorry lo siento mucho
soundly profundamente
south el sur
  South America la América del Sur
space el espacio
Spain España
Spanish *adj.* español, –ola; (*language*) el español
  Spanish American hispanoamericano, –a
speak hablar
special especial
spend (*time*) pasar

sport el deporte
spring la primavera
  spring day día de primavera
square la plaza
stamp el sello
state el estado
  the United States los Estados Unidos
station la estación
stay la estancia; quedarse
still todavía
stone la piedra
  stone house casa de piedra
stop pararse
store la tienda
street la calle
stroll pasear
student el alumno, la alumna
study estudiar
style el estilo
stylish de moda
suddenly de repente, de pronto
suit el traje
  bathing suit traje de baño
suitcase la maleta
summer el verano
sun el sol
  take a sun bath tomar el sol
Sunday el domingo
  on Sunday mornings los domingos por la mañana
sunny: be —, hacer (haber) sol
supper: eat —, cenar
supply el surtido
suppose suponer
sure seguro, –a
  be sure (that) estar seguro, –a (de que)
surprise la sorpresa
surprised sorprendido, –a
swim nadar
swimming pool la piscina

T

table la mesa
take tomar, (*carry*) llevar, (*photographs*) sacar

I'll take (it) me quedo con (él), (lo) tomo
take a bath bañarse
take a nap dormir (ue) la siesta
take a stroll pasearse
take a sun bath tomar el sol
take a trip hacer un viaje
take a walk dar un paseo
take away with oneself llevarse
take breakfast tomar el desayuno, desayunarse
take leave (of) despedirse (i) (de)
take lunch tomar el almuerzo, almorzar (ue)
take off quitarse
take (three days) to tardar (tres días) en + *inf.*
talk hablar
tall alto, –a
tango el tango
taxi el taxi
teach enseñar (a + *inf.*)
teacher el profesor, la profesora
  (Spanish) teacher profesor *or* profesora (de español)
telegram el telegrama
  send a telegram poner un telegrama
telephone el teléfono; telefonear
  by telephone por teléfono
television la televisión
  television program programa de televisión
tell decir
temperature la temperatura
ten diez
tenth décimo, –a
Teresa Teresa
than que, (*before numeral*) de
thank (for) agradecer, dar las gracias (a uno)
  thank in advance anticipar las gracias a
  we thank you for le agradecemos
thanks gracias
that *demonstrative adj.* (*near person addressed*) ese, esa (–os, –as), (*distant*) aquel, aquella (–os, –as); *pron.* ése, ésa (–os, –as), aquél, aquélla (–os, –as), (*neuter*) eso, aquello; *relative pron.* que

all that todo lo que, cuanto
that of el (la) de
the one(s) that el (la, los, las) que
the el, la, los, las
theater el teatro
their *adj.* su(s), de ellos (–as)
theirs *pron.* (el) suyo, (la) suya, *etc.*, el (la, los, las) de ellos
  of theirs *adj.* suyo, –a, de ellos (–as)
them *dir. obj.* los, las; *indir. obj.* les, se; *after prep.* ellos (–as)
themselves: for —, para sí
then luego, después, entonces
there (*near person addressed*) ahí, (*distant*) allí, allá (*often after verbs of motion*)
  there is (are) hay
  there was (were) había
  there will be habrá
therefore por eso, por lo tanto
these *adj.* estos, estas; *pron.* éstos, éstas
they ellos, ellas
thing la cosa
  the best thing lo mejor
think pensar (ie)
  think of (about) pensar en + *obj.*
  what do you think of? ¿ qué le (te) parece ?
third tercero, –a, (*before m. sing. nouns*) tercer
thirsty: be (very) —, tener (mucha) sed
thirty treinta
  thirty-five treinta y cinco
  thirty-one treinta y un(o)
  at two-thirty a las dos y media
this *adj.* este, esta; *pron.* **this (one)** éste, ésta, (*neuter*) esto
Thomas Tomás
those *adj.* (*near person addressed*) esos (–as), (*distant*) aquellos (–as); *pron.* ésos, aquéllos
  those of (with) los (las) de
  those who los (las) que, quienes
though: even —, aunque
thousand: a (one) —, mil
three tres
  three hundred trescientos, –as

through por
Thursday el jueves
ticket el billete
  one-way ticket billete sencillo
  round-trip ticket billete de ida y vuelta
  ticket office despacho de billetes
  ticket window la ventanilla
tile la teja
  tile roof tejado de tejas
time (*in general sense*) el tiempo; (*of day*) la hora; (*series*) la vez (*pl.* veces)
  at the same time al mismo tiempo
  at times a veces
  at what time? ¿ a qué hora ?
  be time to ser hora de
  from time to time de vez en cuando
  have a (very) good time divertirse (ie) (mucho)
  have time to tener tiempo para
  on time a tiempo
  what time is it? ¿ qué hora es ?
tire la llanta
tired cansado, –a
to a, para, de, que, en; (*in time*) menos
  to (Mary's) a casa de (María)
today hoy
Tom Tomás
tomorrow mañana
  day after tomorrow pasado mañana
  tomorrow (afternoon) mañana (por la tarde)
tonight esta noche
too también, demasiado
  too much demasiado
toward hacia
train el tren
  by train en tren
travel viajar
traveler el viajero
  all aboard, travelers! ¡ señores viajeros, al tren !
tree el árbol
trip el viaje, la excursión
  take (make) a trip hacer un viaje
true: be —, ser verdad

try on probarse (ue)
  try to tratar de + *inf.*
twelve doce
twenty veinte
  twenty-one veinte y un(o)
  twenty(-five) veinte y (cinco)
twice dos veces
two dos
typewriter la máquina de escribir

U

uncle el tío
  uncle and aunt los tíos
under *prep.* bajo
  under separate cover por separado
understand comprender, entender (ie)
unfortunately por desgracia
united unido, –a
  United States los Estados Unidos
university la universidad
until *prep.* hasta; *conj.* hasta que
up: go —, subir
upon + *pres. part.* al + *inf.*
upper alto, –a
us *dir. and indir. obj.* nos; (*after prep.*) nosotros, –as
used to *sign of the imperfect tense*

V

vacation las vacaciones
vegetable la legumbre
very *adv.* muy; *adj.* mucho, –a
Vincent Vicente
visit visitar

W

wait (for) aguardar, esperar
wake up despertarse (ie)
walk el paseo; andar, ir a pie
  take (walks) a walk dar (paseos) un paseo
wall la pared
want querer, desear

warm *adj.* caliente; *noun* el calor
  be (very) warm (*weather*) hacer (mucho) calor
  be (very) warm (*living beings*) tener (mucho) calor
wash lavar
  wash oneself lavarse
watch el reloj
  watch band pulsera de reloj
water el agua (*f.*)
way el camino; (*manner*) el modo, la manera
  be on one's way to estar en camino de
  by the way a propósito
  in that way de ese modo (esa manera)
  in this way de este modo (esta manera)
we nosotros, –as
wear usar
weather el tiempo
  be good (bad) weather hacer buen (mal) tiempo
Wednesday el miércoles
week la semana
weep llorar
welcome: you are —, no hay de qué
well *adj.* bueno, –a; *adv.* bien
what *pron.* lo que
  what (is good) lo (bueno)
what? ¿ qué? ¿ cuál? ¿ cómo?
  what's new? ¿ qué hay de nuevo?
  (*indir. question*) qué, lo que
what a ! ¡ qué!
when cuando
  when? ¿ cuándo?
where donde
  where? ¿ dónde? ¿ a dónde?
whether si
which *relative pron.* que, el (la, los, las) que, el (la) cual, los (las) cuales
  which (fact) lo que (cual)
  the one(s) which el (la, los, las) que
  those which los (las) que
while el rato; *conj.* mientras (que)
white blanco, –a
who *relative pron.* que, quien(es), el (la, los, las) que, el (la) cual, los (las) cuales

the one who (whom) el (la) que, quien
those who los (las) que, quienes
whom que, a quien(es)
whose *relative adj.* cuyo, –a
  whose? ¿ de quién(es)?
why? ¿ por qué?
wide ancho, –a
wife la esposa
will *sign of future*
  will you + verb? ¿ quiere Vd. + *inf.?*
William Guillermo
window la ventana
  show window el escaparate
  ticket window la ventanilla
windy: be (very) —, hacer (mucho) viento
winter el invierno
wish querer, desear
with con, de
  the one with el (la) de
without *prep.* sin
woman la mujer, la señorita
  young woman la joven
woods el bosque, los bosques
word la palabra
work trabajar
world el mundo
worse peor
worth: be —, valer
  be worth while valer la pena
would *sign of imperfect or conditional*
  would that ! ¡ ojalá que + *subj.!*
wound (oneself) herirse (ie)
wounded herido, –a
wrap up envolver (ue)
write escribir
written escrito, –a

Y

year el año
yellow amarillo, –a
yes sí
yesterday ayer
  yesterday (afternoon) ayer (por la tarde)
yet todavía
  not yet todavía no

you (*fam. sing.*) tú, (*pl.*) vosotros, –as; *dir. and indir. obj.* te, os; *after prep.* ti, vosotros, –as

  with you (*sing.*) contigo

you (*formal*) *subject pron. and after prep.* usted (Vd.), ustedes (Vds.); *dir. obj.* le, la, los, las; *indir. obj.* les, se; *indefinite subject* se

  with you (*reflex.*) consigo

young joven (*pl.* jóvenes)

young man el joven; *pl.* los jóvenes

young woman la joven, la señorita

younger más joven, menor

your (*fam.*) *adj.* tu, vuestro, –a; (*formal*) su(s), de Vd. (Vds.)

yours (*fam.*) *pron.* (el) tuyo, (la) tuya, (el) vuestro, (la) vuestra; (*formal*) (el) suyo, (la) suya, (el) de Vd. (Vds.)

  of yours *adj.* tuyo, –a, vuestro, –a; suyo, –a, de Vd. (Vds.)

Index

441

PHOTOGRAPH CREDITS

445